बाबरनामा

"मैमोरिस ऑफ जहीरूद्दीन मोहम्मद बाबर"
का हिन्दी अनुवाद

द्वितीय भाग

लिट्रेरी सर्किल

ISBN-978-93-85445-76-7 (set)

प्रथम संस्करण- 2025

मूल्य- 695/- (द्वितीय भाग)

प्रकाशक

लिट्रेरी सर्किल

सी-13, प्रथम तल,
खण्डेलवाल गर्ल्स कॉलेज के सामने,
संसार चन्द्र रोड़, जयपुर-302001
email-literarycirclejpr@yahoo.com

मुद्रक

शीतल प्रिन्टर्स, जयपुर

बाबर नामा भाग–2

फ़रग़ाना

मैं[1] रमजान ८६६ हि० (जून १४६४ ई०) में फ़रगाना की विलायत[2] में १२ वर्ष की अवस्था में[3] बादशाह[4] हुआ।

फ़रग़ाना ५वीं इक़लीम[5] में है और आबाद भूभाग के अंत पर स्थित है। इसके पूर्व में काशगर, पश्चिम में समरकन्द, दक्षिण में बदख्शां की सीमा की पर्वतीय श्रृंखलायें और उत्तर में यद्यपि भूत काल में आलमालीग, आलमातू तथा यांगी सरीखे जो इतिहास की पुस्तकों में तराज के नाम से प्रसिद्ध हैं, थे, किन्तु ऊज़बेगों एवं मुगूल लोगों के कारण अब वहां कोई आबादी नहीं रह गई है।

फ़रगाना एक छोटी सी विलायत है किन्तु उसमें मेवों तथा अनाज की बहुतायत है। पश्चिम दिशा अर्थात् खुजन्द एवं समरकन्द के अतिरिक्त यह चारों ओर से पर्वतों से घिरा है। शीत ऋतु में शत्रु केवल इसी दिशा से प्रविष्ट हो सकते हैं।

सैहून नदी जो कि खुजन्द नदी के नाम से प्रसिद्ध है, पूर्व–उत्तर की ओर से निकल कर इस विलायत में होती हुई पश्चिम की ओर जाती है। खुजन्द के उत्तर तथा फ़नाकत[6] के, जो अब शाहरुखिया के नाम से प्रसिद्ध है, दक्षिण से होती हुई उत्तर दिशा की ओर मुड़ जाती है और तुर्किस्तान की

---

[1] प्रकाशित फारसी अनवाद में निम्नांकित प्रस्तावना भी है :
''जहीरुद्दीन मुहम्मद बाबर बिन मीर्जा उमर शेख तीमूर वंशीय अपने काल की कुछ घटनाओं तथा इतिहास के विषय में संक्षिप्त रूप में इस कारण कुछ पंक्तियां लिखता है कि वे उसकी सन्तान के पास उसके स्मृति चिह्न के रूप में रहे।''

[2] राज्य।

[3] बाबर का जन्म शुक्रवार ६ मुहर्रम ८८८ हि० (१४ फरवरी १४८३ ई०) को हुआ और वह अपने पिता उमर शेख का, जिसकी मृत्यु ४ रमजान ८६६ हि० (८ जून १४६४ ई०) में हुई, उत्तराधिकारी हुआ।

[4] रक्षा करने वाला स्वामी, ६१३ हि० (१५०७ ई०) के पूर्व इस शब्द का अनुवाद बादशाह अथवा शहंशाह करना उचित नहीं। कारण कि उस समय तक सभी तीमूरी, यहां तक कि बादशाह भी अपने आप को मीर्जा कहते थे, अतः बाबर को १५०७ ई० तक बाबर मीर्जा कहना अधिक उचित होगा।

[5] जलवायु के प्रदेश; मध्यकालीन भूगोल वेत्ता समस्त संसार को सात इक़लीमों में विभाजित करते थे।

[6] यह स्थान बनाकत, बनाकस, फ्रीआकत फ्नाकन्द के नाम से प्रसिद्ध है। डा० रियु के अनुसार यह स्थान शाश कहलाता था और आजकल ताशकीन्त। बाबर फनाकत और अपने समय के ताशकीन्त को एक नहीं बताता अपितु फनाकत एवं शाहरुखिया को एक बताता है और ताशकीन्त–शाश तथा फनाकत–शाहरुखियों को अलग बताता है।

ओर चली जाती है। यह किसी समुद्र में नहीं गिरती अपितु तुर्किस्तान से काफ़ी नीचे की ओर समस्त नदी मरुस्थल में पहुंच कर लुप्त हो जाती है।

अन्दिजान

इस विलायत में ७ कस्बे हैं, ५ सैहून नदी के दक्षिण में और दो उत्तर में।

दक्षिण की ओर के क़स्बों में से एक अन्दिजान है जो मध्य में होने के कारण फ़रग़ाना की विलायत की राजधानी है। यहां अनाज तथा मेवों का अत्यधिक बाहुल्य है। अंगूर तथा खरबूजे भी बड़े ही उत्तम होते हैं। खरबूजे की फ़स्ल में यहां खरबूज़ा बेचने की प्रथा नहीं है। अन्दिजान की नाशपाती से अच्छी नाशपाती कहीं नहीं होती।

मावराउन्नहर में समरकन्द तथा केश के अतिरिक्त अन्दिजान के किले से बड़ा कोई किला[1] नहीं है। इसमें ३ द्वार हैं। अरक[2] दक्षिण की ओर स्थित है। किले में ६ जलधारायें बहती हैं और यह बड़े आश्चर्य की बात है कि सभी का उद्‌गम स्थान एक नहीं है। किले की खाईं के बाहर की ओर पत्थर की एक बड़ी चौड़ी सड़क है। किले के आस पास के स्थानों को यही चौड़ी सड़क पृथक् करती है।

यहां अत्यधिक संख्या में शिकारी जानवर पाये जाते हैं। यहां के तीतर[3] बड़े मोटे होते हैं। कहा जाता है कि एक तीतर से ४ व्यक्तियों का पेट भर जाता है और फिर भी वह समाप्त नहीं होता।

अन्दिजान के सभी निवासी तुर्क हैं। कस्बे तथा बाज़ार में कोई ऐसा व्यक्ति नहीं मिलता जो तुर्की न जानता हो। यहां के बोलने तथा लिखने दोनों की भाषा में कोई अन्तर नहीं है। मीर अली शेर नवाई के ग्रन्थों को देख लीजिये, यद्यपि वह हेरी में पला और बड़ा हुआ किन्तु वे इसी बोलने वाली भाषा में हैं। यहां के लोग बड़े ही रूपवान होते हैं। प्रसिद्ध ख्वाजा संगीतज्ञ यूसुफ़ अन्दिजान का निवासी था। यहां की जलवायु से मलेरिया हो जाता है और पतझड़ में लोगों को अधिकांश ज्वर चढ़ आता है।

ऊश, अन्दिजान के दक्षिण–पूर्व में है किन्तु पूर्व की ओर इसका अधिक झुकाव है। अन्दिजान से यहां की दूरी ४ यीग़ाच[4] है। यहां की जल–वायु बड़ी ही उत्तम है। अत्यधिक जल–धारायें बहती रहती हैं। यहां की बहार बड़ी ही उत्तम होती है। ऊश के गौरव के विषय में हदीस[5] में भी उल्लेख है। चहार–दीवारी के क़स्बे के दक्षिण–पूर्व में एक पर्वतीय शृंखला है जो बरा

---

[1] चहार दीवारी के भीतर जो आबादी इत्यादि होती है, वह सब किले में सम्मिलित रहती थी।

[2] भीतरी दुर्ग।

[3] कीरगावल।

[4] बाबर ने इस शब्द का प्रयोग विभिन्न दूरियों के सम्बन्ध में किया है जो ४ मील से ८ मील तक की होती रही है। अन्दिजान से ऊश ३३ मील १.३.४ फरलांग है।

[5] हदीस–मुहम्मद साहब की वाणी का संग्रह।

कोह कहलाती है। इसकी चोटी पर सुल्तान महमूद खां ने एक कोठरी का निर्माण कराया था। इस कोठरी के नीचे पर्वत के बाजू में मैंने ६०२ हि० (१४०६ ई०) में एक एवानदार हुजरे[1] का निर्माण कराया। यद्यपि वह कोठरी जिसका इसके पूर्व उल्लेख हुआ इस हुजरे की अपेक्षा ऊंची है किन्तु मेरा हुजरा बड़े ही उत्तम स्थान पर स्थित है। समस्त शहर एवं मुहल्ले उसके नीचे दृष्टिगत होते हैं।

अन्दिजान जल धारा ऊश के मुहल्लों के बीच से होती हुई अन्दिजान की ओर जाती है। इसकी दोनों ओर उद्यान लगे हुये हैं। समस्त उद्यान इससे सम्मान प्राप्त करते हैं। यहां का बनफ़शा बड़ा ही उत्तम होता है। यहां जल–धारायें बहा करती हैं और बहार में लाला तथा गुलाब अधिक संख्या में होते हैं।

बरा कोह के आंचल में जौजा नामक एक मस्जिद है। इस मस्जिद एवं नगर के मध्य से पर्वत की ओर से एक बहुत बड़ी नहर बहती है। मस्जिद के बाहरी प्रांगण के नीचे एक बड़ा ही छायादार एवं आनन्दवर्धक तीनपतिया घास का मैदान है। जो कोई यात्री यहां पहुंच जाता है वह विश्राम करता है। यहां के आवारा लोग यह मज़ाक़ किया करते हैं कि जो कोई इस मैदान में सोता रहता है, उसकी ओर जल–धारा को मोड़ देते हैं। उमर शेख मीर्जा के राज्यकाल के अन्त में इसी पर्वत से एक प्रकार का लाल तथा सफ़ेद लहरदार पत्थर मिलने लगा था जिनसे चाक़ू के दस्ते तथा पेटियों के बकलस बनने लगे हैं। फ़रग़ाना की विलायत में जलवायु की उत्कृष्टता एवं उसकी स्थिति को देखते हुए ऊश के समान कोई अन्य क़स्बा नहीं है।

मर्गीनान

मर्गीनान एक अन्य कस्बा है जो अन्दिजान के पश्चिम में ७ यागीच[2] की दूरी पर स्थित है। यह बड़ा ही उत्तम क़स्बा है। यहां के अनार तथा खूबानी बड़ी ही उत्तम होती हैं। यहां एक प्रकार का अनार होता है जिसे दानये कलां[3] कहा जाता है। इसकी मिठास में ज़र्द आलू के उत्तम स्वाद का आनन्द मिलता है। यह अनार सिमनान[4] के अनार से उत्तम होता है। यहां वाले ज़र्द आलू की गुठली निकाल कर बादाम की गिरी उसके स्थान पर भर कर सुखा लेते हैं और उसे सुबहानी कहते हैं। वह बड़ी स्वादिष्ट होती है। यहां जानवर तथा शिकार बहुत होते हैं। सफ़ेद मृग निकट ही पाये जाते हैं। यहां के लोग फ़ारसी भाषा–भाषी ताजीक[5] होते हैं। वे बड़े ही झगड़ालू तथा

---

1 दालान सहित कोठरी।

2 लगभग ४७ मील ४.१.२ फरलांग।

3 बड़ा दाना।

4 खुरासान तथा एराक के मध्य में दमगान के समीप एक कस्बा।

5 सार्ट।

फ़सादी लोग होते हैं। समरकन्द तथा बुखारा के कुप्रसिद्ध लड़ाकू लोग मर्गीनान ही हैं। हिदाया[1] के लेखक मर्गीनान के रशदान ग्राम के निवासी थे।

अस्फ़रा

एक अन्य स्थान अस्फ़रा है जो पर्वतीय प्रदेश में मर्गीनान के दक्षिण–पश्चिम में ६ यीग़ाच[2] पर स्थित है। यहां विभिन्न प्रकार के वृक्ष बहुत बड़ी संख्या में पाये जाते हैं। किन्तु उद्यानों में बादाम के वृक्षों की बहुतायत है। यहां के निवासी फ़ारसी भाषा–भाषी ताजीक होते हैं। पहाड़ियों के मध्य में, कस्बे के दक्षिण में एक छोटी सी चट्टान है जिसे दर्पण का पत्थर कहा जाता है। इसकी लम्बाई लगभग १० कारी[3] और ऊंचाई किसी स्थान पर मनुष्य के शरीर की ऊंचाई के बराबर और किसी स्थान पर मनुष्य की कमर के बराबर है। दर्पण के समान प्रत्येक वस्तु का प्रतिबिम्ब उसमें देखा जा सकता है।

अस्फ़रा की विलायत[4] पर्वतीय प्रदेश में चार भागों में विभाजित है। एक अस्फ़रा, दूसरी बारुख, तीसरी सूख, चौथा हुशियार। जब मुहम्मद शबानी खां ने, सुल्तान महमूद खां तथा अलचा खां को पराजित करके ताशकीन्त[5] एवं शाहरुखिया पर अधिकार जमा लिया था तो मैं सूख तथा हुशियार के पर्वतीय प्रदेश में चला गया था और वहां एक वर्ष बड़े कष्ट में व्यतीत कर के मैंने काबुल की ओर प्रस्थान किया।[6]

खुजंद

इनके अतिरिक्त एक स्थान खुजंद है जो अन्दिजान के पश्चिम में २५ यीगाच की दूरी तथा समरकन्द के पूर्व में २५ यीग़ाच पर स्थित है।[7] यह प्राचीन नगर है। शेख मसलहत तथा ख्वाजा कमाल[8] खुजंद के ही निवासी थे। यहां के मेवे बड़े उत्तम होते हैं और यहां के अनार अपनी उत्तमता के लिए बड़े प्रसिद्ध हैं। समरकन्द के सेब तथा खुजंद के अनार उदाहरण स्वरूप प्रसिद्ध हैं किन्तु आजकल मर्गीनान के अनार अधिक संख्या में आते

---

[1] हिदाया के लेखक शेख बुरहानुद्दीन अली कीलीच का जन्म लगभग ५३० हि० (११३५ ई०) और मृत्यु ५६३ हि० (११६७ ई०) में हुई थी। हिदाया सुन्नी फ्रिकह का प्रसिद्ध ग्रंथ है।

[2] लगभग ६५ मील।

[3] हाथ।

[4] राज्य, सम्भवतः ज़िला।

[5] फारसी में ताश्कन्द।

[6] वह सूख के पर्वतीय प्रदेश के ऊपर से ९१० हि० (जून १५०४ ई०) के मध्य में रवाना हुआ।

[7] खुजन्द से अन्दिजान ९८७ मील २ फरलांग।

[8] कमालुद्दीन खुजन्दी, हाफिज के समकालीन, फारसी के प्रसिद्ध कवि थे। उनकी मृत्यु ७९२ हि० (१३९० ई०) में हुई और वे तबरेज में दफन हुये।

हैं।[1] यहां का किला एक उच्च स्थान पर स्थित है। सैहून नदी इसके उत्तर में है और किले से एक बाण के मार की दूरी पर बहती है। किले तथा सैहून के उत्तर में एक पहाड़ी है जो मुनूगुल कहलाती है। लोगों का कथन है कि इसमें फ़ीरोज़े की खान तथा अन्य खानें पाई जाती हैं। कहा जाता है कि इस पहाड़ी में सर्प बहुत बड़ी संख्या में होते हैं। खुजंद के शिकारगाह बड़े उत्तम हैं। सफ़ेद मृग, पहाड़ी बकरे, बारहसिंगे, जंगली पक्षी तथा खरगोश बहुत बड़ी संख्या में होते हैं। यहां की वायु बड़ी दूषित है। इसके कारण मलेरिया हो जाता है। यहां तक कि कहा जाता है कि यहां के गौरैयों को भी ज्वर चढ़ आता है। कहा जाता है कि यहां की वायु दूषित होने का कारण उत्तर की ओर के पर्वत हैं।

कन्दे बादाम

इसके अधीन कन्दे बादाम[2] है। यद्यपि यह क़स्बा नहीं है किन्तु क़स्बे ही के समान एक छोटा सा उत्तम स्थान है। यह अपने बादामों की उत्कृष्टता के कारण इस नाम से प्रसिद्ध हो गया है। हुरमुज़ तथा हिन्दुस्तान में इस स्थान से बादाम भेजे जाते हैं और यह खुजंद के पूर्व में ५–६ यीगाच[3] पर स्थित है। खुजंद तथा कन्दे बादाम के मध्य में दरवेश नामक एक उजाड़ स्थान है। यहां सर्वदा तेज़ बवंडर उठते रहते हैं और यहीं से पूर्व की ओर मर्गीनान में और यहीं से खुद की ओर पश्चिम में, हवा चलती रहती है। यह बड़ा ही उग्र रूप धारण किये रहती है। कहा जाता है कि इस उजाड़ स्थान में कुछ दरवेश बवंडर में फंस कर एक दूसरे से पृथक् हो गये और हाय दरवेश! हाय दरवेश ! पुकारते ही पुकारते नष्ट हो गये। उसी समय से इस उजड़े स्थान को 'हा दरवेश' कहने लगे।

अक्सी

सैहून नदी के उत्तर में जो क़स्बे हैं उनमें से एक अक्शी है। पुस्तकों में इसे अख़्सीकीत लिखते हैं। इसी कारण कवि असीरुद्दीन को असीरुद्दीन[4] अख़्सीकीती कहते हैं। फ़रग़ाना की विलायत में अन्दिजान क़स्बे को छोड़ कर इससे बड़ा कोई क़स्बा नहीं है। यह अन्दिजान के पश्चिम में ९ यीगाच[5] यीगाच[5] की दूरी पर स्थित है। उमर शेख मीर्जा ने इसे अपनी राजधानी बनाया था। सैहून नदी इस किले की दीवार के नीचे से बहती है। इसका किला ऊंचाई पर स्थित है। खाई के स्थान पर इसके चारों ओर ढालू गहरी कन्दरायें हैं। जब उमर शेख मीर्जा ने इसे अपनी राजधानी बनाया तो एक–दो बार इन बाहिरी कन्दराओं से अन्य कन्दराओं को पृथक् करा दिया।

---

[1] सम्भवतः हिन्दुस्तान में, जहां बाबर ने यह वर्णन लिखा था, मर्गीनान के ही अनार पहुंचते होंगे।

[2] बादाम का ग्राम।

[3] लगभग २८ मील ।

[4] असीरुद्दीन, खाकानी का समकालीन था। उसकी मृत्यु १२११ ई० में हुई।

[5] लगभग ५० मील।

फ़रग़ाना में इससे बढ़ कर कोई अन्य क़िला नहीं है। किले से दो मील तक इससे सम्बन्धित स्थान चले गये हैं। लोगों ने अक्शी के विषय में यह लोकोक्ति बना ली है कि, ''ग्राम कहां है? वृक्ष कहां हैं?'' यहां खरबूज़ बड़े ही उत्तम होते हैं। एक प्रकार का खरबूज़ा मीर तैमूरी कहलाता है। इस प्रकार का खरबूज़ा पता नहीं संसार में कहीं पाया जाता है अथवा नहीं। बुखारा के खरबूजे भी प्रसिद्ध हैं किन्तु जब मैंने समरकन्द पर अधिकार जमा लिया था तो अक्शी तथा बुखारा दोनों स्थानों के खरबूजे मंगवाये। जब वे एक दावत में काटे गये तो अक्शी के खरबूजे का बुखारा के खरबूजे कोई मुक़ाबला न कर सकते थे। यहां पशुओं तथा पक्षियों का बड़ा ही उत्तम शिकार होता है। सैहून नदी की ओर अक्शी का जो जंगल है, वहां सफ़ेद मृग बड़ी संख्या में पाये जाते हैं। अन्दिजान की दिशा में जो उजाड़ स्थान है वहां बूगू मराल[1] बड़ी संख्या में पाये जाते हैं। यहां जंगली पक्षी तथा खरगोश भी बहुत बड़ी संख्या में होते हैं और बड़े मोटे ताजे होते हैं।

कासान

एक अन्य क़स्बा कासान है जो अक्शी के उत्तर में हैं। यह बड़ा छोटा सा कस्बा है। जिस प्रकार अन्दिजान की नदी ऊश से आती है उसी प्रकार अक्शी की नदी कासान से आती है। यहां की जलवायु बड़ी उतम तथा उद्यान छोटे–छोटे और बड़े ही सुन्दर हैं। क्योंकि यहां के उद्यान जल–धारा के दोनों ओर लगे हैं अतः वे कबा का उतम अगला भाग कहलाते हैं। ऊश तथा कासान निवासी अपने कस्बों की जलवायु एवं सुन्दरता के विषय में एक दूसरे से वाद–विवाद करते रहते हैं।

पर्वत

फ़रग़ाना के पर्वतों के चारों ओर बड़े ही उत्तम यीलाक़[2] हैं। केवल इसी पर्वतीय इलाके में तबलगू नामक लकड़ी पाई जाती है जो किसी अन्य स्थान पर नहीं पाई जाती। यह लकड़ी लाल रंग की होती है और डण्डे, कोड़ों के दस्ते तथा जानवरों के पिंजड़े इससे तैयार किये जाते हैं। इससे बाण की लकड़ी भी तैयार की जाती है। यह लकड़ी बड़ी ही अप्राप्य है और उपहार स्वरूप लोग इसे दूर दूर के स्थानों को ले जाते हैं। कुछ ग्रन्थों में लिखा हुआ है कि यबरुजुस्सन्नाम[3] भी इन पर्वतों में पाया जाता है किन्तु इसके विषय में बहुत समय से कुछ नहीं सुना गया। कहा जाता है कि यीतीकीन्त में एक पौधा पाया जाता है जिसमें वही विशेषतायें होती हैं जो यबरुजुस्सन्नाम में। लोग इसे आयीक़ ऊती कहते हैं। संभवतः मुहर गयाह वही हो जिसे लोग इस नाम से पुकारते हैं। इन पर्वतों में फ़ीरीजे एवं लोहे की खाने भी होती हैं।

---

[1] एक प्रकार का सफ़ेद मृग।

[2] गरमी की चरागाहें।

[3] आलू के पौधे के समान एक विषैला पौधा । मेहर गयाह।

राजस्व

यदि फ़रग़ाना की विलायत के राजस्व को ठीक से व्यय किया जाये तो ३–४ हजार व्यक्तियों का पालन–पोषण हो सकता है।

उमर शेख मीर्जा

क्योंकि उमर शेख मीर्जा बड़े ही साहसी तथा महत्वाकांक्षी बादशाह थे अतः वे सर्वदा अन्य राज्यों को विजय करने की योजना बनाया करता थे। उन्होंने कई बार समरकन्द पर चढ़ाई की, कभी पराजित होते और कभी अपनी इच्छा के विरुद्ध लौट आते। उन्होंने कई बार अपने ससुर अर्थात् मेरे नाना यूनुस खां को जो खान चिंगीज़ खां के दूसरे पुत्र चग़ताई खां[1] की नस्ल से थे और जो उस समय मगूलों के खान थे, चग़ताई खान के राज्य में सहायता हेतु बुलवाया। जब जब मीर्जा खान को वह बुलाते थे तो उन्हें विलायतें[2] प्रदान करते थे। कभी तो मीर्जा के अनुचित व्यवहार[3] के कारण और कभी अन्य मुगूल क़बीलों के विश्वासघात के कारण, उसकी इच्छानुसार सफलता न हुई। यूनुस खां इस कारण ठहर न सका और मुगूलिस्तान चला गया। अन्तिम बार जब मीर्जा खान को लाया तो ताशकीन्त[4] की विलायत, जिसे पुस्तकों में शाश लिखा जाता है और जिसे कभी कभी कुछ लोग चाच भी कहते हैं, जहां के चाची धनुष प्रसिद्ध हैं, उमर शेख मीर्जा के अधिकार में थी। उसने उसे खान को दे दिया। उस समय[5] से लेकर ९०८ हि० (१५०३ ई०) तक ताशकीन्त तथा शाहरुखिया की विलायत चग़ताई खानों के अधिकार में रही।

इस समय[6] मुगूलों के क़बीलों की खानी, यूनुस खां के छोटे सुल्तान महमूद खां के अधीन थी। वह मेरी माता का सौतेला भाई था। उसने तथा समरकन्द के बादशाह, सुल्तान अहमद मीर्जा ने, जो मेरे पिता उमर शेख का बड़ा भाई था, उमर शेख मीर्जा के व्यवहार से रुष्ट होकर आपस में मेल कर लिया। सुल्तान अहमद मीर्जा ने सुल्तान महमूद खां से अपनी पुत्री का विवाह[7] कर दिया था। सुल्तान अहमद 'मीर्जा तथा सुल्तान महमूद खां ने मिल कर इस समय उमर शेख मीर्जा पर चढ़ाई की। सुल्तान अहमद मीर्जा

---

[1] ऐसा ज्ञात होता है कि जब चगताई खां को चिंगीज खां के राज्य से उसका हिस्सा मिला तो उसे मुगूलों का एक कबीला भी सेना हेतु एवं तुर्की आबादी पर अपना अधिकार जमाये रखने को मिला।

[2] जमीन, राज्य का भाग।

[3] एक बार मीर्जा, यूनुस को अक्शी में शीत ऋतु व्यतीत न करने देना चाहता था जिसके कारण टीका सीकरी तकू का युद्ध हुआ जिसमें उमर शेख पराजित हुआ। (तारीखे रशीदी पृ०९६)।

[4] ताशकन्द।

[5] ८९० हि० (१४८५ ई०)।

[6] ८९६ हि० (१४९४ ई०)।

[7] राबेआ सुल्तान का विवाह ८९३ हि० (१४८८ ई.) में हुआ।

खुजन्द नदी के दक्षिण की ओर से रवाना हुआ और सुल्तान महमूद खां उसके उत्तर की ओर से चला। उसी समय यह शोकमयी घटना घटी। यह लिखा जा चुका है कि अक्शी का किला एक ढालू पर्वतीय करारे पर स्थित है। उसके किनारे पर महल के भवन बने हुए हैं। सोमवार ४ रमज़ान (८ जून) को उमर शेख मीर्जा करारे के ऊपर से कबूतर उड़ा रहे थे कि वे कबूतर एवं ढावली सहित गिर कर मृत्यु को प्राप्त हो गये।

उनकी अवस्था ३९ वर्ष की थी।[1] उनका जन्म समरकन्द में ८६० हि० (१४५६ ई०) में हुआ था। वे सुल्तान अबू सईद मीर्जा के चौथे पुत्र थे और सुल्तान अहमद मीर्जा, सुल्तान मुहम्मद मीर्जा तथा सुल्तान महमूद मीर्जा से छोटे थे। सुल्तान अबू सईद मीर्जा, सुल्तान मुहम्मद मीर्जा के पुत्र थे। सुल्तान मुहम्मद मीर्जा मीरान शाह के पुत्र थे। मीर्जा मीरान शाह तीमूर बेग के तीसरे पुत्र थे और उमर शेख मीर्जा तथा जहांगीर मीर्जा से छोटे एवं शाहरुख मीर्जा से बड़े थे।

उमर शेख मीर्जा का राज्य

सुल्तान अबू सईद मीर्जा ने सर्व प्रथम उमर शेख मीर्जा को काबुल प्रदान कर दिया था और बाबा काबुली को उनका बेग अत्का[2] नियुक्त कर के बिदा कर दिया था किन्तु मीर्जा लोगों के खतने के समारोह के कारण उन्हें तमरिस्क[3] घाटी से समरक़न्द बुलवा लिया। समारोह के उपरान्त इस दृष्टि से कि तीमूर बेग ने अपने पुत्र उमर शेख मीर्जा को फ़रग़ाना[4] की विलायत प्रदान की थी, अबू सईद ने नामे को मुनासबत से उमर शेख मीर्जा को अन्दिजान प्रदान कर दिया और खुदाई बीरदी तूग़ची तीमूर ताश को बेग अत्का नियुक्त कर के बिदा कर दिया।

चरित्र

उनका डीलडौल ठिगना, शरीर गठा हुआ, दाढ़ी गोल तथा चेहरा भरा हुआ था। वे बड़े तंग वस्त्र धारण करते थे। क़बा का बन्द बांधते समय अपने पेट को भीतर कर के पिचका लेते थे और बांधने के उपरान्त जब पेट अपनी दशा में आता तो अधिकांश ऐसा होता था कि बन्द टूट जाते थे। खाने तथा पहनने में वे कोई आडम्बर पसन्द नहीं करते थे। वे पगड़ी को दस्तार पेंच[5] प्रथानुसार बांधते थे। उस समय पगड़ियों को चार पेंच[6] प्रथानुसार बांधा जाता था। लोग उस समय बिना मडोरे पगड़ी बांधते थे और पीछे थोड़ा सा टुकड़ा

---

[1] चन्द्रमा के साल से।

[2] वह व्यक्ति जो शाहजादों का संरक्षक नियुक्त होता था।

[3] दरा–ए–गज, बल्ख के दक्षिण में। यह समारोह मर्व में ८७० हि० (१४६५ ई०) में हुआ। उमर शेख मीर्जा की अवस्था उस समय १० वर्ष से कम थी।

[4] अन्दिजान।

[5] एक पलेट की बंधाई।

[6] चार पलेट की बंधाई।

लटकने देते थे। ग्रीष्म ऋतु में दरबार के अतिरिक्त वे अधिकांश मुगूल टोपी पहनते थे।

वे अपने आचार व्यवहार में हनफ़ी[1] धर्म का पालन करते थे और बड़े पवित्र विचारों के व्यक्ति थे। पांचों समय की नमाज़ कभी न त्यागते थे। वे अपने जीवन काल में जितनी नमाजें न पढ़ सके थे उनके बदले में नमाजें पूरी कर चुके थे।[2] वे अपना काफ़ी समय कुरान के पाठ में लगाते थे और ख्वाजा उबैदुल्लाह एहरारी[3] के मुरीद थे। उमर शेख मीर्जा, ख्वाजा की गोष्ठी में उपस्थित रहा करते थे और ख्वाजा भी उन्हें सम्मानित करने के लिये उन्हें अपना पुत्र कहते थे। वे खमसे[4] तथा मसनवी[5] का अध्ययन किया करते थे। इतिहास में वे शाहनामा[6] का अध्ययन करते रहते थे। यद्यपि वे कविता कर सकते थे किन्तु कविता करने से उन्हें रुचि न थी। वे इतने बड़े न्यायकारी थे कि जब उन्होंने सुना कि खिताई से लौटता हुआ एक कारवान उत्तरी अन्दिजान के पर्वतों में बरफ़ के कारण इस प्रकार नष्ट हो गया कि दो व्यक्तियों के अतिरिक्त कोई भी न बच सका तो उन्होंने तत्काल मुहसिलों को भेज कर कारवान दालों की समस्त धन संपत्ति को एकत्र कराया। यद्यपि उनका कोई उतराधिकारी उपस्थित न था किन्तु फिर भी उन्होंने बड़ी सावधानी से उस संपत्ति को सुरक्षित रक्खा। एक अथवा दो वर्ष उपरान्त खुरासान तथा समरकन्द से संपत्ति के वारिसों को बुला कर समस्त संपत्ति बिना किसी कमी के सुरक्षित उन्हें सौंप दी, यद्यपि उन्हें उस समय धन की बड़ी आवश्यकता थी।

वे बड़े दानी थे और उनके चरित्र में अत्यधिक उदारता पाई जाती थी। वे बड़े ही सुशील, शिष्टाचारी, वाकपटु, मीठी वाणी बोलने वाले, वीर तथा

---

[1] इमाम अबू हनीफा (जन्म ७०२ ई०) की सुन्नी धर्म की व्याख्या के अनुयायी।

[2] यदि किसी समय की नमाज किसी कारणवश न पढ़ी जा सके तो उसके बदले में बाद में शीघ्रातिशीघ्र नमाज पढ़ लेना परमावश्यक बताया गया है।

[3] ख्वाजा उबैदुल्लाह एहरार नक्शबन्दी बड़े प्रसिद्ध सूफी संत हुये हैं। उनकी मृत्यु १४६१ ई० में हुई।

[4] खमसे के लेखक निजामुद्दीन गंजवी थे। उनकी मृत्यु १२०६ ई० के लगभग हुई। खमसे में ५ मसनवियां (काव्य) सम्मिलित हैं :–

अ–मख्सजने असरार।

ब–लैला मजनू।

स–खुसरो व शीरी।

द–हफ्त पैकर।

ई–सिकन्दर नामा।

[5] मसनवी के लेखक मौलाना जलालुद्दीन रूमी थे। वे बहुत बड़े सूफी थे और उनकी मसनवी को फारसी की सूफीवाद की कविता में बड़ी प्रसिद्धि प्राप्त है। उनका जन्म १२०७ ई० तथा मृत्यु १२७२ ई० में हुई।

[6] शाहनामा का लेखक फिरदौसी तूसी है। उसका नाम अबुल कासिम हसन बिन शरफ शाह था। शाहनामा में ईरान के प्राचीन बादशाहों का हाल काव्य में लिखा गया है। फिरदौसी की मृत्यु १०२० ई में हुई ।

पराक्रमी थे। दो बार उन्होंने अपने समस्त जवानों के आगे बढ़ कर तलवार चलाने में अत्यधिक कुशलता दिखलाई, अक्शी द्वार पर और एक बार शाहरुखिया द्वार पर। बाण चलाने में वे मध्य श्रेणी के थे। उनके घूसे की चोट बड़ी दृढ़ होती थी। ऐसा कभी न हुआ कि उन्होंने किसी को चूंसा मारा हो और वह गिर न पड़ा हो। अन्य राज्यों पर अधिकार जमाने की महत्वाकांक्षा के कारण वे बहुत सी संधियां युद्ध में तथा मित्रता शत्रुता में परिवर्तित कर देते थे।

वे अपने प्रारम्भिक जीवन–काल में अत्यधिक मदिरापान किया करते थे। बाद में सप्ताह में एक बार अथवा दो बार मदिरापान की गोष्ठी होने लगी। गोष्ठियों में वे बड़ा ही उत्तम ढंग से व्यवहार करते थे। ऐसे अवसरों पर वे बड़े उत्तम शेर पढ़ा करते थे। जीवन के अन्तिम काल में वे माजून का अत्यधिक सेवन करने लगे थे। नशे की तरंग में वे बहक जाया करते थे। वे बड़े रसिक व्यक्ति थे और प्रेमियों के अनेक गुण उनमें पाये जाते थे। वे शतरंज बहुत खेलते थे और कभी कभी पांसे का खेल भी खेलते थे।

युद्ध

उन्होंने तीन युद्ध किये। प्रथम बार युनूस खां से अन्दिजान के उत्तर में सैहून नदी के तट पर, टीका सीकरी तकू[1] नामक स्थान पर। इस नाम का कारण यह है कि नदी पर्वत के आंचल में बहते बहते इतनी सकरी हो जाती है कि कहा जाता है कि एक बार एक पहाड़ी बकरा एक तट से दूसरे तट पर कूद गया था। उस युद्ध में वे पराजित होकर बन्दी बना लिये गये थे। यूनुस खां ने उनके प्रति बड़ी उदारता प्रदर्शित की और उन्हें उनकी विलायत[2] में जाने की अनुमति दे दी। इस स्थान पर युद्ध होने के कारण यह युद्ध टीका सीकरी तक का युद्ध कहलाता है और उस ओर एक संवत् बन गया है।

उनका दूसरा युद्ध तुर्किस्तान में उरूस[3] के तट पर हुआ। यह युद्ध उन ऊज़बेकों से हुआ जो समरकन्द के आसपास के स्थानों पर आक्रमण कर के लौट रहे थे। उरूस नदी का जल जम कर बरफ़ बन गया। उन्होंने बरफ़ को पार करके उन्हें बुरी तरह पराजित किया और जो धन–संपत्ति तथा बन्दी ले जा रहे थे, उनसे छीन कर उन्होंने उनके स्वामियों को वापस कर दिया और किसी भी वस्तु की कोई इच्छा न की तीसरी बार उन्होंने सुल्तान अहमद मीर्जा[4] से शाहरुखिया तथा औरातीपा के मध्य में ख्वास नामक स्थान पर युद्ध किया किन्तु पराजित हुये।

---

[1] बकरे की छलांग।

[2] अन्दिजान।

[3] सैहून नदी की एक शाखा, ताशकन्द के उत्तर में।

[4] वह उमर शेख मीर्जा का भाई था।

उमर शेख का राज्य

उनके पिता ने उन्हें फ़रग़ाना की विलायत दे दी थी। कुछ समय तक ताशकीन्त तथा सैराम, जो उन्हें उनके बड़े भाई सुल्तान अहमद मीर्ज़ा ने प्रदान किये थे, उनके अधिकार में रहे। शाहरुखिया को उन्होंने एक युक्ति द्वारा अपने अधिकार में करके कुछ समय तक उस पर क़ब्ज़ा रक्खा। अन्त में ताशकीन्त तथा शाहरुखिया उनके हाथ से निकल गये और केवल फ़रगाना, खुजन्द, औरातीपा उनके अधिकार में रह गये। औरातीपा का वास्तविक नाम ऊरूशनाया है जिसे कुछ लोग ऊरूश कहते हैं। कुछ लोगों का मत है कि खुजंद फ़रग़ाना में सम्मिलित नहीं है। जब सुल्तान अहमद मीर्ज़ा ने ताशकीन्त में मुगूलों पर चढ़ाई की किन्तु चीर नदी पर पराजित हो गया[1] तो उस समय औरातीपा हाफ़िज़ बेग दूल्दाई के हाथ में था। उसे उसने उमर शेख मीर्ज़ा को प्रदान कर दिया और वे उस समय उस पर अपना अधिकार जमाये रहे।

संतान

उनकी संतान में ३ पुत्र तथा ५ पुत्रियां थीं। ज्येष्ठतम पुत्र, मैं जहीरुद्दीन मुहम्मद बाबर था। मेरी माता कूतलूक निगार खानम थीं। दूसरा पुत्र जहांगीर मीर्ज़ा था जो मुझसे दो वर्ष छोटा था उसकी माता मुगूल क़ौम के तूमान[2] के एक अमीर की पुत्री थी। उसका नाम फ़ातिमा सुल्तान था। तीसरा पुत्र नासिर मीर्ज़ा था। उसकी माता अन्दिजान की थी और उसका नाम उम्मीद था। वह रखेली स्त्री थी। नासिर मीर्ज़ा मुझसे ४ वर्ष छोटा था।

उमर शेख मीर्ज़ा की सब से बड़ी पुत्री मेरी सगी बहिन खानजादा बेगम थी। वह मुझसे पांच वर्ष बड़ी थी। जब मैंने समरकन्द को दूसरी बार विजय किया[3] तो यद्यपि मेरी सेना सरे पुल पर पराजित हो चुकी थी किन्तु मैं किले में प्रविष्ट हो कर ५ मास तक क़िले की रक्षा करता रहा। आसपास के किसी शासक तथा वेग[4] द्वारा किसी प्रकार की सहायता प्राप्त न होने पर मैं उसे छोड़ कर चल दिया। उस परेशानी के समय खानजादा बेगम, मुहम्मद शैबानी खां को प्राप्त हो गई। उससे एक पुत्र का जन्म हुआ जिसका नाम खुर्रम शाह रखा गया। वह बड़ा ही रूपवान् था। मुहम्मद शैबानी ने उसे बल्ख की विलायत प्रदान कर दी थी। वह अपने पिता के निधन के कुछ वर्ष बाद मृत्यु को प्राप्त हो गया। जिस समय शाह इस्माईल सफ़वी ने ऊज़बेकों को मर्व के समीप पराजित किया[5] तो खानजादा बेगम मर्व में थी। मेरे कारण शाह इस्माईल ने बेगम की भली भांति देखभाल की और उससे बड़ा ही उत्तम व्यवहार किया और कुछ लोगों की रक्षा में मेरे पास भेज दिया। बेगम

1 ८६३ हि० (१४८८ ई०)।
2 १०,००० व्यक्तियों का क़बीला।
3 ६०५ हि० (१५०० ई.)।
4 अमीर।
5 ६१६ हि० (१५१० ई०) में।

कून्दूज में जा कर मुझसे मिल गई। वह मुझसे १० वर्ष तक पृथक् रही थी। जब मुहम्मदी कूकुल्दाश तथा मैं उससे भेंट करने गये तो बेगम तथा उसके सेवक हमें न पहचान सके यद्यपि मैने बात भी की। उन्होंने कुछ समय उपरान्त हमें पहचाना। दूसरी पुत्री मिहर बान बेगम, नासिर मीर्जा की माता की पुत्री थी और मझसे २ वर्ष छोटी थी। शहर बान बेगम भी एक अन्य पुत्री थी जो नासिर मीर्जा की सगी बहिन और मुझसे ८ वर्ष छोटी थी। यादगार सुल्तान बेगम एक अन्य पुत्री थी। उसकी माता आगा सुल्तान रखेली स्त्री थी। रुक़य्या सुल्तान बेगम एक अन्य पुत्री थी। उसकी माता को लोग काले नेत्रों वाली बेगम कहते थे। आखरी दोनों का जन्म मीर्जा के निधन के उपरान्त हुआ। यादगार सुल्तान बेगम का पालन पोषण मेरी दादी ईसान दौलत बेगम ने किया था। जब शैबानी खां ने अक्शी तथा अन्दिजान पर अधिकार जमा लिया[1] तो यादगार सुल्तान बेगम अब्दुल लतीफ़ सुल्तान नामक हमज़ा सुल्तान के एक पुत्र को प्राप्त हो गई। जब मैंने खुतलान में हमज़ा सुल्तान तथा अन्य सुल्तानों को जो उसके साथ थे पराजित कर के हिसार पर अधिकार जमा लिया[2] तो यादगार सुल्तान बेगम मेरे पास आ गई। रुक़य्या सुल्तान बेगम भी उन्हीं परेशानी के दिनों में जानी बेग, सुल्तान (ऊज़बेक) को प्राप्त हो गई। उससे एक दो पुत्र हुए किन्तु जीवित न रहे। हमारे आजकल के शान्ति के दिनों में[3] समाचार प्राप्त हुए हैं कि उसकी मृत्यु हो गई है।

उमर शेख मीर्जा की पत्नियाँ

कूतलूक निगार खानम यूनुस खां की दूसरी पुत्री थी। वह सुल्तान महमूद खां तथा खान अहमद की बड़ी (सौतेली) बहिन थी।

बाबर की माता के वंश का हाल

यूनुस खां चग़ताई खान के वंश से थे। चग़ताई खां चिंगीज खां का दूसरा पुत्र था। (वंशावली) इस प्रकार हैः–यूनुस खां, पुत्र वैस खां, पुत्र शेर अली उग़लान, पुत्र मुहम्मद खां, पुत्र खिज्र ख्वाजा खां, पुत्र तुग़लुक तीमूर खां, पुत्र ईसान बूगा खां, पुत्र दावा खां, पुत्र बराक खां, पुत्र यीसूनतवा खां, पुत्र मूआतूकान, पुत्र चग़ताई खां, पुत्र चिंगीज़ खां।

जब इतना उल्लेख हो चुका तो संक्षेप में कुछ उल्लेख खानों का भी कर देना चाहिये। यूनुस खां[4] तथा ईसान बूगा खां[5] वैस खां[6] के पुत्र थे। यूनुस खां की माता तीमूर वेग के एक विश्वासपात्र तुर्किस्तानी कीपचाक़ शेख

---

[1] ९०८ हि० (१५०३ ई.)।

[2] ९१७ हि० (१५११ ई०)।

[3] फुरसतलार, आराम तथा शांति के दिन जब कि हिन्दुस्तान विजय हो चुका था और 'बाबर नामा लिखा जा रहा था।

[4] यूनुस खां की मृत्यु ८९२ हि० (१४८७ ई०) में हुई।

[5] ईसान बूगा खां की मृत्यु ८६६ हि० (१४६२ ई.) में हुई।

[6] वैस खां की मृत्यु ८३२ हि० (१४२८ ई०) में हुई।

नूरुद्दीन बेग की पुत्री अथवा पौत्री थी। जब वैस खां की मृत्यु हो गई तो मुगूल उलूस[1] दो भागों में विभाजित हो गये। कुछ यूनुस खां की ओर हो गये और अधिकांश ईसान बूगा खां की ओर हो गये। इससे पूर्व यूनुस खां की बड़ी बहिन की मंगनी उलूग बेग मीर्जा ने अपने पुत्र अब्दुल अजीज़ मीर्जा से कर दी थी। इस बात से प्रेरित हो कर ईरज़ीन नामक बारीन तूमान के एक बेग तथा बेग मीरिक तुर्कमान खिरास के तूमान के एक बेग यूनुस खां को मुगूल उलूस के ३–४ हजार घर वालों सहित उलूग बेग मीर्जा के पास इस आशय से ले गये कि उससे सहायता प्राप्त कर के वे पुनः समस्त मुगूल उलूस को यूनुस खां के अधिकार में ले आयें। उलग बेग मीर्जा ने उनकी ओर कोई ध्यान न दिया। कुछ को उसने बन्दी बना लिया और कुछ को एक–एक करके पूरे राज्य में छिन्न–भिन्न कर दिया। ईरज़ीन के इस प्रकार छिन्न–भिन्न का समय एक सम्वत् के रूप में मुगूलों में स्मरणीय बन गया।

यूनुस खां को एराक की ओर चले जाने पर विवश कर दिया गया। एक वर्ष उसने तबरेज़ में व्यतीत किया। वहां जहान शाह बारानी करा कुईलूक[2] राज्य करता था; वहां से वह शीराज़ पहुंचा। शीराज़ में मीर्जा शाहरुख का दूसरा पुत्र इबराहीम सुल्तान मीर्जा राज्य करता था। ५–६ मास उपरान्त इबराहरीम सुल्तान मीर्जा की मृत्यु हो गई।[3] उसका पुत्र अब्दुल्लाह मीर्जा उसका उत्तराधिकारी बना। यूनुस खां, अब्दुल्लाह मीर्जा के सेवकों में सम्मिलित हो गया और उसे अभिवादन करने लगा। १७, १८ वर्ष तक यूनुस खां, शीराज़ तथा उन विलायतों में निवास करता रहा।

जिस समय उलूग़ बेग मीर्जा तथा उसके पुत्रों के मध्य में युद्ध छिड़ा था, ईसान बूगा खां ने अवसर पा कर फ़रग़ाना की विलायत पर आक्रमण कर दिया और कन्दे बादाम तक लूट मार करता चला गया। अन्दिजान पर अधिकार जमा कर के वहां के समस्त लोगों को बन्दी बना लिया। सुल्तान अबू सईद मीर्जा राजसिंहासन पर अधिकार जमाते ही एक सेना एकत्र कर के यांगी (तराज) के आगे बढ़ गया और ईसान बूगा खां को अस्फ़रा नामक मुगूलिस्तान के एक कस्बे में बुरी तरह पराजित कर दिया। उसके आक्रमणों से बचने के लिये और इस कारण कि उसने हाल ही में यूनुस खां की बड़ी बहिन तथा अब्दुल अजीज़ मीर्जा की भूतपूर्व पत्नी से विवाह कर लिया था, युनूस खां को खुरासान तथा एराक से बुलवाया और एक दावत करके उसका मित्र हो गया और उसे मुगलों का खान घोषित कर दिया। उसी समय सागारीची तूमान के बेग ईसान बूगा खां से रुष्ट हो कर मुगूलिस्तान आ गये थे। यूनुस खां उन लोगों के पास चला गया और ईसान दौलत बेगम से, जो उनके सरदार अली शेर बेग की पुत्री थी, विवाह कर लिया। उन

---

[1] कबीले।

[2] काली भेड़ों का।

[3] ४ शव्वाल ८३८ हि० (३ मई १४३५ ३०)।

लोगों ने यूनुस खां तथा ईसान दौलत बेगम को सफ़ेद नम्दे पर बैठा कर यूनुस खां को खान के पद पर प्रतिष्ठित कर दिया।

खान के ईसान दौलत बेगम से ३ पुत्रियां थीं। ज्येष्ठतम मिहर निगार खानम थी। उसकी सुल्तान अबू सईद मीर्जा ने अपने ज्येष्ठ पुत्र सुल्तान अहमद मीर्जा से मंगनी कर दी थी। मीर्जा के कोई पुत्र अथवा पुत्री न हुई। मेरी परेशानी के समय[1] वह शैबानी खां को प्राप्त हो गई। वह शाह बेगम के साथ समरकन्द से खुरासान[2] पहुंची और दोनों मेरे पास काबुल[3] आ गई। जिस समय शैबानी खां नासिर मीर्जा को कंधार में घेरे था और मैं लमग़ान[4] पर चढ़ाई करने के लिये रवाना हो गया तो वे खान मीर्जा (वैस) के साथ बदख्शां चली गईं। जब मुबारक शाह ने खान मीर्जा को ज़फ़र नामक किले में बुलवाया, तो वे शाह बेगम, मिहर निगार खानम तथा उनके समस्त परिवार वाले, अबा बक्र काशगरी के लुटेरों द्वारा बन्दी बना ली गई और उस दुष्ट अत्याचारी की बन्दीगृह में वे मृत्यु को प्राप्त हो गई।[5]

मेरी माता कूतलूक निगार खानम यूनुस खां की दूसरी पुत्री थीं। वे मेरे छापामार युद्धों एवं राजसिंहासन से वंचित होने के समय मेरे साथ रहती थीं। काबुल पर विजय प्राप्त करने के ५–६ मास उपरान्त मुहर्रम ६११ हि० (जून १५०५ ई.) में उनका निधन हो गया।

तीसरी पुत्री खूब निगार खानम थी जिसका विवाह मुहम्मद हुसेन गूरगान दूग़लात से कर दिया गया था।[6] उससे एक पुत्र तथा एक पुत्री का जन्म हुआ। पुत्री[7] का उबैद खां से विवाह हो गया था। जब मैंने समरकन्द तथा बुखारा[8] पर अधिकार जमा लिया तो वह भाग न सकने के कारण वहीं ठहर गई। जब उसका चाचा सैयद मुहम्मद मीर्जा दुग़लात सुल्तान सईद खां की ओर से दूत बन कर समरकन्द में मेरे पास आया तो वह उसके साथ काशगर चली गई। वहां सुल्तान सईद खां[9] से उसका विवाह हो गया। मीर्जा खूब निगार का पुत्र था। जब ऊजबेकों ने उसके पिता की हत्या कर दी तो वह मेरी सेवा में चला आया और ३–४ वर्ष तक मेरी सेवा में रहा। तदुपरान्त आज्ञा लेकर खान के पास काशगर चला गया।

---

[1] ९०५ हि० (१४९९–१५०० ई०)।

[2] ९०७ हि० (१५०१–१५०२ ई०)।

[3] ९११ हि० (१५०५–६ ई.) ।

[4] ९१३ हि० (१५०७८ ई.)।

[5] लगभग ९१३ हि० (१५०७ ई०)।

[6] ८९९ हि० (१४९३–९४ ई.) ।

[7] हबीबा।

[8] ९१७ हि० (१५११–१२ ई०)।

[9] काशगर का हाकिम।

[10] मुहम्मद हैदर मीर्जा गूरगान दूगलात चगताई, मुगूल 'तारीख रशीदी' के लेखक, का जन्म ९०५ हि० (१४९९ ई०) तथा मृत्यु ९५८ हि० (१५५१ ई०) में हुई।

शेर

''अपनी असल की ओर हर चीज़ लौट जाती है,
शुद्ध सोना, चांदी अथवा टीन।''

कहा जाता है कि आजकल उसने तोबा कर के पवित्र जीवन व्यतीत करना प्रारम्भ कर दिया है। वह बहुत सी बातों में अद्वितीय है—लिखने, चित्र बनाने, बाण तथा बाण की नोक बनाने और वीणा का तार खींचने का अंगुश्ताना बनाने का उसे अच्छा ज्ञान है। वह कविता भी कर लेता है। उसका प्रार्थना पत्र मेरे पास आया था। उसकी रचना शैली बुरी नहीं है।

यूनुस खां की एक अन्य स्त्री शाह बेगम थी। यद्यपि उसके अन्य स्त्रियां भी थीं किन्तु संतान केवल उससे तथा ईसान दौलत बेगम से थी। शाह बेगम, बदख्शां के बादशाह शाह सुल्तान मुहम्मद[1] की पुत्री थी। बदख्शां के बादशाह अपने वंश को सिकन्दर फैलकूस[2] तक पहुंचाते हैं। उसके एक अन्य पुत्री का, जो शाह बेगम की बड़ी बहिन थी, सुल्तान अबू सईद मीर्जा से विवाह हुआ था और अबावक्र मीर्जा नामक उसका पुत्र था। शाह बेगम से यूनुस खां के दो पुत्र तथा दो पुत्रियां हुई थीं। इनमें सुल्तान महमूद खां तीनों पुत्रियों से जिनका उल्लेख हो चुका है छोटा तथा अन्य तीन बच्चों से बड़ा था। समरकन्द तथा उसके आसपास के स्थानों में लोग उसे खानिका खां[3] कहते हैं। सुल्तान अहमद खां सुल्तान महमूद खां से छोटा था। वह अलचा खान[4] के नाम से प्रसिद्ध था। इस नाम का कारण यह बताया जाता है कि उसने कई बार कालमानों को पराजित करके उनकी हत्या करा दी। मुगूल तथा कालमाक़ भाषा में हत्या करने वाले को आलाची कहते हैं। यह शब्द बोलते–बोलते अलचा हो गया। इन दोनों खानों का उल्लेख इस इतिहास में उचित स्थान पर किया जायेगा।

सुल्तान निगार खानम, एक पुत्री के अतिरिक्त समस्त परिवार में सब से छोटी थी। उसका विवाह सुल्तान अबू सईद मीर्जा के पुत्र सुल्तान महमूद मीर्जा से हो गया था। सुल्तान महमूद[5] मीर्ज़ा से उसके एक पुत्र का जन्म हुआ जिसका नाम वैस था। उसका उल्लेख उचित स्थान पर किया जायेगा। सुल्तान महमूद मीर्जा की मृत्यु के उपरान्त सुल्तान निगार खानम अपने पुत्र को लेकर किसी को भी सूचना दिये बिना ताशकीन्त[6] में अपने भाइयों के पास चली गयी। कुछ वर्ष उपरान्त उसके भाइयों ने उसका विवाह अदिक सुल्तान से, जो चिंगीज़ खां के ज्येष्ठ पुत्र जूजी खान की नस्ल का काजाक़

---

[1] उसके ६ पुत्रियां थीं।

[2] फिलिप का पुत्र सिकन्दर।

[3] खान का बच्चा।

[4] हत्यारा।

[5] ६०० हि० (१४६५ ई०)।

[6] ताशकन्द।

सुल्तान था, कर दिया। जिस समय शैबानी खां ने खानों[1] को पराजित कर के ताशकीन्त तथा शाहरुखिया पर अधिकार जमा लिया[2] था वह १०, १२ मुगूल सेवकों सहित भाग कर अदिक सुल्तान[3] के पास चली गई। अदिक सुल्तान की मृत्यु के उपरान्त, उसके भाई कासिम खां ने, जो काजाक समूह का सरदार हुआ, उससे विवाह कर लिया। कहा जाता है कि काजाक सुल्तानों तथा खानों में से किसी ने भी कासिम खां के समान उस समूह को सुव्यवस्थित नहीं रक्खा। उसकी सेना का अनुमान लगभग ३ लाख किया जाता था। कासिम खां की मृत्यु के उपरान्त खानम सुल्तान सईद खां के पास काशग़र चली गई।

यूनुस खां की सब से छोटी पुत्री दौलत सुल्तान खानम थी। ताशकीन्त की दुर्घटना के समय[4] वह शैबानी खां के पुत्र तीमूर सुल्तान को प्राप्त हो गई। उससे एक पुत्री का जन्म हुआ जो समरकन्द से मेरे साथ आई थी[5] और ३, ४ वर्ष तक बदख़्शां में निवास करती रही। तदुपरान्त[6] वह सुल्तान सईद खां के पास काशग़र चली गई।

उमर शेख मीर्जा का अन्तःपुर

उमर शेख के अन्तःपुर में ख्वाजा हुसेन बेग की पुत्री ऊलूस आगाा थी। उससे एक पुत्री का जन्म हुआ जिसकी शिशुअवस्था में मृत्यु हो गई। वर्ष डेढ़ वर्ष उपरान्त उसे अन्तःपुर से निकाल दिया गया। उनकी एक अन्य पत्नी फ़ातिमा सुल्तान आग़ा थी। वह मुगूल तूमानों के एक बेग की पुत्री थी। उमर शेख मीर्जा ने अन्य पत्नियों के पूर्व उससे विवाह किया था। क़रागूज़ मख्दूम सुल्तान बेग भी उनकी एक पत्नी थी जिससे उन्होंने अपने जीवन काल के अन्तिम वर्षों में विवाह किया था और उससे वे बड़ा प्रेम करते थे। उमर शेख मीर्जा की चाटुकारी हेतु लोग उनके वंश को सुल्तान अबू सईद मीर्जा के बड़े भाई मनूचेहर मीर्जा से सम्बन्धित बताया करते थे। उनके अनेक कनीजें एवं रखेली स्त्रियां थीं। उम्मीद आगाचा भी उन्हीं में से एक थी जिसकी मीर्जा के निधन के पूर्व मृत्यु हो गई थी। मीर्जा के जीवन काल के अन्तिम दिनों में एक तून सुल्तान थी जो मुगूल वंश से थी। एक अन्य आग़ा सुल्तान थी।

उमर शेख मीर्जा के अमीर––खुदाई बीरदी तीमूर ताश

एक अमीर खुदाई बीरदी तूग़ची तीमूर ताश था जो कि हेरी[7] के हाकिम आक बूगा बेग के भाई के वंश से था। जब सुल्तान अबू सईद मीर्जा ने तूकी

---

[1] उसके भाइयों।

[2] ९०८ हि० (१५०२.३६०)।

[3] अपने पति।

[4] ९०८ हि० (१५०२–३ ई०) में।

[5] ९१८ हि० (१५१२ ई०) में।

[6] ९२६ हि० (१५२० ई.) में।

[7] हिरात।

मीर्जा को शाहरुखिया में घेर लिया था[1] तो उसने फ़रमाना की विलायत को उमर शेख मीर्जा को दे दिया और खुदाई बीरदी बेग को द्वार की रक्षा करने वालों का सरदार नियुक्त कर के उसके साथ कर दिया। खुदाई बीरदी की अवस्था उस समय २५ वर्ष की थी। किन्तु उसका सम्मान एवं गौरव, शासन प्रबन्ध तथा राज्य व्यवस्था बड़ी ही उत्तम थी। एक दो वर्ष उपरान्त जब कि इबराहीम बेगचीक ने ऊश के आसपास के स्थानों में लूट–मार प्रारम्भ कर दी तो खुदाई बीरदी ने उसका पीछा किया। युद्ध में वह पराजित हुआ और मारा गया। जिस समय यह घटना घटी उस समय सुल्तान अहमद मीर्जा आक़ क़ाचग़ाई की ग्रीष्म ऋतु की चरागाह में, जो औरातीपा में समरकन्द से पूर्व की ओर १८ यीग़ाच की दूरी पर है, था। सुल्तान अबू सईद मीर्जा बाबाखाकी में था जो कि हेरी से पूर्व की ओर १२ यीगाच की दूरी पर है। यह समाचार लोगों ने अब्दुल वह्हाब शग़ावल द्वारा शीघ्रातिशीघ्र मीर्जाओं के पास भिजवा दिये। चार दिन में ये समाचार १२० यीगाच[2] की दूरी पर पहुंच गये।

हाफ़िज़ मुहम्मद बेग दूल्दाई

हाफ़िज़ मुहम्मद बेग दूल्दाई भी एक अन्य अमीर था जो सुल्तान मलिक काशगरी का पुत्र और अहमद हाजी बेग का छोटा भाई था। खुदाई बीरदी बेग की मृत्यु के उपरान्त उमर शेख मीर्जा के द्वारों की रक्षा हेतु उसे भेज दिया गया। किन्तु अन्दिजान के वेगों से उसकी न बनी, और सुल्तान अबू सईद मीर्जा की मृत्यु के उपरान्त वह समरकन्द चला गया और वह सुल्तान अहमद मीर्जा की सेवा में पहुंच गया। पीर की पराजय के समय वह औरातीपा का हाकिम था। जब उमर शेख मीर्जा समरक़न्द की विजय के उद्देश्य से औरातीपा पहुंचा तो वह औरातीपा को मीर्जा के सेवकों को प्रदान करके स्वयं मीर्जा की सेवा में प्रविष्ट हो गया। उमर शेख मीर्जा ने उसे अन्दिजान का राज्य प्रदान कर दिया। अन्त में वह सुल्तान महमूद खां के पास ताशकीन्त चला गया। उसने उसे खान मीर्जा का अतालीक़ बना दिया और दीज़ाक उसे प्रदान कर दिया। मेरे काबुल पर अधिकार जमाने के पूर्व[3] उसने मक्का को हिन्दुस्तान की ओर से प्रस्थान कर दिया था किन्तु मार्ग में ही मृत्यु को प्राप्त हो गया। वह बड़ा ही सरल, कम बात करने वाला तथा साधारण व्यक्ति था।

ख्वाजा हुसेन बेग

एक अन्य ख्वाजा हुसेन बेग बड़ा ही नेक आदमी तथा सरल स्वभाव का मनुष्य था। उस समय की प्रथानुसार मदिरापान के समय तूईयूक नामक एक प्रकार का मुगूल गाना गाया जाता था, जिसे वह भली भांति गाता था।

---

[1] ८६८ हि० (१४६४ ई०) में।

[2] लगभग ५०० मील।

[3] ६१० हि० (अक्तूबर १५०४ ई०)।

शेख मजीद बेगम

शेख मजीद भी एक अन्य अमीर था। सर्व प्रथम उसे मेरा अत्का[1] बना दिया गया था। उसका शासन बड़ा ही अच्छा था। वह बाबर मीर्जा[2] के भी अधीन रहा होगा। उमर शेख मीर्जा का उससे बड़ा कोई अमीर न था। वह बड़ा ही व्यभिचारी था और गुदामैथुन में संलग्न रहता था।

अली मज़ीद कूचीन

अली मजीद कूचीन भी एक अमीर था। उसने दो बार विद्रोह किया, एक बार अक्शी में और दूसरी बार ताशकीन्त में। वह बड़ा ही विश्वासघाती नमकहराम तथा अयोग्य व्यक्ति था।

हसन पुत्र याकूब बेग

इनके अतिरिक्त हसन बिन याकूब था जो बड़ा ही खुश मिज़ाज, चतुर एवं तेज़ आदमी था। यह शेर उसी की रचना है।...

वह बड़ा ही वीर और बाण चलाने में कुशल था। चौगान भी खूब खेलता था। मेंढक फांद[3] में वह बड़ा दक्ष था। उमर शेख मीर्जा के निधन के उपरान्त मेरे द्वारों की देख रेख उसी के सिपुर्द थी। उसमें अधिक योग्यता न थी। वह बड़ा ही अल्पदर्शी एवं फ़ितना पैदा करने वाला व्यक्ति था।

क़ासिम बेग कूचीन

इनके अतिरिक्त कासिम बेग कूचीन था। वह अन्दिजान की सेना के प्राचीन अमीरों में से था। हसन याकूब बेग के उपरान्त मेरे फाटकों की देख–रेख उसी के सिपुर्द हुई। जब तक वह जीवित रहा उसके प्रति मेरे विश्वास एवं उसके अधिकारों में वृद्धि होती रही और कभी कमी न हई। वह बड़ा पराक्रमी था। एक बार जब कि ऊज़बेग लोग कासान के समीप के स्थानों को विध्वंस कर के लौट रहे थे तो उसने उनका पीछा किया और उनके पास पहुंच कर युद्ध किया तथा भली भांति पराजित कर दिया। उमर शेख मीर्जा के सामने भी उसने तलवार चलाने की योग्यता प्रदर्शित की थी। यासी कीजीत के युद्ध में[4] भी उसने बड़ी वीरता से आक्रमण किये। जिन दिनों में छापा मार युद्ध किया करता था तो वह उस समय, जब कि मैं सुल्तान महमूद खां के पास माचा के पर्वतीय प्रदेश में जाने की तैयारी कर रहा था, खुसरो शाह के पास चला गया।[5] ६१० हि० (१५०४ ई०) में जब मैंने खुसरो शाह को अपने साथ लेकर काबुल में मुकीम को घेर लिया तो क़ासिम बेग पुनः मेरे पास चला आया। मैंने उसके प्रति प्राचीन प्रयानुसार कृपादृष्टि

---

[1] देख–भाल करने वाला एवं शिक्षा–दीक्षा देने वाला।

[2] बाबर मीर्जा पुत्र वैसंगर, पुत्र शाहरुख, पुत्र तीमूर बेग। उसकी मृत्यु १४५७ ई० में हुई। वह कुछ समय तक खुरासान का हाकिम रहा।

[3] एक प्रकार का खेल जिसमें एक व्यक्ति हाथ पीछे करके झुक जाता है और दूसरा उसके ऊपर से कूदता है।

[4] लगभग ६०४ हि० (जुलाई १४६६ ई.)।

[5] ६०७ हि० (१५०१–२ ई०)।

प्रदर्शित की। जब कि मैंने तुर्कमान हजारा पर दर्रये खुश में आक्रमण किया[1] तो क़ासिम ने वृद्धावस्था के बावजूद युवकों से बढ़ कर पौरुष दिखाया। मैंने उसे बंगश की विलायत प्रदान कर दी। तदुपरान्त काबुल वापस आने के उपरान्त उसे हुमायूं का अत्का नियुक्त कर दिया। जिस समय ज़मीन दावर पर विजय प्राप्त हुई, लगभग उसी समय उसकी मृत्यु हो गई।[2] वह बड़ा ही सदाचारी तथा नेक मुसलमान था। वह सभी संदिग्ध आहारों से बचता था। उसकी निर्गय–शक्ति बड़ी ही उत्तम थी और परामर्श करने में वह बड़ा कुशल था। यद्यपि वह पढ़ न सकता था किन्तु व्यंग्य पूर्ण बातें बड़े ही अच्छे ढंग से करता था।

बाबा बेग का बाबा कुली

इनके अतिरिक्त बाबा बेग का बाबा कुली था जो शेख अली बहादुर[3] के वंश से था। शेख मजीद बेग की मृत्यु के उपरान्त उसे मेरा बेग अत्का नियुक्त कर दिया गया था। जब सुल्तान अहमद मीर्जा ने अन्दिजान पर चढ़ाई की[4] तो वह उसके पास चला गया और औरातीपा मीर्जा को समर्पित कर दिया। सुल्तान महमूद मीर्जा की मृत्यु के उपरान्त वह समरकन्द से चल खड़ा हुआ और मेरी सेवा में आ रहा था[5] कि सुल्तान अली मीर्जा ने औरातीपा से निकल कर उससे युद्ध किया और उसे पराजित करके उसकी हत्या कर दी। वह अपने सैनिकों को अत्यधिक सुव्यवस्थित रखता था और उनके साज व सामान को भी बड़ी अच्छी दशा में रखता था। वह अपने सेवकों के विषय में सावधान रहता था। वह न तो नमाज़ पढ़ता और न रोजे रखता। वह बड़ा अत्याचारी एवं काफ़िरों के समान था।

अली दोस्त तग़ाई

इनके अतिरिक्त अली दोस्त तगाई था जो सागारीची तूमान के वेगों[6] में से था। वह मेरी नानी ईसान दौलत बेगम का सम्बन्धी था। मैंने उसके प्रति उमर शेख मीर्जा के राज्यकाल की अपेक्षा अधिक आश्रय प्रदर्शित किया। मुझे बताया गया था वह बड़ा ही उपयोगी सिद्ध होगा किन्तु जितने वर्ष तक वह मेरे साथ रहा उसने कोई ऐसा कार्य जिनके विषय में वह प्रसिद्ध था न किया। उसने सुल्तान अबू सईद मीर्जा की सेवा की होगी। वह इस बात का दावा करता था कि वह एक प्रकार के पत्थर से पानी बरसा सकता है। वह बड़ा कुशल शिकारी था किन्तु उसका चरित्र अच्छा न था। वह कृपण, उपद्रवी, कठोर, विश्वासघाती, यथेच्छाचारी, कटुवचन कहने वाला तथा लड़ाकू था।

---

1 ६१६ हि० (१५०५–६ ई०)।

2 लगभग ६२८ हि० (१५२२ ई.)।

3 तीमूर का एक बेग।

4 ८६६ हि० (१४६३–८४ ई०)।

5 ६०० हि० (१४६४–६५ ई०) में।

6 अमीरों।

वैस लागरी

इनके अतिरिक्त वैस लागरी था। वह समरकन्द का था और तूकची क़बीले से सम्बन्धित था। अन्त में वह उमर शेख मीर्जा का बड़ा ही विश्वासपात्र हो गया था। छापा मार युद्ध के समय वह मेरे साथ था । यद्यपि वह फ़ितना परदाज़ था किन्तु बड़ा ही उत्तम परामर्शदाता एवं बड़ी सूझ बूझ का व्यक्ति था।

मीर ग़यास तग़ाई

इनके अतिरिक्त मीर ग़यास तग़ाई था। वह अली दोस्त का छोटा भाई था। सुल्तान अबू सईद मीर्जा के घरों की रक्षा करने वालों में उससे अधिक श्रेष्ठ कोई अन्य न था। मीर्जा सुल्तान अबू सईद को चौकंठी मुहर उसके पास रहती थी। उमर शेख मीर्जा के राज्यकाल के अन्तिम दिनों में वह उनका बड़ा ही विश्वासपात्र हो गया था। वह वैस लागरी का मित्र था। जब कासान सुल्तान महमूद खां[1] को प्रदान कर दिया गया तो वह निरन्तर खान की सेवा में रहा। खान भी उसको अत्यधिक आश्रय प्रदान करता था। वह बड़ा ही खुश मिज़ाज था। हंसी मजाक में वह बड़ा दक्ष था। दुराचार में भी वह निर्भीक था।

अली दरवेश खुरासानी

इनके अतिरिक्त अली दरवेश खुरासानी था। उसने सुल्तान अबू सईद मीर्जा के खुरासानी दल में बड़ी उत्तम सेवायें की। जब सुल्तान अबू सईद मीर्जा समरकन्द तथा खुरासान को सुव्यवस्थित करने लगा तो उसने दोनों देशों के योग्य युवकों के दो दल बनाये। एक का नाम खुरासान दल तथा दूसरे का समरकन्द दल रक्खा। अली दरवेश बड़ा ही पराक्रमी था। बीशकारान के फाटक पर उसने मेरे समक्ष बड़ी वीरता से युद्ध किया। वह नस्तालीक़ लिपि बड़ी साफ़ लिखता था। वह बड़ा चापलूस एवं लालची था।

कम्बर अली मुगुल

इनके अतिरिक्त क़म्बर अली मुगूल था। वह अख्तची[2] था। जब उसका पिता यहां[3] सर्व प्रथम आया तो वह खाल का व्यापार करता था इसी कारण उसे भी क़म्बर अली सेलाख[4] कहने लगे। वह यूनुस खां का आफ़ताबची[5] था। अन्त में वह बेग की श्रेणी तक पहुंच गया। इस श्रेणी तक पहुंचने के पूर्व वह बड़ा ही कार्य–कुशल था। बाद में वह बड़ा ही आलसी एवं लापरवाह हो गया। वह बातों से और मूर्खता–पूर्ण बातों से भरा था। अधिक बात करने

---

[1] ८६६ हि० (१४६४ ई०)।

[2] घोड़ों की देख रेख करने वालों का अधिकारी। सम्भवतः घोड़ों को उसी की देख रेख में बधिया बनाया जाता था।

[3] फरगाना में।

[4] खाल का व्यापार करने वाला।

[5] वह व्यक्ति जो बादशाह के पीने के जल का प्रबन्ध करता, हाथ मुंह धुलाता तथा स्नान कराता था।

वाले को मूर्ख होना ही चाहिये। उसकी योग्यता सीमित एवं मस्तिष्क गंदा था।

सिंहासनारोहण के प्रथम वर्ष का हाल

जिस समय उमर शेख मीर्जा के ऊपर यह घातक दुर्घटना घटी मैं अन्दिजान के चारबाग़ में[1] था। मंगलवार ५ रमजान (६ जून) को यह समाचार अन्दिजान में प्राप्त हये। मैं तत्काल घोड़े पर सवार हुआ और जो सेवक एवं साथी उपस्थित थे उन्हें अपने साथ लेकर किले में प्रविष्ट होना चाहता था किन्तु जब हम मीर्जा के फाटक पर पहुंचे तो शेरीम तग़ाई मेरे घोड़े की लगाम पकड़ कर नमाजगाह[2] की ओर चल दिया। उसने यह सोचा होगा कि यदि सुल्तान अहमद मीर्जा सरीखा बादशाह बहुत बड़ी सेना लेकर आ जायेगा तो अन्दिजान के बेग निःसन्देह मुझे तथा राज्य को उसी को सौंप देंगे। यदि वह मुझे ऊजकीन्त तथा उस ओर की पहाड़ियों में पहुंचा देगा, तो मैं किसी प्रकार समर्पित न किया जा सकूँगा और अपनी माता के सौतेले भाइयों–सुल्तान महमूद खां अथवा सुल्तान अहमद खां के पास चला जाऊंगा।[3] जब ख्वाजा मौलाना क़ाज़ी तथा क़िले के बेगों को इस बात का पता चला तो उन्होंने ख्वाजा मुहम्मद दरजी को जो मेरे पिता का एक प्राचीन सेवक था और उसकी एक पुत्री का अत्का था मेरे पास भेजा। ख्वाजा मौलाना क़ाज़ी, सुल्तान अहमद क़ाज़ी का पुत्र तथा बुरहानुद्दीन अली क़ीलीच[4] की नस्ल से था। अपनी माता की ओर से वह अपने आपको सुल्तान ईलीक माजी[5] की नस्ल से बताता था। इस उच्च वंश के कारण उसके परिवार वाले फ़रग़ाना में सम्मानित एवं शेखुल इस्लाम[6] थे।[7] ख्वाजा मुहम्मद ने हमारी शंकाओं का समाधान करा दिया। नमाज़गाह से लौटा कर वह मुझे अपने साथ अरक[8] में ले गया। ख्वाजा मौलाना क़ाज़ी तथा बेग लोग मेरे पास आये। उनसे परामर्श के उपरान्त क़िले के बुर्जों एवं चहारदीवारी की रक्षा की व्यवस्था आरम्भ कर दी। कुछ दिन उपरान्त हसन पुत्र याकूब, क़ासिम कूचीन तथा कुछ अन्य बेगों सहित, जो मर्गीनान तथा उस ओर पर्यवेक्षण हेतु भेजे

---

[1] बाबर अन्दिजान का हाकिम था और यह ग्रीष्म ऋतु होने के कारण वह बाहर निवास कर रहा होगा।

[2] ईदगाह।

[3] सुल्तान महमूद ताशकीन्त तथा सुल्तान अहमद काशगर में अथवा आकसू में थे।

[4] हिदाया के लेखक।

[5] ईलीक माजी–भूतपूर्व ईलीक, सम्भवतः सातूक बूगरा खां (जन्म ३८४ हि०। ६६४ ई०) का वंशज।

[6] इस्लाम के धार्मिक विषयों का नेता।

[7] यह वाक्य बाबर ने ख्वाजा मौलाना काजी के विषय में पाद–टिप्पणी के रूप में लिखा है।

[8] भीतरी किला।

गये थे[1] मेरी सेवा में उपस्थित हुए और सभी संगठित एवं एक दिल हो कर उत्साह पूर्वक क़िले की रक्षा में व्यस्त हो गये।

इसी बीच में सुल्तान मीर्जा ने औरातीपा, खुजन्द तथा मर्गीनान को अपने अधिकार में करके अन्दिजान से ४ यीगाच पर क़बा नामक स्थान पर पड़ाव किया। इस अवसर पर अन्दिजान के एक प्रतिष्ठित व्यक्ति दरवेश गौ की अनुचित व्यवहार करने के कारण हत्या करा दी गई। इस मृत्यु–दण्ड के कारण सभी लोग शांत हो गये।

ख्वाजा क़ाज़ी तथा ऊज़ून हसन (के भाई) ख्वाजा हुसेन को दूत बना कर सुल्तान अहमद मीर्जा के पास इस संदेश के साथ भेजा गया कि ''यह बात स्पष्ट है कि आप इस राज्य में अपने किसी न किसी सेवक को नियुक्त करेंगे। मैं सेवक भी हूं और पुत्र (समान) भी। यदि आप यह सेवा मुझे प्रदान कर दें तो आप का उद्देश्य भली भांति एवं सुगमतापूर्वक पूरा हो जायगा।" सुल्तान अहमद मीर्जा बड़ा साधारण एवं कमज़ोर आदमी था, वह बहुत कम बोलता था। जो बात अथवा कार्य उसे करना होता, उन्हें वह बिना अपने बेगों के परामर्श के संपन्न न करता था। बेग लोगों को यह प्रस्ताव पसन्द न था अतः वे कठोर उत्तर देकर आगे बढ़ गये।

पवित्र तया महान ईश्वर अपनी पूर्ण शक्ति से बिना किसी मनुष्य के एहसान के मेरा समस्त कार्य उचित रूप से संपन्न कराता आ रहा है। इस स्थान पर भी उसने कुछ ऐसी व्यवस्था करा दी कि वे लोग इस अभियान से परेशान अपितु लज्जित होकर (क़बा) से वापस लौट गये।

एक बात यह थी कि क़बा की नदी दलदली है और उसका जल गति रहित है। उसे पुल के बिना अन्य स्थान से नहीं पार किया जा सकता। बहुत बड़ी सेना ने पहुंच कर पुल की ओर अग्रसर होना प्रारम्भ कर दिया। बहुत से घोड़े एवं ऊंट धक्के में नदी में गिर कर नष्ट हो गये। इस घटना के ३–४ वर्ष पूर्व चीर घाट पर यह सेना बुरी तरह पराजित हुई थी। इस समय उन्हें उसी घटना का स्मरण हो आया। सेना वाले घबरा गये। दूसरी बात यह हुई कि उस समय घोड़ों में महामारी फैल गई और वे इतनी अधिक संख्या में मरने लगे यहां तक कि घोड़ों के तवेले के तवेले साफ़ होने लगे। तीसरे उन्होंने हमारी प्रजा तथा सेना को इस प्रकार संगठित एवं दृढ़ पाया कि वे जब तक उनके शरीर में प्राण रहते तब तक वीरता पूर्वक प्राणों की बलि देने में संकोच न करते। इन कारणों से परेशान हो कर उन्होंने अन्दिजान से एक यीग़ाच पर पहुंच कर दरवेश मुहम्मद तरखान को हमारे पास भेजा। किले के भीतर से हसन का याकूब बात करने गया। नमाज़गाह के समीप एक दुसरे ने भेंट की और संधि कर के लौट गये। इसके उपरान्त सुल्तान अहमद मीर्जा की सेना लौट गई। इसी बीच में खुजंद नदी के उत्तर की ओर से सुल्तान महमूद खां आ गया और अक्शी को घेर लिया। जहांगीर

---

[1] सम्भवतः वे लोग उमर शेख मीर्जा के निधन के पूर्व सुल्तान अहमद मीर्जा के विषय में पता लगाने के लिये भेजे गये थे।

मीर्जा उस स्थान पर था। बेगों में से अली दरवेश बेग, मीर्जा कुली कूकूल्दाश, मुहम्मद बाक़िर बेग तथा शेख अब्दुल्लाह ईशक आका[1] थे। वैस लाग़री तथा मीर गयास तग़ाई भी उस स्थान पर थे, किन्तु (अक्शी के) बेगों से कुछ मतभेद के कारण वे कासान को जहां वैस लागरी हाकिम था चले गये। क्योंकि वैस लाग़री बेग नासिर मीर्जा का बेग था अतः नासिरं मीर्जा कासान में निवास करता था। जब सुल्तान मुहम्मद खां अक्शी के समीप पहुंचा तो वे उसके पास चले गये। मीर गयास उसकी सेवा में सम्मिलित हो गया। वैस लागरी नासिर मीर्ज़ा को सुल्तान अहमद मीर्जा के पास ले गया। उसने उसे मुहम्मद मजीद तरखान के सिपुर्द कर दिया। खान ने अक्शी के समीप पहुंच कर कई बार युद्ध किया किन्तु कोई सफलता प्राप्त न कर सका। कारण कि अक्शी के बेग तथा जवान वीरतापूर्वक अपने प्राणों की बलि देने के लिये तैयार थे। इसी बीच में सुल्तान महमूद खां रुग्ण हो गया और युद्ध से थक कर अपनी विलायत[2] को लौट गया।

अबाबक काशगरी दूग़लात ने कई वर्ष से किसी व्यक्ति के समक्ष सिर न झुकाया था और कारागर तथा खुतन का शक्तिशाली हाकिम था। वह भी अन्य लोगों की भांति मेरे राज्य पर अधिकार जमाने में ऊजकीन्त के समीप पहुंचा। वहां एक किले का निर्माण कर के आसपास के स्थानों को विध्वंस करने में वह व्यस्त हो गया। ख्वाजा काजी तथा बहुत से बेग उसे निकालने के उद्देश्य से भेजे गये। जब वे निकट पहुंचे तो उसने देखा कि वह इतनी बड़ी सेना का मुकाबला नहीं कर सकता। ख्वाजा काजी को बीच में डाल कर उसने बड़ी धूर्तता तथा छल से मुक्ति प्राप्त की।

उस समय जो महान् घटनायें हुईं उनमें उमर शेख मीर्जा के बेग तथा जवान वीरता पूर्वक प्राणों की बलि देने पर तैयार रहे। मीर्जा की माता शाह सुल्तान बेगम तथा जहांगीर मीर्जा एवं अन्तःपुर वाले तया खानदानी बेग अक्शी से अन्दिजान पहुंचे। शोक सम्बन्धी प्रथाओं को सम्पन्न कराने के उपरान्त भिखारियों तथा दरिद्रियों को भोजन वितरण किया गया।

इन कार्यों से अवकाश के उपरान्त राज्य को सुशासित तथा सेना को सुव्यवस्थित करने का प्रयत्न प्रारम्भ कर दिया गया। अन्दिजान का शासन तथा मेरे फाटक का अधिकार हसन बिन (पुत्र) याकूब के सिपुर्द किया गया। ऊश, कासिम चीन के लिये निश्चय किया गया। अक्शी तथा मर्गीनान ऊजून हसन एवं अली दोस्त तग़ाई को प्रदान किये गये। उमर शेख मीर्जा के शेष वेगों तथा वीरों को उनकी योग्यतानुसार विलायत, भूमि, पद, सरदारी अथवा वजह[3] प्रदान की गईं।

जब सुल्तान अहमद मीर्जा वापस हुआ तो दो तीन मंजिल की यात्रा के उपरान्त उसकी दशा बिगड़ गई और उसे ज्वर आने लगा। औरातीपा के

---

[1] फाटक का रक्षक।

[2] ताशकीन्त (ताशकन्द)।

[3] वृत्ति।

समीप आकसू पहुंचने पर वह शव्वाल ८६६ हि. के मध्य में (मध्य जुलाई १४६४ ई०) ४४ वर्ष की अवस्था में इस नश्वर संसार से बिदा हो गया।

सुल्तान अहमद मीर्जा का जन्म तथा–वंश

वह ८५५ हि० (१४५१ ई०) में, जब कि उसका पिता सुल्तान मुहम्मद अबू सईद मीर्जा सिंहासनारूढ़ हुआ,[1] पैदा हुआ। वह सुल्तान अबू सईद मीर्जा का ज्येष्ठ पुत्र था। उसकी माता ऊर्दू बूगा तरखान की पुत्री तथा दरवेश मुहम्मद तरखान की सब से बड़ी बहिन थी। मीर्जा की पत्नियों में उसे बड़ा सम्मान प्राप्त था।

उसका डील डौल लम्बा, शरीर गंठा हुआ, दाढ़ी भूरी तथा चेहरा लाल था। उसकी ठुड्डी पर दाढ़ी थी किन्तु चेहरे पर न थी। वह बड़ा ही शिष्ट था और उस काल की प्रथानुसार पगड़ी को चारमाक[2] नियम से लपेट कर किनारे को सामने लाकर भौं के समक्ष छोड़ देता था।

चरित्र तथा व्यवहार

वह हनफ़ी धर्म का पालन करता था। उसके विचार बड़े शुद्ध थे और कभी भी पांचों समय की नमाज़ न त्यागता था। वह ख्वाजा उबैदुल्लाह एहरारी का मुरीद था। ख्वाजा उसे धार्मिक शिक्षा देते और उसके धार्मिक विश्वास में दृढ़ता रखते थे। वह बड़ा शिष्ट था, विशेष रूप से ख्वाजा की गोष्ठी में। कहा जाता है कि वह जब तक ख्वाजा की गोष्ठी में उपस्थित रहता वह अपने घुटनों को न बदलता था।[3] एक बार वह अपनी प्रथा के प्रतिकूल ख्वाजा की गोष्ठी में पांव समेट कर बैठ गया। मीर्ज़ा के चले जाने के उपरान्त ख्वाजा ने आदेश दिया कि जिस स्थान पर वह बैठा था उस स्थान का निरीक्षण किया जाय। वहां एक हड्डी पड़ी हुई थी। उसने कुछ पढ़ा लिखा न था। यद्यपि उसका पालन–पोषण नगर में हुआ था किन्तु सरल एवं साधारण स्वभाव का व्यक्ति था। उसमें कोई प्रतिभा न थी। वह बड़ा ही न्यायकारी या। हजरत ख्वाजा के उसका पथ–प्रदर्शक होने के कारण उसके कार्य शरा के अनुसार सम्पन्न हो जाते थे। वह अपनी प्रतिज्ञा तथा वचन का पक्का था। कभी भी कोई बात उसके विरुद्ध प्रकट न हुई। वह बड़ा साहसी या। यद्यपि उसे कभी भी किसी के आमने सामने हो कर युद्ध करने का अवसर न मिला था किन्तु कहा जाता है कि कुछ अभियानों में उसने अत्यधिक पौरुष का प्रदर्शन किया। वह बाण चलाने में बड़ा कुशल था। उसका निशाना बड़ा अच्छा था। वह अपने वाणों तथा तीर गिज़ से साधारणतः सुगमता पूर्वक निशाना लगा लेता था। मैदान में एक ओर से दूसरी ओर घोड़ा दौड़ाते हुए वह निशाना लगा लेता था। अन्त में जब वह बड़ा मोटा हो गया तो वह बटेर तया तीतर को एक प्रकार के छोटे बाज़ से

---

[1] समरकन्द में।

[2] चार पलेटें डाल कर पगड़ी बांधने की प्रथा।

[3] एक प्रकार से घुटनों के बल बैठा रहता था।

लड़वाया करता था और बहुत कम चुकता था। बाज़ उड़ाने में उसे बड़ी रुचि थी और वह भली भांति बाज उड़ाया करता था। उलगा बेग मीर्जा के बाद से उसके समान कोई बादशाह इतना बड़ा शिकारी नहीं हुना है। वह आत्यधिक शिष्ट था। कहा जाता है कि एकान्त में भी और अपने विश्वासपात्रों तथा अपने निकटवर्तियों के समक्ष भी अपने पांव न खोलता था। जब वह मदिरापान करने बैठ जाता तो लगातार २०–३० दिन तक मदिरा–पान किया करता था। जब कभी मदिरापान न करता तो २०–३० दिन तक बिना मदिरा के रहता। उसे मदिरा–पान करने से बड़ी रुचि थी। जिन दिनों वह मदिरा–पान न करता वह बिना किसी आमोद–प्रमोद के भोजन करता था। वह बड़ा लोभी था। वह दयालु था और बहुत कम बातचीत करता था। उसके कार्य उसके बेगों के अधिकार में थे।

उसके युद्ध

उसने ४ युद्ध किये। प्रथम युद्ध शेख जमाल अरगून के छोटे भाई नेमत अरगून के विरुद्ध जमीन के समीप आकार तूजी में हुआ। इसे उसने विजय कर लिया। दूसरा युद्ध उमर शेख मीर्जा से ख्वास में हुआ। उसने उसे भी जीत लिया। तीसरा युद्ध वह था जिसमें उसने सुल्तान महमूद खां से ताशकीन्त के समीप चीर नदी पर युद्ध किया।[1] यद्यपि नियमानुसार कोई युद्ध न हुआ किन्तु कुछ मुगूल लुटेरे एक एक, दो–दो कर के उसकी सेना के पीछे पहुंच कर लूट मार करते रहे । यद्यपि उसकी सेना की संख्या इतनी अधिक थी किन्तु फिर भी वे लोग बिना युद्ध किये अथवा बिना तलवार चलाये या लड़े भिड़े छिन्न भिन्न हो गये। उसकी सेना का मुख्य भाग चीर नदी में डूब गया। चौथी बार उसने यार यीलाक़ के समीप हैदर कूकूल्दाश[2] से युद्ध किया और उस पर विजय प्राप्त कर ली।

उसका राज्य

उसके अधीन समरकन्द तथा बुखारा का राज्य था जो उसे उसके पिता ने प्रदान किया था। वह ताशकीन्त एवं सैराम पर अधिकार जमा कर उन्हें कुछ समय तक अपने अधीन रक्खे रहा। किन्तु उन्हें उसने अपने भाई उमर शेख मीर्जा को दे दिया। अब्दुल कुद्दूस के शेख जमाल की हत्या कर देने के उपरान्त खुजन्द एवं औरातीपा भी कुछ समय तक उसके अधिकार में रहे।

संतान

उसके दो पुत्र हुये थे और अल्पावस्था ही में मृत्यु को प्राप्त हो गये। उसके पांच पुत्रियां थीं। चार क़ाताक़ बेगम से थीं। इनमें सब से बड़ी राबेआ सुल्तान बेगम थी जिसे काले नेत्र वाली बेगम कहा जाता था। अपने जीवन काल में ही उसने उसका विवाह सुल्तान महमूद खां से कर के उसे बिदा कर दिया था। खान से एक पुत्र का जन्म हुआ जिसका नाम बाबा खान

---

[1] ८९५ हि० (१४८९ ई०)।

[2] कुकुल्ताश।

रखा गया। वह बड़ा ही होनहार था। जिस समय ऊज़्वेकों ने खुजंद में खान की हत्या की[1] तो उन लोगों ने उसे तथा उसके समान कुछ अन्य बालकों की हत्या करा दी। सुल्तान महमूद खां की मृत्यु के उपरान्त जानी बेग सुल्तान ने उससे विवाह कर लिया।

उसकी दूसरी पुत्री सालेहा सुल्तान बेगम थी जिसे लोग आक बेगम कहते थे। सुल्तान अहमद मीर्जा की मृत्यु के उपरान्त सुल्तान महमूद मीर्जा ने उसका विवाह अपने ज्येष्ठ पुत्र सुल्तान मसऊद मीर्जा के साथ बड़े समारोह से कर दिया।[2] अन्त में वह शाह बेगम तथा मिहर निगार खानम के साथ काशग़रियों को प्राप्त हो गई।

तीसरी पुत्री आयेशा सुल्तान बेगम थी। जब मैं ५ वर्ष की अवस्था में समरकन्द पहुंचा तो उसकी मंगनी मुझसे कर दी गई। छापा मार युद्ध के समय वह खुजन्द पहुंची और मैंने उससे विवाह कर लिया।[3] जब मैंने दूसरी बार समरकन्द पर अधिकार जमाया तो उससे एक पुत्री का जन्म हुआ। कुछ दिन उपरान्त वह मृत्यु को प्राप्त हो गई। वह अपनी एक बड़ी बहिन के बहकाने से स्वयं मुझे छोड़ कर चली गई।

चौथी पुत्री सुल्तान बेगम थी जिसका विवाह सुल्तान अली मीर्जा से हुआ था। उसके उपरान्त तीमूर सुल्तान से उसका विवाह हुआ और फिर सुल्तान महदी सुल्तान से हुआ।

सुल्तान अहमद मीर्जा की सब से छोटी पुत्री मासूमा सुल्तान बेगम थी। उसकी माता हबीबा सुल्तान बेगम अरंगूनों में से थी। वह सुल्तान हुसेन अरगून के भाई की पुत्री थी। जब मैं खुरासान पहुंचा[4] तो उसे देख कर बड़ा प्रसन्न हुआ और उससे विवाह का प्रस्ताव रख कर काबुल ले आया और उससे विवाह कर लिया।[5] उससे एक पुत्री का जन्म हुआ। पुत्री के जन्म के समय ही वह मृत्यु को प्राप्त हो गई। उसकी माता का नाम, उसकी पुत्री को तत्काल दे दिया गया।

उसकी पत्नियाँ

उसकी मुख्य पत्नी यूनुस खां की सब से बड़ी पुत्री मिहर निगार खानम थी। सुल्तान अबू सईद मीर्जा ने उसकी मंगनी सुल्तान अहमद से कर दी थी। मेरी माता की वह सगी बहिन थी।

दूसरी तरखान बेगम थी जो तरखानों से सम्बन्धित थी। इनके अतिरिक्त क़ाताक़ बेगम थी जो इसी तरखान बेगम की धर्म बहिन थी। सुल्तान अहमद मीर्जा ने उस पर आसक्त हो जाने के कारण उससे विवाह कर लिया। मीर्जा

---

[1] ९१४ हि० (१५०८ ई.) में।

[2] ९०० हि० (१४९४–९५ ई०) ।

[3] ९०५ हि० (१४९९–१५०० ई०) ।

[4] ९१२ हि० (१५०६ ई०।

[5] ९१३ हि० (१५०७–८ ई०) ।

उससे बड़ा प्रेम करता था और उसी के वश में था। वह मदिरापान भी करती थी। उसके अधिकार–काल में मीर्जा अपने अन्तःपुर की किसी अन्य स्त्री के पास न गया। अन्त में उसको समझ आ गई और उसने उसके कुप्रभाव से अपने आपको बचा लिया। इसके अतिरिक्त खानजादा बेगम थी वह तिरमिज़ के खानों के वंश से थी। जब मैं ५ वर्ष की अवस्था में सुल्तान अहमद मीर्जा के पास समरकन्द गया हुआ था तो उस समय मीर्जा ने उससे विवाह किया ही था। तुर्कों की प्रथानुसार मुझसे कहा गया कि मैं उसका मुंह खोलूं।[1]

इनके अतिरिक्त अहमद हाजी बेग दूल्दाई (बरलास) की एक पुत्री की पुत्री थी, जिसका नाम लतीफ़ बेगम था। मीर्जा की मृत्यु के उपरान्त हमज़ा सुल्तान ने उससे विवाह कर लिया। हमज़ा सुल्तान से उसके तीन पुत्र हुए। जब मैंने हमज़ा सुल्तान तथा तीमूर सुल्तान को पराजित करके हिसार पर अपना अधिकार जमाया तो ये शाहज़ादे तथा अन्य सुल्तानों के पुत्र बन्दी बना लिये गये। मैंने सब को मुक्त कर दिया।

इनके अतिरिक्त हबीबा सुल्तान बेगम थी। वह सुल्तान हुसेन अरसून के भाई की पुत्री थी।

उसके अमीर–जानी बेग दूल्दाई

जानी बेग दूल्दाई[2] सुल्तान मलिक काशगरी का छोटा भाई था। सुल्तान अबू सईद मीर्जा ने समरकन्द का राज्य उसे दे दिया था। सुल्तान अहमद मीर्जा ने अपने फाटकों का अधिकार उसे दे दिया था। उसका आचार व्यवहार बड़ा विचित्र था। उसके सम्बन्ध में बड़ी विचित्र बातें बताई जाती हैं। उनमें से एक यह है कि जब वह समरकन्द का हाकिम था तो ऊज़बेकों का एक राजदूत आया जो ऊज़बेकों में अपनी शक्ति के लिए बड़ा प्रसिद्ध था। ऊंज़बेक लोग शक्तिशाली व्यक्ति को बूकुह[3] कहते हैं। जानी बेग ने उससे पूछा कि, "क्या तू बूकुह है? यदि तू बूकुह हो तो मुझसे मल्लयुद्ध कर।" राजदूत ने यद्यपि बड़ी आपत्तियां प्रकट की किन्तु उसने स्वीकार न किया और उससे लिपट कर उसे पटक दिया। वह बड़ा ही वीर था।

अहमद हाजी

इसके अतिरिक्त अहमद हाजी बेग[4] था जो सुल्तान मलिक काशग़री का एक पुत्र था। सुल्तान अबू सईद मीर्जा ने उसे हेरी[5] का राज्य कुछ समय के लिये दे दिया था किन्तु उसके चाचा जानी बेग की मृत्य के उपरान्त उसे समरकन्द भेज दिया। उसका स्वभाव बड़ा ही उत्तम था और वह बड़ा ही

---

[1] तुर्कों की प्रथानुसार दुलहिने ससुराल में आने के कुछ समय बाद तक मुंह ढांके ही रहती है। कुछ दिन उपरान्त किसी बालक को संकेत कर दिया जाता है और वह उसके मुंह की नकाब खींच कर भाग जाता है।

[2] जानी बेग दूल्दाई बरलास ।

[3] सांड।

[4] अहमद हाजी दूल्दाई बरलास।

[5] हिरात।

पराक्रमी था। उसका तखल्लुस 'वफ़ाई' था। उसने एक दीवान[1] की रचना की थी। उसकी कविता बुरी न होती थी। यह शेर उसी का है :

शेर

''हे मुहतसिब[2] आज के दिन मैं नशे में हूं, मुझे छोड़ दे,
मेरा एहतिसाब[3] उस दिन कर जब कि मैं सावधान हूं।''

मीर अली शेर नवाई जिस समय हेरी से समरकन्द आया तो अहमद हाजी बेग उसके साथ था। जब सुल्तान हुसेन मीर्जा को पूर्ण अधिकार प्राप्त हो गया,[4] तो वह हेरी पहुंचा और अत्यधिक सम्मानित हुआ।

अहमद हाजी बेग के पास उत्तम प्रकार के तीपूचाक[5] थे, जिस पर वह सवारी करता था। यद्यपि वह बड़ा ही पराक्रमी था किन्तु जैसा वह वीर था वैसी सरदारी न कर सकता था। वह किसी कार्य को सावधानी से न करता था। उसके कार्यों की व्यवस्था उसके सेवक इत्यादि करते रहते थे। जब सुल्तान अली मीर्जा ने बाईसुंगर मीर्जा को बुखारा में पराजित कर दिया तो वह बन्दी बना लिया गया और दरवेश मुहम्मद तरखान की हत्या के अपराध में अपमानित कर के उसकी हत्या करा दी गई।

दरवेश मुहम्मद तरखान

इसके अतिरिक्त दरवेश मुहम्मद तरखान था। वह ऊर्दू बूगा तरखान का पुत्र तथा सुल्तान अहमद मीर्जा तथा सुल्तान महमूद मीर्जा की माता का सगा भाई था। सुल्तान अहमद मीर्जा की सेवा में जितने वेग थे, उन सब में वह सब से अधिक प्रतिष्ठित तथा विश्वस्त था। वह बड़ा ही कट्टर मुसलमान था। वह बड़ा दयालु था और उसमें दरवेशों सरीखे गुण पाये जाते थे। वह सर्वदा कुरान की प्रतियां तैयार किया करता था। शतरंज भी वह भली भांति खेलता था। पक्षियों के शिकार का उसे बड़ा ही अच्छा ज्ञान था और वह बाज उड़ाने में बड़ा निपुण था। सुल्तान अली मीर्जा तथा बाईसुंगर मीर्जा के युद्ध के समय यद्यपि वह बड़ी उच्च श्रेणी को प्राप्त हो चुका था किन्तु वह बदनाम होकर मृत्यु को प्राप्त हुआ।

अब्दुल अली तरखान

इसके अतिरिक्त अब्दुल अली तरखान था जो दरवेश मुहम्मद तरखान का एक निकटवर्ती था। उसने दरवेश मुहम्मद तरखान की छोटी बहिन से जो बाक़ी तरखान की माता थी विवाह कर लिया था। यद्यपि दरवेश मुहम्मद

---

[1] कविताओं का संग्रह।

[2] वह अधिकारी जो सद्र के अधीन होता था और शरा के आदेशों के पालन की देख–रेख करता था।

[3] जांच, पूछ–तांछ।

[4] ८७३ हि० (१४६० ई०) में।

[5] एक प्रकार के घोड़े जो चलने एव डील–डौल में बड़े उत्तम होते थे।

तरखान मुगूल प्रथा एवं अपनी श्रेणी के अनुसार उससे अधिक प्रतिष्ठित था किन्तु वह फ़िरऔन[1] को कुछ न समझता था। कुछ समय तक बुखारा का राज्य उसके अधिकार में रहा। उसके सेवकों की संख्या ३ हजार तक पहुंच गई थी। वह अपने सेवकों की भली भांति देख भाल करता था। उसके उपहार, पूंछ–तांछ के ढंग, दरबार के नियम, उसकी योग्यता, दावतें एवं गोष्ठियां सभी बादशाहों के समान होती थीं। वह बड़ा ही सुव्यवस्थापक, परन्तु अत्याचारी, दुराचारी तथा अभिमानी या। यद्यपि शैबानी खां उसका सेवक न था किन्तु कुछ समय तक उसके साथ रह चुका था। छोटे छोटे सुल्तान[2] अधिकांश उसके सेवक रह चुके थे। इसी अब्दुल अली तरखान के कारण शैबानी खां को इतनी उन्नति प्राप्त हुई और इतने सम्मानित वंशों[3] का विनाश हुआ।

सैयिद यूसुफ ऊगलाकची

इसके अतिरिक्त सैयिद यूसुफ़ ऊग़लाक़ची[4] था। उसका दादा मुगूल क़बीले से सम्बन्धित था। उसके पिता को उलूग बेग मीर्जा ने आश्रय प्रदान किया था। वह बड़ा ही अच्छा परामर्शदाता था और उसकी सूझ बूझ बड़ी उत्तम थी। पौरुष भी उसमें पाया जाता था। वह तम्बूरा खूब बजाता था। मेरे काबुल में प्रथम आगमन के समय वह मेरे साथ था। मैंने उसे अत्यधिक आश्रय प्रदान किया था। वास्तव में वह इसका पात्र भी था। जब मैंने हिन्दुस्तान के ऊपर प्रथम आक्रमण किया तो मैंने उसको काबुल में छोड़ दिया था। उसी समय उसकी मृत्यु हो गई।[5]

दरवेश बेग

इसके अतिरिक्त दरवेश बेग था। वह ईकू तीमूर बेग की, जो तीमूर बेग का बहुत बड़ा विश्वस्त था, नस्ल से था। वह हज़रत ख्वाजा उबैदुल्लाह (एहरारी) का मुरीद था। संगीत का भी उसे ज्ञान था। वह साज भी बजा लेता था तथा कविता भी कर लेता था। सुल्तान अहमद मीर्जा की पराजय के समय वह चीर नदी में डूब कर मर गया।

मुहम्मद मजीद तरखान

एक अन्य मुहम्मद मजीद तरखान था जो दरवेश मुहम्मद तरखान का सगा छोटा भाई था। वह कुछ वर्ष तक तुर्किस्तान का हाकिम रह चुका था। शैबानी खां ने तुर्किस्तान को उससे विजय किया था। वह बड़ा ही अच्छा परामर्शदाता था किन्तु धृष्ठ तथा दुराचारी था। जब मैंने दूसरी तथा तीसरी बार समरकन्द पर अधिकार जमाया तो वह मेरी सेवा में उपस्थित हुआ। मैंने

---

[1] अर्थात् अब्दुल अली तरखान। मिस्र–नरेश जो बड़ा अत्याचारी एवं निरंकुश तथा मूसा पैगम्बर का समकालीन था। अहंकारी एवं निरंकुश लोगों को 'फिरऔन' कहा जाता है।

[2] शैबान सुल्तान।

[3] चराताई एवं तीमूरी वंशों का।

[4] एक प्रकार के गेंद के खेल का खिलाड़ी।

[5] जिलहिज्जा ६१० हि० (मई १५०५ ई०)।

उसके प्रति अत्यधिक कृपा दृष्टि प्रदर्शित की। कूले मलिक के युद्ध में[1] उसकी मृत्यु हो गई।

बाकी तरखान

उसके अतिरिक्त बाक़ी तरखान था। वह अब्दुल अली तरखान तथा सुल्तान अहमद मीर्जा की चाची का पुत्र था। उसके पिता की मृत्यु के उपरान्त उसे बुखारा प्रदान कर दिया गया था। सुल्तान अली मीर्जा के राज्यकाल में वह अत्यधिक प्रतिष्ठित हो गया था। उसके सेवकों की संख्या पांच छः हज़ार हो गई थी। वह सुल्तान अली मीर्जा का अधिक आज्ञाकारी न था। शैबानी खां से उसने दबूसी[2] में युद्ध किया और पराजित हुआ। उसी पराजय के उपरान्त शैबानी खां ने बुखारा पहुंच कर उसे अपने अधिकार में कर लिया। उसे बाज़ द्वारा पक्षियों का शिकार कराने से अत्यधिक रुचि थी। कहा जाता है कि उसके पास ७०० बाज़ थे। उसके आचार व्यवहार ऐसे न थे जिनका उल्लेख किया जाये। उसका पालन–पोषण एवं शिक्षा–दीक्षा मीर्जाओं के समान हुई। क्योंकि उसके पिता ने शैबानी खां के प्रति कृपा दृष्टि प्रदर्शित की थी अतः वह उसके पास चला गया। किन्तु उस कृतघ्न ने उसके पिता की कृपाओं को देखते हुए उसे किसी प्रकार का प्रोत्साहन न प्रदान किया और वह बड़ी ही अपमानित तथा शोचनीय दशा में अक्शी में मृत्यु को प्राप्त हो गया।

सुल्तान हुसेन अरगून

इसके अतिरिक्त सुल्तान हुसेन अरगून था। क्योंकि कुछ समय तक वह क़राकूल के राज्य का हाकिम रह चुका था अतः वह सुल्तान हुसेन क़राकूली के नाम से प्रसिद्ध हो गया था। उसके परामर्श तथा उसकी सूझ बूझ बड़ी ही उत्तम थी। वह बहुत समय तक मेरी सेवा में भी रहा।

कुली मुहम्मद बूगदा

उसके अतिरिक्त कुली मुहम्मद बूग़दा था, वह कुचीन था; उसमें वीरता भी पाई जाती थी।

अब्दुल करीम इशरत

उसके अतिरिक्त अब्दुल करीम इशरत था। वह ऊईगूर तथा सुल्तान अहमद मीर्जा के द्वारों का रक्षक था। वह बड़ा ही दानी तथा पराक्रमी था।

मलिक मुहम्मद मीर्जा द्वारा समरकन्द पर अधिकार जमाने का प्रयत्न

सुल्तान अहमद मीर्जा की मृत्यु के उपरान्त बेगों ने सर्वसम्मति से एक व्यक्ति को पर्वतीय मार्ग से सुल्तान महमूद के पास भेज कर उसे बुलवाया। सुल्तान अबू सईद मीर्जा के बड़े भाई मनूचेहर मीर्जा का पुत्र मलिक महमूद मीर्जा राज्य पर अधिकार जमाना चाहता था। इस विचार से उसने कुछ

---

[1] ९१८ हि० (१५१२ ई.)।

[2] ९०५ हि० (१४९९–१५०० ई०)।

निर्भीक एवं आततायी लोगों को अपने साथ मिला लिया। वे सुल्तान अहमद मीर्जा के शिविर से पृथक् होकर समरकन्द पहुंचे किन्तु वह कोई सफलता न प्राप्त कर सका। वह अपनी हत्या तथा कुछ शाही वंश के निर्दोषों की मृत्यु का कारण बना।।

सुल्तान महमूद मीर्जा का समरकन्द में राज्य

सुल्तान महमूद मीर्जा अपने भाई की मृत्यु के समाचार पाते ही अविलम्ब समरकन्द पहुंचा और वहां बिना किसी कठिनाई के सिंहासनारूढ़ हो गया। सुल्तान महमूद मीर्जा के कुछ कार्यों के कारण साधारण तथा प्रतिष्ठित व्यक्ति, सेना वाले एवं प्रजाजन उससे घृणा करने लगे और वे उससे पृथक् हो गये।

उसने सर्व प्रथम मलिक मुहम्मद को, जो उसके चाचा का पुत्र तथा स्वयं उसका जामाता था, कूक सराय[1] भेज दिया। उसके साथ चार अन्य मीर्जा भी भेजे गये। दो को तो उसने जीवित रहने दिया किन्तु मलिक मुहम्मद मीर्जा तथा एक अन्य मीर्जा की हत्या करा दी। यद्यपि मलिक मुहम्मद मीर्जा थोड़ा बहुत अपराधी भी था किन्तु अन्य मीर्जाओं ने कोई अपराध न किया था। इनमें से सब शाही वंश से भी न थे। दूसरी बात यह थी कि यद्यपि वह सर्वोत्कृष्ट शासक एवं मालगुजारी के प्रबन्ध में दक्ष था, किन्तु उसके स्वभाव में अत्याचार एवं अन्य दोष पाये जाते थे। वह सीधे समरकन्द पहुंच कर शासन प्रबंध करने लगा। मालगुजारी एवं कर की उसने नई व्यवस्था कराई।

हजरत ख्वाजा उबैदुल्लाह एहरारी के आश्रितों को, जिनके कारण इससे पूर्व बहुत बड़ी संख्या में फ़कीर तथा दरिद्र अत्याचार से मुक्ति प्राप्त कर लेते थे, अब नाना प्रकार के कष्ट दिये जाने लगे और उन पर जुल्म होने लगा। नाना प्रकार के अत्याचार द्वारा उनसे भी कर वसूल किया गया यहां तक कि ख्वाजा की संतान को भी मुक्ति न मिली। जितना दुष्ट तथा अत्याचारी वह था, उतने ही अत्याचारी एवं दुष्ट उसके बेग तथा छोटे बड़े सेवक थे। हिसार निवासी विशेष रूप से खुसरो शाह के सेवक दुराचार एवं मदिरापान में ग्रस्त रहने लगे। एक बार उसका एक सेवक एक व्यक्ति की पत्नी को भगा ले गया। उस स्त्री के पति ने खुसरो शाह से न्याय की याचना की। उसने उत्तर दिया कि, ''वह बहुत समय तक तेरे पास रही अब कुछ समय तक उसके पास रहने दे।''

शहर तथा बाजार वालों अपितु तुर्कों तथा सैनिकों के पुत्र भी इस भय से कि कहीं लौंडेबाज़ उन्हें पकड़ न ले जायें, अपने घरों से न निकल पाते थे। समरकन्द वाले २५ वर्ष से सुल्तान अहमद मीर्जा के राज्य–काल में सुख शांति से जीवन व्यतीत कर चुके थे। हज़रत ख्वाजा[2] के कारण बहुत से मामलों का शरा तथा न्याय के अनुसार निर्णय हो जाता था। अब उन लोगों को अत्याचार एवं जुल्म का सामना करना पड़ रहा था। साधारण तथा

---

[1] कूक सराय अथवा हरा भवन, समरकन्द के किले में था जहाँ शाहजादे इत्यादि बन्दी बना दिये जाते थे। वहां से वापस लौटना सम्भव न था।

[2] ख्वाजा उबैदुल्लाह एहरार ।

सम्मानित व्यक्ति, फ़क़ीर तथा दरिद्र उसके प्रति घृणा करने लगे और उन्होंने उसका बुरा चाहना प्रारम्भ कर दिया।

पद्य

''घायल हृदय वालों के भीतरी धुंयें से भय कर,
भीतरी घाव अन्ततोगत्वा बढ़ जाता है।
किसी के हृदय को जहां तक सम्भव हो, कष्ट मत पहुंचा,
कारण कि एक अकेली आह पूरे संसार को हिला कर रख देगी।''

इन अत्याचारों एवं दुराचारों के कारण सुल्तान महमूद मीर्जा समरकन्द में ५–६ मास से अधिक राज्य न कर सका।

६०० हि०

(२ अक्तूबर १४६४ से २१ सितम्बर १४६५ ई०)

इस वर्ष सुल्तान महमूद मीर्जा के पास से अब्दुल कुद्दूस बेग[1] नामक राजदूत मेरी सेवा में उपहार लाया। यह उपहार अपने ज्येष्ठ पुत्र मसऊद मीर्जा तथा सालेहा सुल्तान के विवाह के शानदार उत्सव के उपलक्ष्य में वह लाया था। उपहार में सोने चांदी के बादाम एवं पिस्ते थे।

राजदूत, हसन याकूब का सम्बन्धी रहा होगा और इसी कारण हसन याकूब को नाना प्रकार के वादों से प्रभावित कर के सुल्तान महमूद मीर्जा की ओर मिलाने के लिये भेजा गया होगा। हसन याकूब ने बड़े सौजन्यपूर्ण उत्तर दिये और इस प्रकार व्यवहार किया मानो उसने उसकी बात मान ली हो। तदुपरान्त उसे विदा कर दिया। ५–६ मास उपरान्त हसन याकूब का स्वभाव बदल गया और उसने मेरे विश्वासपात्रों तथा अन्य लोगों के प्रति दुर्व्यवहार करना प्रारम्भ कर दिया। बात यहां तक बढ़ गई कि वह मुझे हटा कर जहांगीर मीर्जा को सिंहासनारूढ़ करने की इच्छा करने लगा। इस हसन याकूब का व्यवहार समस्त अमीरों तथा सिपाहियों से अच्छा न था। उसकी योजना से सब लोग अवगत हो गये। ख्वाजा काजी, कासिम कूचीन तथा अली दोस्त तगाई, मेरे कुछ अन्य हितैषियों से मिले और सब ने मेरी नानी ईसान दौलत बेगम के पास पहुंच कर यह निश्चय किया कि हसन याकूब को पदच्युत कर के उसके उपद्रव को शांत कर दिया जाये।

स्त्रियों में मेरी नानी ईसान दौलत बेगम के समान सूझ बूझ की एवं दूरदशी स्त्रियां बिरले ही होंगी। वह बड़ी ही ज्ञानी एवं बुद्धिमती थी। मेरे अधिकांश कार्य उसी के परामर्श द्वारा सम्पन्न होते थे। वह तथा मेरी माता बाहरी किले के फाटक के समीप के भवन में निवास करती थीं। हसन याकूब अरक' में था। जब मैं अपने निर्णयानुसार अरक[2] में पहुंचा तो हसन याकूब सम्भवतः पक्षियों के शिकार के लिए प्रस्थान कर चुका था। वह हमारे समाचार पाकर, उसी स्थान से समरकन्द की ओर रवाना हो गया। वे बेग तथा अन्य लोग जो उससे मिले हुए थे, बन्दी बना लिये गये। उनमें मुहम्मद बाक़िर बेग, सुल्तान मुहम्मद दूल्दाई तथा सुल्तान मुहम्मद दूल्दाई के पिता तथा कुछ अन्य लोग थे। उनमें से कुछ लोगों को समरकन्द चले जाने की अनुमति दे दी गई। अन्दिजान का शासन प्रबन्ध तथा मेरे फाटक का अधिकार कासिम कूचीन को प्रदान कर दिया गया।

---

[1] वह दूगलात तथा हैदर मीजों का चाचा होता था।

[2] भीतरी किला।

हसन याकूब कुछ दिन उपरान्त समरकन्द के मार्ग पर स्थित कन्दे बादाम पहुंचा। वह अक्शी के प्रति दुर्भावनायें ले कर खूकान तक पहुंच गया। यह समाचार पाते ही हमने कुछ जवानों तथा बेगों को उसके ऊपर शीघ्रातिशीघ्र आक्रमण करने के लिये भेजा। जो बेग शीघ्रातिशीघ्र आक्रमण करने के लिये नियुक्त किये गये थे उन्होंने कुछ जवानों को अग्र भाग में नियुक्त करके आगे भेज दिया। हसन याकूब यह समाचार पाते ही रातोंरात उन जवानों पर, जो आगे भेजे गये थे, और मुख्य सेना से पृथक् हो गये थे, टूट पड़ा। जो स्थान उन लोगों ने रात्रि में अपने ठहरने के लिये बनाया था, उसे घेर लिया और बाणों की वर्षा करने लगा। अंधेरी रात में उसी के आदमियों का एक बाण हसन याकूब के नितंब पर लगा। वह भाग न सका और उसे उसके कुकर्मों का फल मिल गया।

शेर

''यदि तू कुकर्म करता है तो अपने आपको सुरक्षित मत समझ,
प्रतिकार प्रकृति का अधिनियम है।''[1]

इसी वर्ष से मैंने उन समस्त भोजनों को त्यागना प्रारम्भ कर दिया जो शरा के विरुद्ध अथवा संदिग्ध होते थे, यहां तक कि मैं चाकू, चम्मच एवं दस्तरख्वान के विषय में भी सावधान रहता था। मैं इस समय से तहज्जुद की नमाज़ भी बहुत कम त्यागता था।

सुल्तान महमूद मीर्जा की मृत्यु

रबी–उल–आखिर (जनवरी १४९५ ई०) में सुल्तान महमूद मीर्जा बहुत बुरी तरह रुग्ण हो गया और छः दिन में इस संसार से बिदा हो गया। उसकी अवस्था ४३ वर्ष की थी। उसका जन्म ८५७ हि. (१४५३ ई०) में हुआ था। वह सुल्तान अबू सईद मीर्जा का तीसरा पुत्र था।

उसका रूप, रंग तथा चरित्र

वह ठिगना, शरीर गठा हुआ, दाढ़ी केवल कहीं कहीं, तथा कुरूप था।

वह नमाज कभी न त्यागता था। उसके आचार व्यवहार बड़े उत्तम थे और वह बड़ा गुणवान् था। उसके कार्य करने का ढंग एवं व्यवहार के नियम बड़े उत्तम थे। स्याक[2] के ज्ञान से वह भली भांति परिचित था। उसके राज्य के राजस्व में से एक दिरहम तथा एक दीनार भी उसकी सूचना बिना व्यय न हो सकता था।[3] वह अपने सेवकों की वृत्ति बड़े नियम से अदा किया करता था। उसका दरबार दान–पुण्य में प्रसिद्ध था। वहां दावतें भी बड़ी ही उत्तम होती थीं। उसके सभी कार्य एवं उसकी सभी बातें एक नियम से होती थीं। जो नियम वह बना देता था, सैनिक तथा प्रजा कदापि उसका उल्लंघन

---

[1] निजामी को 'खुसरो व शीरी से।

[2] हिसाब किताब।

[3] कोई साधारण से साधारण रकम भी उसे सूचना दिये बिना व्ययं न की जा सकती थी।

न कर सकती थी। प्रारम्भ में बाज़ उड़ाने में उसे बड़ी रुचि थी। अन्त में वह हांके का शिकार[1] करने लगा। अत्याचार तथा दुराचार में वह बहुत बढ़ गया था। वह सर्वदा मदिरा–पान किया करता था, और लौंडेबाज़ी में ग्रस्त रहता था। उसके राज्यकाल में जहां कहीं भी उसे कोई रूपवान तरुण मिल जाता तो उसे वह यथासंभव बुलवा कर लौंडेबाजी करता था। अपने बेग के पुत्रों तथा अपने पुत्रों के बेगों के पुत्रों यहां तक कि अपने कोका भाइयों एवं कोका भाइयों के पुत्रों के साथ वह लौंडेबाजी करता था। यह कुप्रथा उसके राज्यकाल में इतनी उन्नति कर गई थी कि कोई व्यक्ति बिना तरुण के न होता था, अपितु तरुण का न रखना बुरा समझा जाता था। उसके दुर्भाग्य, अत्याचार तथा दुराचार के कारण उसके पुत्रों की युवावस्था में ही मृत्यु हो गई।

वह कविता भी कर लेता था। उसने एक दीवान की रचना कर ली थी किन्तु उसके शेरों में कोई रस न था। इस प्रकार की कविता से कविता न करना अच्छा होता है। उसके धार्मिक विश्वास दृढ़ न थे। वह हजरत ख्वाजा उबैदुल्लाह में अधिक श्रद्धा न रखता था। उसमें साहस तथा मर्यादा की बड़ी कमी थी। उसके अनेक मसखरे भरे दरबार में गंदी एवं अश्लील हरकतें सब के सामने किया करते थे। वह बड़ी खराब बातें किया करता था; और उसकी बहुत–सी बातें समझ में न आती थीं।

उसके युद्ध

उसने दो युद्ध किये और दोनों सुल्तान हुसेन मीर्जा[2] से, प्रथम बार अस्तराबाद[3] में और दूसरी बार अन्दिखूद[4] के समीप चिकमान नामक स्थान पर। दोनों स्थान पर वह पराजित हुआ। उसने दो बार बदख्शां के दक्षिण की ओर काफ़िरिस्तान में पहुंच कर जिहाद किया। इसी कारण फ़रमानों के तुग़रा में[5] उसे सुल्तान महमूद ग़ाज़ी लिखा जाता था।

उसका राज्य

सुल्तान अबू सईद मीर्जा ने उसे अस्तराबाद प्रदान कर दिया था। एराक की दुर्घटना के उपरान्त[6] वह खुरासान चला गया। उस समय हिसार का हाकिम क़म्बर अली बेग सुल्तान अबू सईद मीर्जा के आदेशानुसार हिन्दुस्तान[7] की सेना ले कर उसकी सहायता हेतु उसके पीछे रवाना हो रहा था। वह खुरासान पहुंच कर सुल्तान महमूद मीर्जा से मिल गया किन्तु सुल्तान हुसेन

---

[1] मृगों को हॉक कर ऐसे स्थान पर पहुंचा दिया जाता था जहां कोई रोक होती थी और मृग आगे न बढ़ पाते थे तथा सुगमतापूर्वक उनका शिकार हो जाता था।

[2] सुल्तान हुसेन मीर्जा बांईकरा जिसकी मृत्यु १५०६ ई० में हुई।

[3] कैस्पियन के दक्षिण–पूर्वी कोने पर।

[4] बल्ख तथा मर्व के मध्य में, बल्ख के पश्चिम में ८८ मील पर।

[5] फरमानों का रंगीन शीर्षक जिसमें बादशाहों की उपाधियों इत्यादि लिखी रहती हैं।

[6] एराक की दुर्घटना, जिसमें अबू सईद तथा उसकी सेना नष्ट हो गई, १४६१ ई० में घटी।

[7] सम्भवतः बदख्शां, तिरमिज तथा हिसार से तात्पर्य है।

मीर्जा के पहुंचने के समाचार पाते ही खुरासान वालों ने एकत्र होकर सुल्तान महमूद मीर्जा को खुरासान से निकाल दिया। तदुपरान्त सुल्तान महमूद मीर्जा अपने बड़े भाई अहमद मीर्जा के पास समरकन्द पहुंच गया। कुछ मास उपरान्त सैयिद बद्र तथा खुसरो शाह एवं कुछ जवान अहमद मुश्ताक के नेतृत्व में सुल्तान महमूद को ले कर क़म्बर अली के पास हिसार भाग गये। उस समय से कूहका के दक्षिण का राज्य, कोहतिन का पर्वतीय प्रदेश, हिन्दूकुश पर्वत तक का भूभाग, उदाहरणार्थ तिरमिज़, चग़ानियान, हिसार, खुतलान तथा कून्यूज़ एवं बदख्शां सुल्तान महमूद मीर्जा के अधीन हो गये। उसके बड़े भाई सुल्तान अहमद मीर्जा की मृत्यु के उपरान्त उसका राज्य भी उसी के अधिकार में आ गया।

उसकी संतान

उसकी संतान में से ५ पुत्र तथा ११ पुत्रियां थी। सुल्तान मसऊद मीर्जा उसका ज्येष्ठ पुत्र था। उसकी माता खानजादा बेगम तिरमिज़ के बड़े मीर की पुत्री थी। उसका एक पुत्र बाईसुंगर मीर्जा था। उसकी माता पाशा बेगम थी। एक अन्य पुत्र सुल्तान अली मीर्जा था। उसकी माता, जुहराबेगी आग़ा, ऊज़बेक तथा कनीज़ थी। एक अन्य पुत्र सुल्तान हुसेन मीर्जा था। उसकी माता खानजादा बेगम, तिरमिज़ के बड़े मीर की पोती थी। वह अपने पिता के जीवनकाल में ही १३ वर्ष की अवस्था में मृत्यु को प्राप्त हो गई। एक अन्य पुत्र सुल्तान वैस मीर्जा[1] था। उसकी माता सुल्तान निगार खानम यूनुस खां की पुत्री थी और मेरी माता की सौतेली छोटी बहिन थी। इन चारों मीर्जाओं का हाल इस इतिहास में उचित स्थान पर दिया जायेगा।

सुल्तान महमूद मीर्जा की पुत्रियों में तीन पुत्रियां बाईसुंगर मीर्जा की माता से हुई थीं। उनमें से बाई सुंगर मीर्जा से बड़ी को सुल्तान महमूद मीर्जा ने मलिक मुहम्मद मीर्जा के पास जो उसके चाचा मनूचेहर मीर्जा का पुत्र था भेज दिया था।[2] अन्य ५ पुत्रियां तिरमिज़ के बड़े मीर की पोतियां तथा खानजादा बेगम के गर्भ से थीं। सब में बड़ी[3] का उसके पिता की मृत्यु के उपरान्त अबाबक्र[4] काशग़री से विवाह कर दिया गया। दूसरी पुत्री बेगा बेगम थी। जिस समय सुल्तान हुसेन मीर्जा ने हिसार का अवरोध किया[5] तो उसने उसे अपने पुत्र हैदर मीर्जा के लिये जो सुल्तान अबू सईद मीर्जा की पुत्री पायन्दा सुल्तान बेगम के गर्भ से थी प्राप्त कर लिया[6] और सन्धि कर के के हिसार छोड़ कर चला गया। तीसरी पुत्री आक़ बेगम थी। चौथी की

---

[1] मीर्जा खान।

[2] विवाह कर दिया था।

[3] 'तारीखे रशीदी' के अनुसार खानजादा बेगम।

[4] अबाबक्र.दूगलात काशगरी।

[5] ६०१ हि० (१४६५–६६ ई.) में।

[6] यह केवल मंगनी थी, विवाह गुलबदन बेगम के अनुसार ६०३ हि० (१४६७–६८ ई०) में हुआ।

मंगनी जहांगीर मीर्जा से उस समय हुई जब सुल्तान हुसेन मीर्जा ने कून्दूज पर आक्रमण किया था और उमर शेख मीर्जा ने अपने पुत्र जहांगीर मीर्जा को अन्दिजान की सेना सहित सुल्तान महमूद मीर्जा की सहायता हेतु भेजा था। ६१० हि० (१५०४ ई०) में जब बाक़ी चग़ानियानी आमू नदी के तट पर मेरी सेवा में उपस्थित हुआ तो यह दोनों बेगमें अपनी माता के साथ तिरमिज़ में थीं। ये भी बाक़ी चग़ानियानी के परिवार के साथ आकर मुझसे मिल गईं। जब हम काहमर्द पहुंचे तो जहांगीर मीर्जा का विवाह उससे कर दिया गया। उससे एक पुत्री का जन्म हुआ जो आजकल अपनी दादी के साथ बदख़्शां में है। ५वीं पुत्री जैनब सुल्तान बेगम थी। जिस समय मैंने काबुल[1] पर अधिकार जमाया तो उससे मैंने अपनी माता[2] के आग्रह के कारण विवाह कर लिया किन्तु उससे मेरी अधिक न बनी। दो तीन वर्ष उपरान्त वह चेचक के रोग से मृत्यु को प्राप्त हो गई। एक अन्य पुत्री मख़्दूम सुल्तान बेगम थी जो सुल्तान अली मीर्जा की सगी बहिन थी। वह इस समय बदख़्शां की विलायत में है। उसकी दो अन्य पुत्रियां रजब सुल्तान तथा मुहिब सुल्तान रखेली स्त्रियों से थीं।

अन्तःपुर की स्त्रियाँ

उसकी मुख्य पत्नी तिरमिज़ के बड़े मीर की पुत्री खानजादा बेगम थी। मीर्जा को वह बड़ी ही प्रिय थी। सुल्तान मसऊद मीर्जा उसी का पुत्र था। उसके निधन के उपरान्त सुल्तान महमूद मीर्जा ने अत्यधिक शोक मनाया। बाद में उसने उसके भाई की पुत्री तथा तिरमिज़ के बड़े मीर की पोती से विवाह कर लिया। उसका भी नाम खानजादा बेगम था, वह उसकी पांच पुत्रियों तथा एक पुत्र की माता थी। इसके अतिरिक्त पाशा बेगम थी जो अली शुक्र बेग की पुत्री थी। अली शुक्र बेग बहारलू ईमाक की 'काली भेंड' कबीले का तुर्कमान बेग था। वह जहान शाह की, जो "काली भेंड" वाले तुर्कमानों से सम्बन्धित था, पत्नी रह चुकी थी। जिस समय कि एराक़ तथा अज़रबाईजान को ऊजून हसन बेग ने, जो श्वेत भेड़ का तुर्कमान था, जहान शाह मीर्जा की संतान से छीन लिया[3] तो अली शुक्र वेग के पुत्र ४, ५ हज़ार 'काली भेंड' के तुर्कमान क़बीलों के साथ सुल्तान अबू सईद मीर्जा की सेवा में पहुंच गये। अबू सईद मीर्जा की पराजय के उपरान्त[4] वे इन प्रदेशों में आ गये और सुल्तान महमूद मीर्जा की सेवा में सम्मिलित हो गये। यह घटना उस समय घटी जब सुल्तान महमूद मीर्जा समरकन्द से हिसार पहुंच गया था। मीर्जा ने उस समय पाशा वेगम से विवाह कर लिया। वह उसके एक पुत्र तथा तीन पुत्रियों की माता थी। उसके अतिरिक्त सुल्तान निगार खानम थी। उसके वंश का उल्लेख (चग़ताई) खानों के सम्बन्ध में किया जा चुका है।

---

[1] ६१० हि० (अक्तूबर १५०४ ई.)।

[2] कूतलूक निगार खानम।

[3] ८७२ हि० (१४६७ ई०) में।

[4] ८७३ हि० (१४६८ ई०) में ऊजून हसन द्वारा

उसकी अनेकों कनीजें तथा रखेली स्त्रियां थीं। उसकी सब से अधिक सम्मानित रखेली स्त्री जुहराबेगी आगा थी। उसे उसने अपने पिता के जीवन काल में रख लिया था। वह उसके एक पुत्र तथा एक पुत्री की माता बनी। उसके अन्य बहुत सी रखेली स्त्रियां थीं। जैसा कि उल्लेख हो चुका है उसकी दो पुत्रियां दो रखेली स्त्रियों से थीं।

उसके अमीर

खुसरो शाह नामक एक अमीर तुर्किस्तानी कीपचाक़ था। प्रारम्भ से वह तरखान बेगों की सेवा में रह चुका था, और गुदा–भोग्य था। तदुपरान्त वह मजीद बेग अरगून का सेवक हो गया। वह उसे अत्यधिक आश्रय प्रदान करता था। एराक़ के महान् संकट के अभियान के समय वह सुल्तान महमूद मीर्जा के साथ हो गया। पलायन के समय उसने बड़ी योग्यता से उसकी सेवा की। इस कारण मीर्जा ने उसे अत्यधिक सम्मानित किया। अन्त में वह बड़ा ही प्रतिष्ठित हो गया था। सुल्तान महमूद मीर्जा के राज्य काल में उसके सेवक ५, ६ हज़ार की संख्या तक पहुंच गये थे। केवल बदख्शां ही नहीं अपितु आमू नदी से हिन्दूकुश तक का समस्त प्रदेश उसके अधीन था और वह वहां के राजस्व को व्यय करता था। उसके यहां से बहुत बड़ी संख्या में लोगों को भोजन मिलता रहता था। वह बड़ा दानी था। जो कुछ उसे प्राप्त होता वह खर्च कर डालता था।

सुल्तान महमूद मीर्जा की मृत्यु के उपरान्त उसके पुत्रों के राज्यकाल में वह अत्यधिक प्रतिष्ठित हो गया। उसके सेवक २० हजार की संख्या तक पहुंच गये। यद्यपि वह नमाज़ पढ़ता था और शरा द्वारा वजित भोजन न करता था, किन्तु वह बड़ा ही धूर्त, दुराचारी, नीच, अधम, कृतघ्न तथा नमकहराम था। ५ दिन के इस नश्वर संसार के लिये उसने अपने आश्रयदाता के एक पुत्र को अंधा बना दिया और एक की हत्या कर दी। ईश्वर के दरबार में वह पापी तथा अन्य लोगों की दृष्टि में क़यामत तक धिक्कार तथा घृणा का पात्र बन गया। इस नश्वर संसार के लिए उसने ऐसे अनुचित कार्य किये। इतने विशाल राज्य एवं अगणित सैनिकों के बावजूद वह एक मुर्गी के चूजे तक का मुकाबला न कर सकता था। इस इतिहास में इसका उल्लेख उचित स्थानों पर किया जायेगा।

उसके अतिरिक्त पीर मुहम्मद ईलची बूगा कूचीन था। हज़ार अस्पी[1] के युद्ध में बल्ख द्वार के समीप सुल्तान अबू सईद मीर्जा के समक्ष उसने मुक्कों द्वारा वीरता का प्रदर्शन किया। वह बड़ा ही वीर और सर्वदा मीर्जा (महमूद) की सेवा में रहा करता था, और उसे परामर्श दिया करता था। जिस समय सुल्तान हुसेन मीर्जा ने कून्दूज़ को घेर लिया तो पीर मुहम्मद ने खुसरो शाह के प्रतिस्पर्धी होने के कारण थोड़े से आदमियों को लेकर जो भली–भांति

---

[1] हजार अस्पी का तात्पर्य मीर पीर दरवेश हजार अस्पी से है। वह तथा उसका भाई मीर अली बल्ख के हाकिम थे। सम्भवतः हजार अस्पी एवं ईलची बूगा के ८५७ हि० (१४५३ ई०) के युद्ध की ओर संकेत है जिसमें एक दूसरे ने आमने सामने होकर युद्ध किया।

अस्त्र–शस्त्र न धारण किये थे, शत्रु पर रात्रि में छापा मारा किन्तु सफलता प्राप्त न कर सके। इतनी भारी सेना के विरुद्ध बिना किसी योजना अथवा व्यवस्था के वह कर ही क्या सकता था? कुछ अश्वारोहियों ने उसका पीछा किया और वह नदी में कूद पड़ा तथा डूब गया।

उसके अतिरिक्त अयूब[1] था जिसने सुल्तान अबू सईद मीर्जा की खुरासान की सेना में सेवा की थी। वह बड़ा ही वीर तथा बाईसुंगर मीर्जा का संरक्षक था। खाने पहनने में बड़े संयम से कार्य करता था। हंसी मजाक से उसे बड़ी रुचि थी और वह बड़ा बातूनी था। सुल्तान महमूद मीर्जा उसे बेहया कह कर पुकारता था और यह उपाधि उसके अनुकूल भी थी।

उनके अतिरिक्त बली था जो खुसरो शाह का सगा छोटा भाई था। अपने सेवक की वह भली भांति रक्षा करता था। सुल्तान मसऊद मीर्जा की आंखों में सलाई फिरवाने एवं बाईसंगर मीर्जा की हत्या का वही कारण था। वह सभी लोगों में दोष निकाला करता था। बड़ा ही बदज़बान, गाली बकने वाला, अभिमानी तथा विवेकहीन व्यक्ति था। वह अपने अतिरिक्त किसी के कार्य को पसन्द न करता था। जब मैं कून्दूज से दूशी के समीप पहुंचा [2]और खुसरो शाह को उसके सहायकों से पृथक् कर के उसे निकाल दिया तो वली भी ऊज़बेकों के भय से अन्दराब तथा सीर पहुंच गया था। इस क्षेत्र के ईमाकों ने उसे पराजित कर के लूट लिया। वह तदुपरान्त मेरी अनुमति से काबुल पहुंचा। वली बाद में स्वयं शैबानी खां के पास चला गया। उसने समरकन्द में उसका सिर कटवा लिया।

शेख अब्दुल्लाह बरलास भी एक अमीर था। उसने शाह सुल्तान मुहम्मद की एक पुत्री से विवाह कर लिया था जो सुल्तान महमूद खां तथा अबावक्र मीर्जा की खाला होती थी। वह बड़ी तंग कबा पहनता था। वह सीधा सादा एवं सरल स्वभाव का व्यक्ति था।

महमूद बरलास, नूनदाक के बरलासों से था। वह सुल्तान अबू सईद मीर्जा का भी बेग रह चुका था। जब मीर्जा ने एराक विजय किया तो उसने करमान महमूद बरलास को प्रदान कर दिया। जब अबा बक्र मीर्जा[3] मजीद बेग तरखान तथा काली भेड़ों के तुर्कमानों के साथ हिसार के विरुद्ध पहुंचा और सुल्तान महमूद मीर्जा अपने बड़े भाई के पास तथा सुल्तान अहमद मीर्जा समरकन्द चला गया तो महमूद बरलास ने हिसार को समर्पित न किया और उसकी रक्षा करता रहा। वह बड़ा अच्छा कवि था और उसने एक दीवान की रचना की थी।

खुसरो शाह का समरकन्द से निर्वासन

---

[1] अयूब बेगचीक मुगूल था।

[2] ९१० हि० (१५०३ ई०)।

[3] अबाबक मीर्जा मीरान शाही।

सुल्तान महमूद मीर्जा की मृत्यु के उपरान्त खुसरो शाह ने इस घटना को लोगों से छिपा कर राजकोष अपने अधिकार में कर लिया किन्तु इस प्रकार के समाचार गुप्त किस प्रकार रह सकते हैं। तुरन्त ही समस्त नगर वालों को सूचना प्राप्त हो गई। समरकन्द वालों के लिए वह दिन बहुत बड़ी खुशी का दिन था। सैनिकों तथा प्रजा ने संगठित हो कर खुसरो शाह पर आक्रमण कर दिया। अहमद हाजी बेग तथा तरखानी अमीरों ने इस उपद्रव को शांत करके खुसरो शाह को नगर से निकाल कर हिसार की ओर भेज दिया।

बाई सुग़र मीर्जा का सिंहासनारोहण

सुल्तान महमूद मीर्जा ने अपने जीवन काल में सुल्तान मसऊद मीर्जा को हिसार तथा बाईसुंगर मीर्जा को बुखारा प्रदान कर के उनके राज्यों में भेज दिया था। इस दुर्घटना के समय उनमें से कोई भी उपस्थित न था। समरकन्द तथा हिसार के अमीरों ने खुसरो शाह को निकाल देने के उपरान्त बाईसुंगर मीर्जा के पास बुखारा में आदमी भेजे और उसे बुलवा कर समरकन्द में सिंहासनारूढ़ कर दिया। जिस समय बाईसुंग़र मीर्जा बादशाह हुआ उसकी अवस्था १८ वर्ष की थी।

सुल्तान महमूद खां का समरकन्द पर आक्रमण

उसी समय सुल्तान जुनैद बरलास तथा समरकन्द के कुछ प्रतिष्ठित लोगों के कहने पर सुल्तान महमूद[1] खां ने समरकन्द की विजय के उद्देश्य से चढ़ाई की और कानबाई के समीप पहुंच गया। बाईसुंगर मीर्जा शीघ्रातिशीघ्र बड़ी तेजी के साथ एक दृढ़ सेना लेकर अग्रसर हुआ और कानबाई के समीप युद्ध किया। हैदर कूकूल्दाश, जो कि मुगल सेना का बहुत बड़ा स्तम्भ था, सेना के अग्रिम दल को लेकर आगे बढ़ा। वह तथा उसके सब आदमी घोड़ों से उतर पड़े और बाणों की वर्षा करने लगे। उसी समय हिसार के जवानों की सशस्त्र सेना ने उन पर बड़ी वीरता से आक्रमण किया और उन्हें अपने घोड़ों के पांवों के नीचे रौंद डाला। इस दल के पराजित हो जाने के उपरान्त, शेष मुगूल सेना मुक़ाबला न कर सकी और बुरी तरह हार गई। बहुत बड़ी संख्या में मुगूल मारे गये। बाईसुंगर मीर्जा के समक्ष इतनी अधिक संख्या में लोगों की हत्या की गई कि लाशों की अधिकता के कारण मीर्जा के शिविर को तीन बार हटाना पड़ा।

इबराहीम सारू का अस्फ़रा में विद्रोह

उसी समय इबराहीम सारू जो मींगलीग क़ौम से था और मेरे पिता की बाल्यावस्था से ही कई पदों पर रह कर सेवा कर चुका था किन्तु बाद में और किसी अपराध के कारण पदच्युत हो गया था अस्फ़रा के किले में प्रविष्ट हुआ और वहां बाईसुंगर मीर्जा के नाम का खुत्बा पढ़वा कर मेरा विरोध करने लगा।

---

[1] सुल्तान महमूद खां चगताई ।

बाबर द्वारा उस पर आक्रमण

इबराहीम के विद्रोह को शांत करने के लिए शाबान (मई) में हमारी सेना ने प्रस्थान किया और इसी मास के अंत में अस्फ़रा को घेर कर उतर पड़ी। हमारे वीरों ने अपने उत्साह में जिस दिन वे किले के समीप पहुंचे थे उसी दिन वीरता प्रदर्शित करते हुए किले की नई दीवार को, जिसका उसी समय किले के बाहर निर्माण हो रहा था, अधिकार में कर लिया। सैयिद कासिम मेरे द्वार के रक्षक ने उस दिन सब से अधिक वीरता प्रदर्शित की और लोगों को तलवार के घाट उतार दिया। सुल्तान अहमद तम्बल तथा मुहम्मद दोस्त तग़ाई ने भी खूब तलवार चलाई किन्तु सैयिद कासिम को ही विजय ऊलूश[1] प्राप्त हुआ।

विजय ऊलूश मुगूलों की बड़ी प्राचीन प्रथा है। जो कोई अपनी तलवार से सब से अधिक वीरता प्रदर्शित करता है वह सभी दावतों में विजय ऊलूश का पात्र होता है।

जब मैं शाहरुखिया में अपने मामा सुल्तान महमूद खां से भेंट करने पहुंचा तो उसने वहां विजय ऊलूश प्राप्त किया।

प्रथम दिन के युद्ध में मेरा अत्का[2] खुदाई बीरदी बेग बाण द्वारा घायल हो कर मृत्यु को प्राप्त हो गया। क्योंकि बिना कवच के युद्ध किया गया था अतः बहत से जवान नष्ट हो गये और कुछ घायल हो गये। इबराहीम सारु के पास एक बड़ा ही अच्छा बाण चलाने वाला था। मैंने इस प्रकार का धनुर्धर अभी तक नहीं देखा। उसी ने अधिकांश लोगों को घायल कर दिया। अस्फ़रा की विजय के उपरान्त वह मेरी सेवा में सम्मिलित हो गया।

जब अवरोध में अधिक समय व्यतीत हो गया तो आदेश दिया गया कि दो–तीन स्थानों पर सरकोबों[3] का निर्माण करके सुरंगें लगाई जायें और किले पर अधिकार जमाने के लिये जो यंत्र आवश्यक हों वे तैयार किये जायें। अवरोध ४० दिन तक चलता रहा। अन्त में इबराहीम सारू ने विवश होकर ख्वाजा मौलाना क़ाज़ी को मध्यस्थ बना कर मेरी सेवा में सम्मिलित होना स्वीकार कर लिया। शव्वाल मास (जून १४९५ ई०) में वह तलवार तथा निषंग को अपनी गर्दन में लटकाये हुए मेरी सेवा में उपस्थित हुआ और किले को समर्पित कर दिया।

बाबर द्वारा खुजन्द पर अधिकार

---

[1] ऊलूश उस भोजन को कहते हैं जो शाही दस्तरख्वान से प्राप्त होता है।

[2] संरक्षक।

[3] एक प्रकार का मचान जो लकड़ी अथवा मिट्टी से तैयार कराया जाता था और उसे किले की दीवार के बराबर अथवा थोड़ा सा ऊँचा बनाया जाता था। किले से जो कोई सिर निकालता उसे सरकोब से मार दिया जाता था।

खुजंद बहुत समय तक उमर शेख मीर्जा के दरबार से सम्बन्धित था। इस संकट काल[1] में कुछ समय से, फ़रगाना राज्य के उथल पुथल के कारण सुल्तान अहमद मीर्जा के अधिकार में आ गया था। इस समय अवसर मिलने पर हमने उसके विरुद्ध प्रस्थान किया। खुजंद में मीर मुगूल का पिता अब्दुल वह हाब शग़ावल था। उसने हमारे पहुंचते ही निःसंकोच किला हमें सौंप दिया।

सुल्तान महमूद खां से भेंट

उन्हीं दिनों में सुल्तान महमूद खां शाहरुखिया में था। यह लिखा जा चुका है कि जब सुल्तान अहमद मीर्जा के अन्दिजान पहुंचने पर[2] खान ने भी वहां पहुंच कर अक्शी को घेर लिया, मैंने सोचा कि ''हम इस समय उसके बड़े निकट पहुंच गये हैं और वह मेरे पिता तथा बड़े भाई के समान है अतः मैं उसकी सेवा में उपस्थित हो जाऊं और पिछली घटनाओं के कारण उसे कोई शंका हो तो उसका समाधान करा दूं। वहां पहुंच कर उसके दरबार के विषय में मुझे निकट से ज्ञान प्राप्त हो जायेगा।''

यह सोच कर मैं शाहरुखिया के बाहर उस उद्यान में जिसका निर्माण हैदर बेग ने कराया था खान की सेवा में उपस्थित हुआ। खान उस खेमे में बैठा था जो उसके लिये उद्यान के मध्य में लगवाया गया था। उसमें चार द्वार थे। मैं उसमें प्रविष्ट हो कर ३ बार घुटने के सहारे झुका। खान ने खड़े हो कर मेरे प्रति सम्मान प्रदर्शित किया। हम दोनों एक दूसरे को आंखों ही आंखों में देखते रहे और वह अपने स्थान को वापस चला गया। मैं एक बार फिर झुका। उसने मुझे अपने पास बुलाया और अत्यधिक कृपा–दृष्टि प्रदर्शित की।

अक्शी के मार्ग से वापस होना

दो–तीन दिन उपरान्त मैंने की दीरलीक दर्रे से अक्शी तथा अन्दिजान की ओर प्रस्थान किया। अक्शी पहुंचकर मैंने अपने पिता के मजार का तवाफ[3] किया। अक्शी से शुक्रवार की नमाज के समय[4] निकल कर बन्द सालार के मार्ग से होते हुए मैं सायंकाल तथा सोने की नमाज़ के मध्य में अन्दिजान पहुंचा। बंद सालार का यह मार्ग ६ यीगाच की दूरी का मार्ग बताया जाता है।

जीगराक को लूटना

अन्दिजान के जंगली कबीलों में जीगराक नामक एक क़बीला है। इसके आदमियों की संख्या बड़ी अधिक है। इनमें ५, ६ हजार घर हैं। यह काशगर तथा फ़रग़ाना के पर्वतों में रहते हैं। इनके घोड़ों तथा भेंड़ों की संख्या बड़ी

---

[1] उमर शेख मीर्जा के जीवनकाल के अंतिम समय से ।

[2] ८९९ हि० (१४९३–९४ ई०)।

[3] श्रद्धापूर्वक चक्कर लगाना।

[4] मध्याहोत्तर में।

अधिक है। ये लोग कुत्ता[1] भी रखते हैं। साधारण पशुओं के स्थान पर इनके पास कुत्ता होते हैं। क्योंकि ये लोग दुर्गम पर्वतों में निवास करते हैं अतः कर नहीं अदा करते। कासिम बेग के नेतृत्व में एक सेना उनके विरुद्ध इस आशय से भेजी गई कि उन लोगों से जो कर मिल जाये वह सैनिकों में बांटा जा सके। क़ासिम बेग ने जा कर २० हजार भेड़ें और हज़ार डेढ़ हज़ार घोड़े प्राप्त कर लिये। वे सब सेना वालों को बांट दिये गये।

औरातीपा के विरुद्ध प्रस्थान

सेना जीगराक से वापसी के उपरान्त औरातीपा के विरुद्ध रवाना हो गई। औरातीपा बहुत समय तक उमर शेख मीर्जा के अधीन रह चुका था किन्तु जिस वर्ष मीर्जा की मृत्यु हुई वह उसके हाथ से निकल गया था। इस समय सुल्तान अली मीर्जा अपने भाई बाईसुंगर मीर्जा की ओर से वहां था। सुल्तान अली मीर्जा हमारे आगमन के समाचार पाकर, अपने अत्का शेख जुन्नून अरगून को छोड़ कर मचा के पर्वतीय प्रदेश में चला गया। खुजंद तथा औरातीपा के मध्य से खलीफ़ा को शेख जुन्नून के पास दूत बना कर भेजा गया किन्तु उस असावधान दुष्ट ने उचित उत्तर न दिया और खलीफ़ा को बन्दी बना कर उसकी हत्या का आदेश दे दिया। क्योंकि खलीफ़ा की मृत्यु के विषय में ईश्वर की इच्छा न थी अतः वह मुक्त हो गया और अत्यधिक परिश्रम तथा कठिनाइयों से दो–तीन वर्ष उपरान्त नंगे पांव तथा नंगे शरीर मेरे पास पहुंचा। हम लोग औरातीपा के समीप पहुंच गये। क्योंकि शीत ऋतु आ गई थी और लोग अनाज तथा जो कुछ भी उनके पास था वहां से हटा ले गये थे अतः हम लोग अन्दिजान वापस चले गये। हमारी वापसी के उपरान्त खान के आदमियों ने औरातीपा पर चढ़ाई की। औरातीपा वाले मुकाबला न कर सके और उन्होंने नगर समर्पित कर दिया। खान ने औरातीपा मुहम्मद हुसेन गूरगान दूग़लात को दे दिया। उस समय से ६०८ हि० (१५०३ ई० तक) औरातीपा मुहम्मद हुसेन गूरगान के अधीन रहा।

६०१ हि०

[1] चामर अथवा सुरा गाय।

(२१ सितम्बर १४६५ ई० से ६ सितम्बर १४६६ ई०)

सुल्तान हुसेन मीर्जा के खुसरो शाह पर आक्रमण

इस वर्ष शीत ऋतु में सुल्तान हुसेन मीर्जा ने खुरासान से हिसार पर चढ़ाई की और तिरमिज़ पहुंचा। सुल्तान मसऊद मीर्जा भी सेना एकत्र कर के (हिसार से) तिरमिज़ पहुंचा और उसका मुकाबला करने के लिए डट गया। खुसरो शाह ने अपने आपको कून्दूज़ में दृढ़ बना कर अपने छोटे भाई वली को सेना सहित सुल्तान मसऊद मीर्जा की सहायता हेतु भेजा। शीत ऋतु के अधिकांश समय दोनों सेनायें नदी तट पर पड़ी रहीं और कोई भी नदी को पार न कर सकी। सुल्तान हुसेन मीर्जा बड़ा ही योग्य तथा अनुभवी सेनापति था। उसने कून्दूज की ओर नदी के चढ़ाव की तरफ़ प्रस्थान किया। और सुल्तान मसऊद मीर्जा को असावधान पाकर अब्दुल लतीफ़ बख्शी को ५, ६ सौ योग्य व्यक्तियों सहित नदी के उतार पर किलीफ़ घाट पर भेजा। सुल्तान मसऊद के सावधान होने के पूर्व अब्दुल लतीफ़ बख्शी ने अपने आदमियों सहित नदी को पार कर के अपनी गढ़बन्दी कर ली। सुल्तान मसऊद मीर्जा को जब यह समाचार प्राप्त हुए तो उसने खुसरोशाह के भाई वली के शत्रुओं की उस सेना पर जो पार उतर चुकी थी, आक्रमण के सम्बन्ध में अत्यधिक आग्रह के बावजूद या तो बाक़ी चग़ानियानी, जो वली से घृणा करता था, के मार्ग भ्रष्ट कर देने और या अपनी कायरता के कारण उनके विरुद्ध प्रस्थान न किया और अपनी सेना को छिन्न भिन्न करके हिसार की ओर चल दिया। सुल्तान हुसेन मीर्जा ने नदी पार कर के वदी उज्ज़मान मीर्जा, इबराहीम हुसेन मीर्जा तथा जुनून अरगून और मुहम्मद वली बेग को खुसरो शाह के विरुद्ध शीघ्रातिशीघ्र आक्रमण करने के लिए भेजा। मुजफ्फर हुसेन मीर्जा तथा मुहम्मद बरन्दूक बरलास को खुतलान के विरुद्ध भेजा और स्वयं हिसार की ओर रवाना हुआ। जब हिसार वालों को इस बात की सूचना हुई तो वे सतर्क रहने लगे। सुल्तान मसऊद मीर्जा ने हिसार में ठहरना उचित न समझा और कामरूद घाटी के ऊपर की ओर पहुंचा और वहां से सराताक़ के मार्ग से अपने छोटे भाई बाईसुग़र मीर्जा के पास समरकन्द चला गया। वली भी खुतलान की ओर चला गया। हिसार के किले को बाक़ी चग़ानियानी, महमूद बरलास तथा कूच बेग के पिता सुल्तान अहमद ने दृढ़ बना लिया। हमज़ा सुल्तान तथा महदी सुल्तान (ऊज़बेक), जो कुछ वर्ष पूर्व शैबानी खां का साथ छोड़ कर सुल्तान महमूद मीर्जा की सेवा में सम्मिलित हो गये थे, इस उथल पुथल में अपने समस्त ऊज़बेकों के साथ क़रातीगीन चले गये। उनके साथ मुहम्मद दूग़लात, सुल्तान हुसेन दूग़लात तथा हिसार के समस्त मुग़ूल भी चले गये।

सुल्तान हुसेन मीर्जा ने यह समाचार पाकर अबुल मुहसिन मीर्जा को सुल्तान मसऊद मीर्जा के विरुद्ध कामरूद घाटी के ऊपर की ओर भेजा। जब वे दर्रे पर पहुंचे तो कोई सफलता न प्राप्त कर सके। मीर्जा बेग फ़िरंगी बाज़[1] ने अत्यधिक वीरता प्रदर्शित की। सुल्तान हुसेन मीर्जा ने इबराहीम तरखान तथा याकूब अयूब को हमज़ा सुल्तान का पीछा करने के लिये करातीगीन भेजा। इस दल ने उनके पास पहुंच कर युद्ध किया किन्तु सुल्तान हुसेन मीर्जा के सैनिक पराजित हो गये। उसके अधिकांश बेग घोड़ों से गिरा दिये गये किन्तु बाद में उन्हें मुक्त कर दिया गया।

ऊज़बेक सुल्तानों का बाबर के पास पहुंचना

इस बहिर्गमन के कारण हमज़ा सुल्तान तथा उसका पुत्र, ममाक़ सुल्तान, महदी सुल्तान, मुहम्मद दूगलात, जो बाद में हिसारी कहलाया, उसका भाई, सुल्तान हुसेन दूग़लात तथा सुल्तानों एवं मुगूलों के आश्रित ऊज़्बेक, जो हिसार में सुल्तान महमूद मीर्जा के सेवक समझे जाते थे, सूचना देकर मेरी सेवा में रमज़ान (मई–जून) मास में अन्दिजान में उपस्थित हुये। ऐसे अवसरों पर तीमूरी सुल्तानों की जो प्रथा है उसके अनुसार मैं तूशुक[2] पर आसीन हुआ। जब हमज़ा सुल्तान ममाक़ सुल्तान, मेहदी सुल्तान उपस्थित हुए तो मैंने उठ कर उनके प्रति सम्मान प्रदर्शित किया। हमने एक दूसरे की ओर देखा और उन्हें अपनी दायीं ओर बागीशदा[3] बैठाया। बहुत से मुगूल मुहम्मद हिसारी के नेतृत्व में उपस्थित हुए और मेरी सेवा में सम्मिलित हो गये।

सुल्तान हुसेन मीर्जा का वर्णन

सुल्तान हुसेन मीर्जा ने हिसार पहुंच कर किले को घेर लिया और दिन रात किले की विजय हेतु परिश्रम करने लगा......

इसी बीच में हिसार की बहार की वर्षा के कारण सुल्तान हुसेन मीर्जा की सेना को बड़ा कष्ट होने लगा अतः उसने संधि कर ली.......मीर्जा ने सुल्तान महमूद मीर्जा की सब से बड़ी पुत्री को जो खानजादा बेगम से थी,[4] अपने पुत्र हैदर मीर्जा के लिये, जो पायन्दा बेगम के गर्भ से था, ले लिया। वह पायन्दा बेगम द्वारा सुल्तान अबू सईद मीर्जा का नाती था। इसके उपरान्त वह हिसार से कून्दूज की ओर चला गया। कून्दूज़ में भी सुल्तान हुसेन मीर्जा ने कुछ खाइयां खुदवा कर किले को घेर लिया किन्तु बदी उज जमान मीर्जा के मध्यस्थ बन जाने के कारण संधि हो गई....

जब मीर्जा बल्ख पहुंचा तो उसने मावराउन्नहर के हित को दृष्टि में रखते हुए उसे बदी उज्जमान मीर्जा को दे दिया। बदी उज्ज़मान मीर्जा के अस्तराबाद को मुज़फ़्फ़र हुसेन मीर्जा को दे दिया और एक ही दरबार में एक

---

[1] फिरंगी (एक प्रकार की छोटी तोप) चलाने में कुशल ।

[2] तूशक : गद्दा जो चबूतरे अथवा किसी ऊँचे स्थान पर बिछा दिया जाता होगा।

[3] इस शब्द का अनुवाद बड़ा कठिन है । सम्भवतः इसका अर्थ यह है कि बाबर ने उन्हें उनके सम्मान के अनुसार बैठाया और वे पाल्थी मार कर सम्मानित लोगों की भांति बैठे।

[4] बेग बेगम।

ने बल्ख के लिये और दूसरे ने अस्तराबाद के लिये अभिवादन किया। इस वितरण से बदी उज्ज़मान मीर्जा बडा रुष्ट हुआ और इसके कारण वर्षों तक विद्रोह एवं उपद्रव होते रहे।

समरकन्द में तरखानियों का विद्रोह

इसी वर्ष रमजान मास (मई–जून १४६६ ई०) में तरखानियों ने समरकन्द में विद्रोह कर दिया...

बाबर का समरकन्द के विरुद्ध प्रस्थान

यह समाचार शव्वाल मास (जून–जुलाई) में अन्दिजान में हमें प्राप्त हुए। हमने भी समरकन्द को विजय करने के उद्देश्य से उसी शव्वाल मास में चढ़ाई की। क्योंकि सुल्तान हुसेन मीर्जा हिसार तथा कून्दूज को छोड़ चुका था और क्योंकि सुल्तान मसऊद मीर्जा तथा खुसरो शाह निश्चिन्त थे अतः सुल्तान मसऊद मीर्जा भी समरकन्द को विजय करने के उद्देश्य से शहरे सब्ज के समीप से बढ़ा। खुसरो शाह ने अपने छोटे भाई वली को मीर्जा के साथ कर दिया। हम[1] समरकन्द का तीन चार मास तक तीन ओर से अवरोध किये रहे। तदुपरान्त ख्वाजा यहया, सुल्तान अली मीर्जा के पास से उपस्थित हुआ और उसने संधि तथा मेल का इस योग्यता से प्रयत्न किया कि यह निश्चय हुआ कि हम लोग मिल कर बात कर लें। मैं अपनी सेना लेकर सुग़द से क़स्बे के नीचे कोई ८ मील पर पहुंचा। सुल्तान अली मीर्जा अपनी ओर से अपनी सेना लाया। सुल्तान अली मीर्जा उस ओर से ४–५ व्यक्तियों के साथ और इस ओर से मैं ४–५ व्यक्तियों के साथ कोहिक नदी के मध्य में पहुंचे और एक दूसरे के विषय में घोड़े पर बैठे–बैठे पूछ कर दोनों अपने–अपने मार्ग से वापस हो गये।

मैंने मुल्ला बिनाई तथा मुहम्मद सालेह से जो ख्वाजा यहया की सेना में थे भेंट की। मुहम्मद सालेह को मैंने इस बार के अतिरिक्त फिर कभी नहीं देखा। मुल्ला बिनाई इसके बाद कुछ समय तक मेरी सेवा में रहा।

सुल्तान अली मीर्जा से भेंट के उपरान्त शीत ऋतु के निकट आ जाने के कारण तथा समरकन्द में खाद्य सामग्री की कमी हो जाने की वजह से मैं अन्दिजान तथा सुल्तान अली मीर्जा बुखारा चला गया। सुल्तान मसऊद मीर्जा का शेख अब्दुल्लाह बरलास की एक पुत्री से अत्यधिक प्रेम था। उससे विवाह कर के राज्य पर अधिकार जमाने के विचार को त्याग कर वह हिसार चला गया। वास्तव में उसके समरकन्द पर चढ़ाई करने का उद्देश्य यही था। जब मैं शीराज तथा कानबाई के समीप पहुंचा तो महदी सुल्तान समरकन्द भाग गया। हमज़ा सुल्तान भी जमीन नामक स्थान से आज्ञा लेकर समरकन्द चला गया।

---

[1] तीनों मीर्जा।

६०२ हि०

(६ सितम्बर १४६६ ई०––३० अगस्त १४६७)

बाबर का समरक़न्द के लिये दूसरा प्रयत्न

इस शीत ऋतु में बाईसुंगर मीर्जा के कार्य उन्नति पर रहे। जब अब्दुल करीम इशरत सुल्तान अली मीर्जा की ओर से कूफ़ीन के समीप आक्रमण हेतु पहुंचा तो महदी सुल्तान बाईसुंगर मीर्जा के सैनिकों को लेकर उससे युद्ध के लिये रवाना हुआ। अब्दुल करीम इशरत तथा महदी सुल्तान दोनों एक दूसरे से भिड़ गये। महदी सुल्तान ने अपनी चिरकस[1] तलवार अब्दुल करीम के घोड़े के शरीर में भोंक दी। घोड़ा अब्दुल करीम सहित गिर पड़ा। जब वह खड़ा होने लगा तो महदी सुल्तान ने तलवार का ऐसा वार किया कि उसकी कलाई कट गई। उसे बन्दी बना कर उसके सैनिकों को बुरी तरह पराजित कर दिया गया। ये सुल्तान समरकन्द की दुर्दशा एवं मीर्जाओं के दरबार को अव्यवस्थित दशा में देख कर दूरदशिता की दृष्टि से शैबानी खां के पास चले गये।

(अब्दुल करीम पर) अपनी साधारण सी विजय से प्रोत्साहित होकर समरकन्द वाले सेना एकत्र करके सुल्तान अली मीर्जा से युद्ध करने के लिये रवाना हुये। बाईसुंग़र मीर्जा सरे पुल की ओर अग्रसर हुआ और सुल्तान अली मीर्जा ख्वाजा काज़रून की ओर बढ़ा। इसी बीच में, ख्वाजा अबुल मकारिम, ऊश के ख्वाजा मुनीर के कहने से बुखारा के विरुद्ध थोड़े से सवारों को लेकर रवाना हुआ। अन्दिजान के बेगों में से वैस लाग़री तथा मुहम्मद बाक़िर और क़ासिम दूल्दाई तथा बाईसुंगर मीर्जा के कुछ घर के सैनिक उसके साथ थे। उन लोगों के नगर के समीप पहुंचने के पूर्व बुखारा वाले सचेत हो गये और वे कोई सफलता प्राप्त न कर सके अतः लौट आये।

सुल्तान अली मीर्जा से भेंट के समय[2] यह निश्चय हुआ था कि इस वर्ष ग्रीष्म ऋतु में वह बुखारा से प्रस्थान करे और मैं अन्दिजान से और इस प्रकार समरकन्द को घेर लिया जाये। इस योजना के अनुसार मैं रमज़ान मास (मई) में अन्दिजान से रवाना हुआ। यार यीलाक़ के समीप पहुंचने पर ज्ञात हुआ कि दोनों मीर्जा एक दूसरे के मुकाबले में पड़ाव डाले हुये हैं। मैंने तूलून ख्वाजा मुगूल को २–३ सौ छापा–मार युद्ध करने वाले जवानों के साथ आगे भेजा। उनके निकट पहुंच जाने के कारण बाई सुंगर मीर्जा को हमारे अग्रसर होने की सूचना मिल गई। वह तुरन्त उस स्थान से अपनी सेना को अव्यवस्थित दशा में छोड़कर चल दिया। उसी रात्रि में हमारे जवान उसकी

---

[1] सरकेशियन।

[2] सम्भवतः ख्वाजा यहया से।

सेना के पिछले भाग के पास पहुंच गये और बहुत से आदमियों की बाण द्वारा हत्या कर दी और कुछ लोगों को बन्दी बना लाये। उन्हें पर्याप्त धन–सम्पत्ति प्राप्त हुई।

दो दिन उपरान्त हम शीराज़ पहुंच गये। वह क़ासिम बेग दूल्दाई के अधीन था। उसका दारोगा[1] उसकी रक्षा न कर सका और उसने उसे समर्पित कर दिया। वह इबराहीम सारु को सौंप दिया गया। दूसरे दिन ईदुल फ़ितर[2] की नमाज़ पढ़ कर हम लोग समरकन्द की ओर चल दिये और आबे यार के मैदान में ठहरे। उसी दिन क़ासिम दूल्दाई, वैस लाग़री, मुहम्मद सिंगाल का पौत्र, हसन तथा सुल्तान मुहम्मद वैस ३००–४०० आदमियों सहित मेरी सेवा में उपस्थित हो गये। उन लोगों ने बताया कि, ''बाईसुंग़र मीर्जा आकर वापस चला गया अतः हम लोग उसका साथ छोड़कर पादशाह की सेवा में आ गये हैं।'' बाद में ज्ञात हुआ कि वे लोग शीराज़ की रक्षा हेतु मीर्जा से उसके आग्रह पर पृथक हुये होंगे किन्तु जब उन्होंने शीराज़ की दशा देखी तो फिर उनके लिये हमारी सेवा में उपस्थित होने के अतिरिक्त कोई अन्य उपाय न रह गया।

जब हम लोग क़राबूलाक़ में ठहरे तो बहुत से मुगूल बन्दी बना कर लाये गये। उन लोगों ने उन ग्रामों में जिनमें से होकर वे गुज़रे थे, बड़े अत्याचार किये थे। कासिम बेग कूचीन ने अन्य लोगों की शिक्षा हेतु उनमें से दो–तीन के टुकड़े–टुकड़े करा दिये। चार पांच वर्ष उपरान्त, जब मैं छापा–मार युद्ध किया करता था[3] तो वह मेरे माचा से खान के पास जाते समय मुझसे पृथक् होकर हिसार चला गया।

कराबूलाक़ से प्रस्थान करके हमने (जर अफशां नामक) नदी पार की और याम के समीप पड़ाव किया। उसी दिन नगर के उद्यान में हमारे आदमियों तथा बाईसुंगर मीर्जा के आदमियों से युद्ध हो गया। इस युद्ध में सुल्तान अहमद तम्बल की गरदन में एक भाला लगा किन्तु वह घोड़े से न गिरा। ख्वाजकां मुल्ला सद्र की, जो ख्वाजा कलां का बड़ा भाई था, गरदन में एक बाण लगा और वह तत्काल मृत्यु को प्राप्त हो गया। वह बड़ा ही उत्तम सैनिक था। मेरे पिता ने मेरे पूर्व उसे आश्रय प्रदान किया था। वह उनका मुहरदार[4] था। वह बहुत बड़ा विद्वान् था। शब्दार्थ का उसे अच्छा ज्ञान था। उसकी रचना शैली बड़ी उत्तम थी। बाज द्वारा पक्षियों के शिकार में उसे बड़ी कुशलता प्राप्त थी। जादू के पत्थर से वह पानी बरसा सकता था।

जिस समय हम लोग याम में थे तो नगर से अधिक संख्या में जन–साधारण व्यापारी एवं अन्य लोग एकत्र हो गये और शिविर क्रय–विक्रय का बाजार बन गया। एक दिन मध्याह्नोत्तर की दूसरी नमाज़ के समय

---

[1] रक्षक।

[2] २६ जून १४६७ ई०, रमजान के बाद की ईद।

[3] ६०७ हि० (१५०१–२ ई०)।

[4] मुहर रखने वाला।

अचानक शोर गुल होने लगा और वे सब मुसलमान[1] लूट लिये गये किन्तु हमारी सेना में इतना अधिक अनुशासन था कि जब यह आदेश दिया गया कि प्रत्येक वस्तु लौटा दी जाये तो दूसरे दिन प्रथम पहर के पूर्व कोई ऐसी वस्तु न थी जो उनके स्वामियों को लौटा न दी गई हो, यहां तक कि धागे का एक टुकड़ा तथा टूटी हुई सुई तक हमारे आदमियों के पास न रही।

याम से प्रस्थान करके हम लोग खान यूरती[2] में, जो समरकन्द से लगभग ३ कुरोह[3] पर है, ठहरे। हम लोग वहां ४०–५० दिन ठहरे रहे। इस बीच में हमारी ओर के आदमियों तथा वहां वालों में कई बार उद्यान में झड़पें हुईं। इन झड़पों में से एक में इबराहीम बेगचीक के मुंह पर एक घाव लगा। इसके उपरान्त लोग उसे इबराहीम चापूक[4] कहने लगे। एक अन्य अवसर पर, उद्यान में, मनाक पुल पर अबुल कासिम कोहबर चग़ताई ने गदा चलाने का प्रदर्शन किया। एक बार इसी उद्यान में पनचक्की की नहर के फाटक के समीप मीर शाह कूचीन ने कुशलतापूर्वक गदा चलाई किन्तु उसके ऐसी तलवार लगी कि उसकी आधी गरदन कट गई किन्तु सौभाग्य से धमनी न कटी।

जब हम लोग खान यूरती में थे तो कुछ लोगों ने किले से धूर्ततापूर्वक यह समाचार भेजे कि, ''यदि तुम लोग रात्रि में गारे आशिक़ां की ओर आ जाओ, तो हम लोग किला समर्पित कर देंगे।'' इस विचार से सवार होकर हम उस रात्रि में मग़ाक के पास पहुंचे और वहां से कुछ उत्तम अश्वारोहियों एवं पदातियों के दल को निश्चित स्थान पर भेजा। घर के पदातियों में से चार पांच अग्रसर हुये ही थे कि इस बात का पता चल गया। वे बड़े अनुभवी वीर थे। उनमें से एक हाजी बाल्यावस्था से मेरी सेवा करता चला आया था। एक अन्य महमूद कून्दूर संगक था। वे सब के सब मार डाले गये।

जिन दिनों हम लोग खान यूरती में थे तो समरकन्द से नगर निवासी एवं व्यापारी इतनी बड़ी संख्या में वहां पहुंच गये थे कि शिविर नगर बन गया था। जो वस्तुयें नगर में मिलती हैं, वे शिविर में मिलने लगी थी। इसी बीच में समरकन्द के अतिरिक्त सभी किले, पर्वतीय एवं मैदानी स्थान हमारे अधीन होने लगे थे। थोड़े से सैनिकों का एक दल ऊरगत के किले की, जो शबदार नामक पहाड़ी के आंचल में है, दृढ़तापूर्वक रक्षा कर रहा था अतः हम लोग विवश होकर खान यूरती से उनके विरुद्ध रवाना हुये। वे हम लोगों का मुक़ाबला न कर सके, और ख्वाजा क़ाज़ी को मध्यस्थ बना कर किला समर्पित कर दिया। हम उन लोगों के अपराध क्षमा करके समरकन्द के अवरोध हेतु लौट आये।

---

[1] व्यापारी।

[2] खान का शिविर ।

[3] ६मील।

[4] कटे चेहरे वाला।

सुल्तान हुसेन मीर्जा तथा उसके पुत्र बदी उज्जमान मीर्जा में विरोध, बदी उज्जमान मीर्जा की पराजय, सुल्तान हुसेन मीर्जा का बल्ख अपने अधिकार में करना, बदी उज्जमान मीर्जा का शरण हेतु खुसरो शाह के पास कून्दूज पहुंचना, खुसरो शाह द्वारा उसका स्वागत, तथा खुसरो शाहं का वली के साथ बदी उज्जमान मीर्जा को सुल्तान मसऊद मीर्जा के विरुद्ध हिसार भेजना, हिसार वालों से संधि तथा बदी उज्जमान मीर्जा का जुनून अरगून के पास प्रस्थान।[1]

[1] इन घटनाओं के वर्णन का अनुवाद नहीं किया गया है।

९०३ हि०

(३० अगस्त १४९७ ई० से १९ अगस्त १४९८ ई०)

बाबर द्वारा समरकन्द का अवरोध

जिस समय हम कुलबा के घास के मैदान में, बागे मैदान के पीछे पड़ाव किये हुये थे तो समरकन्द निवासी बहुत बड़ी संख्या में, मुहम्मद चप के पुल की ओर पहुंच गये। हमारे आदमी तैयार न थे। उनके तैयार होने के पूर्व बाबा अली के पुत्र बाबा कुली को घोड़े से गिरा कर वे लोग किले में ले गये। कुछ दिन उपरान्त हम लोग कुलबा नामक पहाड़ी पर कोहिक के पीछे चले गये। उसी दिन सैयद यूसुफ़ बेग समरकन्द के बाहर निकल कर इस पड़ाव पर मेरी सेवा में उपस्थित हुआ। जब समरकन्द वालों ने हमें एक पड़ाव से दूसरे पड़ाव की ओर जाते देखा तो यह समझकर कि हमने प्रस्थान कर दिया है सैनिक एवं नगरवासी बहुत बड़ी संख्या में निकल पड़े और मीर्जा के पुल तक बढ़ते चले गये और शेखजादा के फाटक से निकल कर मुहम्मद चप के पुल तक चले गये। हमने अपने जवानों को सवार हो जाने का आदेश दिया। उन पर दोनों ओर से तीव्र आक्रमण किये गये–मुहम्मद चप के पुल की ओर से और मीर्जा के पुल की ओर से––किन्तु ईश्वर की कृपा हमारे साथ रही। हमारे शत्रु पराजित हो गये। बहुत से चुने हुये बेग एवं वीर हमारे आदमियों द्वारा घोड़ों से गिरा दिये गये और बन्दी बना कर लाये गये। उनमें से हाफ़िज़ दुल्दाई का पुत्र मुहम्मद मिस्कीन बन्दी बना कर लाया गया। उसकी तर्जनी कट गई थी। मुहम्मद कासिम नबीरा भी घोड़े से गिरा दिया गया था और अपने छोटे भाई हसन नबीरा[1] द्वारा लाया गया। इसी प्रकार बहुत से अन्य सैनिक तथा प्रतिष्ठित लोग थे। नगर के जन साधारण में से दीवाना नामक एक जामा[2] बुनने वाला तथा कालक़ाशूक[3] थे। वे लोग जन साधारण एवं उपद्रवियों के नेता थे और उन्होंने पत्थरों से युद्ध किया था। उन लोगों को दारुण कष्ट देकर मरवा डालने का आदेश हुआ। उन्हें यह दंड हमारे उन पदातियों की हत्या के कारण दिया गया जो ग़ारे आशिकां के समीप मारे गये थे।

समरकन्द वाले पूर्ण रूप से पराजित हो गये। इसके उपरान्त उन्होंने कोई आक्रमण न किया। यहां तक कि हमारे आदमी खाई के सिरे तक पहुंच जाते थे और उन लोगों के दास तथा दासियों को जो दीवार के समीप होते थे पकड़ लाते थे।

---

[1] मुहम्मद सीगाल का पौत्र।

[2] क़बा (एक प्रकार का लम्बा कोट) जो सब वस्त्रों के ऊपर पहना जाता है ।

[3] काल एक प्रकार का बिस्कुट होता है और काशूक का अर्थ चम्मच है। सम्भवतः किसी प्रकार के व्यापारी से तात्पर्य है।

सूर्य अब तुला राशि में प्रविष्ट हो चुका था और जाड़ा अधिक होता जाता था। मैंने बेगों को एकत्र करके परामर्श किया। हमने यह निश्चय किया कि ''समरकन्द वाले बड़ी दुर्दशा को प्राप्त हो चुके हैं। ईश्वर की कृपा से हम समरकन्द आज या कल में ले ही लेंगे। मैदान में ठहरने के कारण हमें ठंडक की वजह से अत्यधिक कष्ट भोगने पड़ रहे हैं। हम इस स्थान से किसी समीप के किले में शीतः व्यतीत करने के लिये चले जायें। बाद में यदि हमें उस स्थान को छोड़ना भी पड़ेगा तो हम बिना किसी अधिक कठिनाई के ऐसा कर लेंगे।'' ख्वाजा दीदार नामक किला इस कार्य हेतु सबसे अधिक उपर्युक्त दृष्टिगत हुआ। हम लोग अपने उस पड़ाव से प्रस्थान करके ख्वाजा दीदार के समक्ष घास के मैदान में ठहरे। किले का निरीक्षण किया। शीत ऋतु के लिये झोंपड़ियों एवं घरों के निर्माण हेतु स्थान निश्चित करके मजदूर एवं निरीक्षक नियुक्त कर दिये और घास के मैदान में अपने शिविर में लौट गये। वहां उन थोड़े से दिनों तक जब तक शीत ऋतु के घरों का निर्माण न हो गया, हम लोग ठहरे रहे।

इसी बीच में बाईसुंगर मीर्जा के दूत शैबानी खां के पास उससे सहायता की याचना करने के लिये पहुंचने लगे। जिस दिन हमारे शीत ऋतु के घर इत्यादि तैयार हो गये और हम ख्वाजा दीदार में चले गये तो खान तुर्किस्तान[1] से थोड़ी सी सेना लेकर उस स्थान पर, जहां हमारे शिविर थे, पहुंच गया। हमारे सब आदमी एक स्थान पर न थे। कुछ लोग शीत ऋतु व्यतीत करने के लिये रबाती चले गये थे, कुछ कबुद और कुछ शीराज़। इसके बावजूद जितने लोग हमारे साथ थे, उन्हें हमने संगठित किया और उनसे युद्ध करने के लिये निकले। शैबानी खां ने युद्ध न किया और समरकन्द की ओर रवाना हो गया। वह क़िले की ओर बढ़ता चला गया किन्तु बाईसुंगर मीर्जा ने यह देखकर कि शैबानी खां ने उसकी इच्छानुसार उसे सहायता नहीं प्रदान की है उसका कोई स्वागत न किया। शैबानी खां निराश होकर कुछ दिन उपरान्त तुर्किस्तान चला गया और कोई सफलता न प्राप्त कर सका।

बाईसुंगर मीर्जा ७ मास से अवरोध का मुकाबला कर रहा था। उसे केवल शैबानी खां का सहारा था। उसकी यह आशा भी पूरी न हुई। वह अपने २००–३०० भूखे सहायकों को लेकर समर कन्द से खुसरो शाह के पास कून्दूज़ चला गया। जब वह तिरमिज़ के समीप आमू नदी के घाट पर पहुंचा तो तिरमिज़ का हाकिम सैयिद हुसेन अकबर, जो सुल्तान मसऊद मीर्जा का विश्वास–पात्र तथा सम्बन्धी था, उसके विषय में सूचना पा कर उसके विरुद्ध रवाना हुआ। मीर्जा ने स्वयं नदी पार कर ली थी किन्तु मीरीम तरखान नदी में डूब गया और उसके शेष सहायक, जो वहीं रह गये थे, बन्दी बना लिये गये। समस्त असबाब तथा उसके सामान से लदे हुए ऊंट

---

[1] ताशकन्द के उत्तर–पश्चिम में, सिर के उत्तर तथा अरल के पूर्व जो ऊज़बेकों की बुखारा की विजय के पूर्व राजधानी था।

अधिकार में कर लिये गये। मुहम्मद ताहिर नामक उसका एक सेवक लड़का भी सैयिद हुसेन अकबर द्वारा बन्दी बना लिया गया। खुसरो शाह ने मीर्जा के प्रति कृपादृष्टि प्रदर्शित की।

जब हमें उसके प्रस्थान के समाचार प्राप्त हुये तो हम लोग घोड़ों पर सवार होकर ख्वाजा दीदार से समरकन्द की ओर रवाना हुये। बेग तथा जदान हमारे स्वागतार्थ निरन्तर मार्ग पर आते रहे। रबी–उल–अव्वल मास के अन्तिम १० दिनों (नवम्बर १४६७ ई०) में हम किले में प्रविष्ट हुये और बोस्तान सराय में उतरे। इस प्रकार ईश्वर की कृपा से समरकन्द के कस्बे एवं प्रदेश पर अधिकार जमा लिया गया।

समरकन्द

समस्त संसार में समस्कन्द के समान बिरले ही कोई हृदयग्राही क़स्बा होगा। यह पांचवी इक़लीम में ४०° ६° अक्षांश और ६६° २′ देशांतर में स्थित है। कस्बे का नाम समरकन्द है। समरकन्द प्रदेश को लोग मावराउन्नहर कहते हैं। क्योंकि इसे कोई शत्रु विजय नहीं कर सका है अतः यह बलदये महफूजा[1] कहलाता है। यहां वाले अमीरुल मोमनीन हज़रत उस्मान[2] के समय में मुसलमान हुये होंगे। क़सम इब्ने अब्बास नामक एक सहाबी यहां पहुंचे होंगे। उनका मज़ार, शाह ज़िन्दा के मजार के नाम से प्रसिद्ध है और लोहे के फाटक के बाहर है। समरक़न्द को इस्कन्दर ने बसाया होगा। तुर्क तथा मुगूल क़बीले इसे सीमीज़ कीन्त कहते हैं। तीमूर बेग ने इसे अपनी राजधानी बनाया था। इतने बड़े बादशाह ने इससे पूर्व इसे कभी अपनी राजधानी न बनाया था। मैंने नगर की चहार–दीवारी को लोगों से कदमों द्वारा नापने का आदेश दिया। यह १०,००० क़दम निकली। समरकन्द निवासी कट्टर सुन्नी हैं और शरीअत का कठोरतापूर्वक पालन करते हैं। मुहम्मद साहब के समय से इस समय तक जितने मुसलमानों के प्रतिष्ठित आदमी समरकन्द में हुये हैं उतने किसी अन्य स्थान पर नहीं हुये।.

समरकन्द के पूर्व में फ़रग़ाना तथा काशगर, पश्चिम में बुखारा तथा ख्वारिज्म, उत्तर में ताश कीन्त एवं शाहरुखिया–जिन्हें पुस्तकों में शाश तथा बनाकत लिखा जाता है, और दक्षिण में बल्ख तथा तिरमिज़ हैं। कोहिक नदी समरक़न्द के उत्तर में २ कुरोह[3] पर बहती है। नदी तथा नगर के मध्य में एक पहाड़ी है जो कोहिक कहलाती है। क्योंकि नदी इस पहाड़ी को छूती हुई बहती है अतः इसका नाम कोहिक पड़ गया।

समरकन्द तथा उसके आस पास तीमूर बेग एवं उलूग़ बेग मीर्जा के बनवाये हुये भवन तथा उद्यान हैं......

---

[1] सुरक्षित नगर।

[2] मुसलमानों के तीसरे खलीफा। वे ६४४ ई० से ६६५ ई० तक ख़लीफ़ा रहे।

[3] मुहम्मद साहब के मित्र।

उलूग बेग मीर्जा के बनवाये हुये उत्तम भवनों में एक वेधशाला अर्थात् जीच[1] लिखने का यंत्र है। इस वेधशाला में तीन मंजिलें हैं। इसके द्वारा मीर्जा ने कूरकानी जीच तैयार किया था जो आजकल समस्त संसार में प्रचलित है। अन्य जीचों का बहुत कम प्रयोग होता है। इसके तैयार होने के पूर्व लोग ईलखानी जीच का प्रयोग करते थे। इसे ख्वाजा नसीर तूसी[2] ने हुलाकू खां के समय में मराग़ा में तैयार किया था। हुलाकू खां, ईलखानी कहलाता था।

समस्त संसार में ७–८ से अधिक वेधशालाओं का निर्माण नहीं हुआ है। मामून खलीफ़ा[3] ने एक वेधशाला बनवाई थी जिसके द्वारा मामूनी जीच लिखा गया था। बतलीमूस[4] ने एक अन्य वेधशाला बनवाई। एक वेधशाला का हिन्दुस्तान में उज्जैन तथा धार अथवा मालवा प्रदेश में जो मांडू कहलाता है राजा विक्रमादित्य हिन्दू के समय में निर्माण हुआ था। हिन्दुस्तान के हिन्दू इसी वेधशाला के जीच का प्रयोग करते हैं। ये १५८४ वर्ष पूर्व तैयार हुये थे।[5] अन्य जीचों से तुलना करने पर इसमें कुछ दोष निकलते हैं।......

समरकन्द बड़े आश्चर्यजनक रूप से सुन्दर नगर है। उसमें एक विशेषता, जोकि सम्भवतः अन्य स्थानों पर बिरले ही पाई जाती हो, यह है कि विभिन्न व्यवसाय करने वाले एक ही बाज़ार में नहीं बैठते अपितु प्रत्येक के पृथक् बाज़ार हैं। यह एक बड़ी आश्चर्यजनक योजना है। यहां के नानबाई तथा बावरची बड़े अच्छे होते हैं। संसार का सर्वोत्तम काग़ज़ यहीं बनता है।....

समरकन्द में बड़ी उत्तम विलायतें[6] तथा तूमान हैं। उसकी एक बहुत बड़ी विलायत, जो समरक़न्द के बराबर ही है, बुखारा है जो समरकन्द के पश्चिम में २५ यीग़ाच[7] पर स्थित है। बुखारा में कई तूमान हैं। यह बड़ा ही उत्तम क़स्बा है। यहां फल अधिक संख्या में तथा अच्छे होते हैं। यहां के खरबूजे बड़े ही उत्तम होते हैं। मावराउन्नहर में यहां के खरबूजों के समान कहीं खरबूजे नहीं होते। यद्यपि अक्शी का मीर तीमूरी खरबूज़ा बुखारा के समस्त खरबूजों से मीठा तथा उत्तम होता है किन्तु फिर भी बुखारा में कई प्रकार के बड़े उत्तम खरबूजे बहुत बड़ी संख्या में होते हैं। बुखारा के आलू प्रसिद्ध हैं।

---

[1] चार मील।

[2] ज्योतिष की पुस्तक जिसमें ग्रहों की गति का विवरण एवं तत्सम्बंधी अन्य बातें लिखी होती हैं।

[3] ख्वाजा नसीरुद्दीन तूसी बहुत बड़े ज्योतिषी तथा दार्शनिक हुये हैं। उन्होंने बहुत से ग्रन्थों की रचना की जिसमें 'एखलाके नासिरी' बड़ी प्रसिद्ध है। उनकी मृत्यु २४ जून १२७४ ई० को हुई। (7) सातवों अब्बासी ख़लीफ़ा, जो ८१३ ई० से ८३३ ई० तक खलीफा रहा।

[4] टालमी।

[5] अर्सकिन के अनुसार बाबर ने यह वर्णन ९३४ हि. (१५२७ ई.) में लिखा होगा। वह विक्रमी संवत् का १५८४ वां वर्ष था।

[6] प्रान्त।

[7] १६२ मील।

यहां के आलू के समान कहीं आलू नहीं होते। लोग इसका छिलका उतारकर इसे सुखा लेते हैं और विभिन्न देशों में उपहार स्वरूप ले जाते हैं। यह बड़ी उत्तम रेचक औषधि है। बुखारा में पालतू पक्षी एवं हंस बहुत बड़ी संख्या में होते हैं। बुखारा की मदिरा उन मदिराओं की अपेक्षा जो मावराउन्नहर में बनती हैं बड़ी तेज़ होती है। जिन दिनों मैं समरकन्द में मदिरापान किया करता था तो मैं बुखारा की मदिरा पीता था।

इसके अतिरिक्त कीश की विलायत है जो समरकन्द के दक्षिण में ६ यीगाच[1] की दूरी पर है। समरकन्द तथा कोश के मध्य में पहाड़ियां हैं जो ईतमाक दर्रा कहलाती हैं। यहां से भवनों के लिये पत्थर निकाले जाते हैं। बहार में यहां के उजाड़ स्थान, दीवारें तथा कोठे तक हरे हो जाते हैं और उसे शहरे सब्ज़ (हरा नगर) कहते हैं। क्योंकि तीमूर बेग का जन्म तथा पालन पोषण कीश नगर में हुआ था अतः उसने इस नगर को अपनी राजधानी बनाने का अत्यधिक प्रयत्न किया और कीश में भव्य भवनों का निर्माण कराया। अपने दरबार के लिए एक भव्य मेहराबदार हाल का निर्माण कराया। इसमें उसके सेनापति बेग तथा दरबारी बेग उसकी दाई एवं बाईं ओर बैठते थे। जो लोग दरबार में उपस्थित होते थे, उनके लिये उसने दो छोटे हाल बनवाये और जो लोग उसके दरबार में प्रार्थना करने आते थे, उनके लिये उसने दरबार के भवन के चारों ओर छोटे–छोटे कमरे बनवाये। इस प्रकार की भव्य मेहराबें संसार में बहुत कम होंगी। कहा जाता है कि यह किसरा[2] के मेहराब से उत्तम है। इसके अतिरिक्त तीमूर बेग ने कीश में एक मदरसे तथा मक़बरे का निर्माण कराया। जहांगीर मीर्जा की क़ब्र तथा उसकी संतान के कुछ अन्य लोगों की क़ब्रे वहीं हैं। क्योंकि कीश समरकन्द के समान नगर बनने योग्य न थी अतः तीमूर बेग ने समरकन्द को ही अपनी राजधानी बनाया।

इसके अतिरिक्त करशी नामक विलायत है जिसे नशफ़ तथा नखशब भी कहते हैं। करशी मुगूली नाम है। कूरखाना[3] को मुगूलों की भाषा में करशी कहते हैं। संभवतः यह नाम चिगीज़ खां के राज्य पर अधिकार जमा लेने के उपरान्त पड़ा होगा। करशी में जल की बड़ी कमी है। वहाँ की बहार बड़ी ही उत्तम होती है और वहाँ के अनाज तथा खरबूजे बड़े अच्छे होते हैं। यह समरकन्द के दक्षिण में कुछ–कुछ पश्चिम की ओर १८ यीगाच[4] पर है। वहाँ बागरीक़रा के समान एक छोटा सा पक्षी होता है जिसे क़ील यूकोरूग कहते

---

[1] ४८ मील ३ फरलांग।

[2] ताके किसरा, बगदाद के नीचे १०५ फीट ऊँची, ६४ फ्रीट बीच की दूरी तथा १५० फीट गहराई। नूशीरवा किसरा ईरान का प्रसिद्ध बादशाह था जो ५३१ ई० में सिंहासनारूढ़ हुआ और ५७६ ई. में मृत्यु को प्राप्त हुआ।

[3] 'कूर खाना' अथवा 'गूर खाना महल को कहते है।

[4] जाम से होकर लगभग ६४ मील ६३ करलांग।

हैं। क्योंकि करशी की विलायत में वह इतनी अधिक संख्या में होता है अतः उस क्षेत्र में उसे करशी पक्षी कहते हैं।

इसके अतिरिक्त कोहजर तथा करमीना की विलायतें है जो बुखारा तथा समरकन्द के मध्य में स्थित हैं। उसके अतिरिक्त कराकूल की विलायत है, जो बुखारा से उत्तर–पश्चिम में ७ यीगाच[1] पर नदी की अन्तिम सीमा पर है.।

समरकन्द का राज्य तीमूर वेग ने अपने ज्येष्ठ पुत्र जहांगीर मीर्जा[2] को प्रदान कर दिया था। जहांगीर मीर्जा की मृत्यु[3] के उपरान्त उसे उन्होंने उसके ज्येष्ठ पुत्र मुहम्मद सुल्तान जहांगीर को दे दिया। मुहम्मद सुल्तान मीर्जा की मृत्यु के उपरान्त यह तीमूर बेग के लघु पुत्र शाहरुख मीर्जा को प्राप्त हो गया। शाहरुख मीर्जा ने मावराउन्नहर की समस्त विलायतें अपने ज्येष्ठ पुत्र उलूग़ बेग मीर्जा को प्रदान कर दी थीं।[4] उलूग बेग मीर्जा से उसके पुत्र अब्दुल लतीफ़ मीर्जा ने इस ५ दिन के नश्वर संसार के लिए इतने बुद्धिमान् पिता की हत्या करके ले लिया।[5]

अब्दुल लतीफ़ मीर्जा की मृत्यु के उपरान्त[6] शाहरुख मीर्जा का पौत्र अब्दुल्लाह पुत्र इबराहीम मीर्जा सिंहासनारूढ़ हुआ। वह इबराहीम सुल्तान मीर्जा का पुत्र था। उसने डेढ़ वर्ष और अधिक से अधिक दो वर्ष तक राज्य किया। उसके पश्चात् सुल्तान अबू सईद मीर्जा सिंहासनारूढ़ हुआ।[7] उसने अपने जीवनकाल में उसे अपने ज्येष्ठ पुत्र सुल्तान अहमद मीर्जा को प्रदान कर दिया। सुल्तान अबू सईद मीर्जा की मृत्यु के उपरान्त[8] भी सुल्तान अहमद मीर्जा वहां राज्य करता रहा। सुल्तान अहमद मीर्जा की मृत्यु के उपरान्त[9] सुल्तान महमूद मीर्जा सिंहासनारूढ़ हुआ। सुल्तान महमूद मीर्जा की मृत्यु के उपरान्त[10]बाईसुग़र मीर्जा सिंहासनारूढ़ हुआ। तरखानियों के विद्रोह[11] के समय बाईसुग़र मीर्जा को कुछ दिनों के लिये बन्दी बना लिया गया था और उसके छोटे भाई सुल्तान अली मीर्जा को सिंहासनारूढ़ कर दिया गया था किन्तु बाद में बाईसुंगर मीर्जा ही जैसा कि उल्लेख हो चुका है

---

1 लगभग ३४ मील।

2 ७७६ हि० (१३७५ ई०) में।

3 ८०५ हि० (१४०३ ई०) में।

4 ८५१ हि० (१४४७ ई०)।

5 ८५३ हि० (१४४६ ई०)।

6 २२ जमादि–उल–अव्वल ८५५ हि० (२२ जून १४५० ई०)।

7 ८५५ हि० (१४५१ ई०)।

8 ८७३ हि० (१४६६ ई०)।

9 ८६६ हि० (१४६४ ई०)।

10 ६०० हि० (१४६५ ई०)।

11 ६०१ हि० (१४६६ ई०)।

सिंहासनारूढ़ हो गया। बाईसुंगर मीर्ज़ा से मैंने समरकन्द प्राप्त किया।[1] इसके इसके इतिहास का अधिक विस्तार से बाद में उल्लेख किया जायेगा।

बाबर का समरकन्द पर राज्य

समरकन्द के सिंहासन पर आरूढ़ होते ही मैंने समरकन्द के बेगों के प्रति उसी प्रकार कृपा दृष्टि प्रदर्शित की जिस प्रकार उनके प्रति पूर्व में की जाती थी। जो बेग हमारे साथ थे मैंने उनकी श्रेणी के अनुसार उनको पद तथा आश्रय प्रदान किया। सुल्तान अहमद तम्बल के विषय में अत्यधिक रियायत की। वह घर के दस्ते के बेगों में था। मैंने उसे बड़े बेगों की श्रेणी तक पहुंचा दिया।

समरकन्द पर हमने ७ मास के अवरोध के उपरान्त बड़ी कठिनाई से अधिकार प्राप्त किया था। जब हम किले में प्रविष्ट हुए तो हमारे आदमियों को कुछ न कुछ प्राप्त हुआ। समरकन्द के अतिरिक्त समस्त विलायतें या तो मुझे और या सुल्तान अली मीर्ज़ा को इसके पूर्व प्राप्त हो गई थीं किन्तु उन्हें किसी प्रकार नष्ट भ्रष्ट न किया गया था। जिस विलायत पर इतने समय से आक्रमण हो रहे थे उसमें से प्राप्त ही क्या हो सकता था। सेना वालों को जो कुछ प्राप्त हुआ था वह समाप्त हो गया। जिस समय हम समरकन्द में प्रविष्ट हुये तो वह इस दुर्दशा को प्राप्त हो चुका था कि उसे बीज तथा तक़ावी की आवश्यकता थी। वहां से किसी को कुछ मिल ही क्या सकता था। इस कारण सेना वालों को अत्यधिक कष्ट उठाने पड़े। हम भी किसी को कुछ न प्रदान कर सके थे। वे अपने घरों को जाने की इच्छा करने लगे और एक–एक दो–दो करके भागने लगे। सर्व प्रथम ब्यान कुली का पुत्र खान कुली भागा। तदुपरान्त इबराहीम बेगचीक मुगूल, सब के सब भाग गये। तदुपरान्त सुल्तान अहमद तम्बल भी भाग गया। ऊज़ून हसन अपने आपको ख्वाजा क़ाज़ी का बड़ा हितैषी एवं निष्ठावान् मित्र समझता था। इस प्रकार से लोगों के भागने को रोकने के लिये हमने ख्वाजा को उसके पास भेजा ताकि वे मिल कर कुछ भागने वालों को दण्ड दें और कुछ को हमारे पास वापस भेज दें किन्तु इस उपद्रव तथा जो लोग भाग कर चले गये थे उनका नेता ऊज़ून हसन नमकहराम ही था। सुल्तान अहमद तम्बल के चले जाने के उपरान्त शेष लोग खुल्लमखुल्ला उपद्रव की बातें करने लगे।

बाबर से जहांगीर मीर्ज़ा के लिए अन्दिजान तथा अक्शी की मांग

इन वर्षों में जब कि समरकन्द की विजय हेतु मैं अपनी सेना लिये बाहर पड़ा रहा तो सुल्तान महमूद खां ने मुझे किसी प्रकार की कोई सहायता न प्रदान की थी किन्तु समरकन्द की विजय के उपरान्त वह अन्दिजान की इच्छा करने लगा। इसके अतिरिक्त ऊज़ून हसन तथा सुल्तान अहमद तम्बल उसी समय जब हमारे सैनिक एवं मुगूल भाग कर अक्शी तथा अन्दिजान पहुंचे इन विलायतों को जहांगीर मीर्ज़ा के लिये मांगने लगे। अनेक कारणों

---

[1] ६०३ हि० (१४६७ ई०)।

से यह संभव न था कि उन लोगों को वह विलायतें प्रदान कर दी जायें। एक कारण यह था कि ऐसे अवसर पर जब कि हमारे आदमी भाग कर उनके पास पहुंच गये थे उन विलायतों की मांग आदेश के समान थी। यदि यह बात पहले कही गई होती तो इस समस्या का किसी न किसी प्रकार समाधान कर दिया जाता किन्तु आदेश को कोन सहन कर सकता है ? इस समय जब कि मुगूल एवं अन्दिजान की सेना वाले तथा हमारे घर के दस्ते अन्दिजान भाग गये थे तो समरकन्द में मेरे पास केवल १००० आदमी, जिनमें छोटे बड़े बेग सम्मिलित थे, रह गये थे। जब ऊजून हसन तथा सुल्तान अहमद तम्बल जो कुछ चाहते थे, उसे प्राप्त न कर सके तो उन लोगों ने उन कायर भागने वालों[1] को संगठित किया। भागने वाले अपने अपराध के दंड के कारण मुझसे इतने अधिक भयभीत थे कि वे इस विद्रोह को दैवी वरदान समझने लगे। उन्होंने खुल्लम खुल्ला विद्रोह कर दिया और अक्शी से अपनी सेना लेकर अन्दिजान पर चढ़ाई की। तूलून ख्वाजा बारीन का बड़ा ही वीर, पराक्रमी एवं साहसी जवान था; मेरे पिता उमर शेख मीर्जा ने उसे आश्रय प्रदान किया था और मैं भी उसे आश्रय प्रदान कर रहा था। मैंने स्वयं उसे उन्नति दे कर वेग बना दिया था। वास्तव में वह आश्रय का पात्र था। उसकी वीरता एवं उसके साहस को देख कर आश्चर्य होता था। जिस समय समरकन्द से मुगूल क़बीले भागने लगे तो मैंने तूलून ख्वाजा को इस आशय से उनके पास भेजा कि वह उन लोगों को परामर्श देकर उनके हृदय से शंका का अंत करा दे और वे भय के कारण छिन्न–भिन्न न हो जायें। उन दोनों नमकहरामों तथा उपद्रवियों ने क़बीलों को ऐसा मार्ग–भ्रष्ट कर दिया था कि उन पर प्रोत्साहन, वचन, परामर्श तथा डांट फटकार का कोई भी प्रभाव न हुआ। तूलून ख्वाजा ईकी–सू–आरासी के मार्ग से जो रबातीक ऊरचीनी के नाम से प्रसिद्ध है रवाना हुआ था। ऊजून हसन ने सेना का एक दल तूलून ख्वाजा के विरुद्ध भेजा जिसने पहुंचते ही उसे असावधान पाकर उसकी हत्या कर दी। इसके उपरान्त वे जहांगीर मीर्जा को लेकर अन्दिजान के अवरोध हेतु पहुंचे।

अन्दिजान का बाबर के हाथ से निकलना

जिस समय मैंने अपनी सेना लेकर समरकन्द पर चढ़ाई की तो अन्दिजान में मैं ऊजून हसन तथा अली दोस्त तग़ाई को छोड़ गया था।[2] ख्वाजा क़ाज़ी वहां बाद में पहुंचा। वहां समरकन्द से आये हुए मेरे बहुत से वीर थे। ख्वाजा क़ाज़ी ने अवरोध के समय मेरे प्रति निष्ठा के कारण अपनी १८ हजार भेड़ें उन लोगों को, जोकि क़िले में थे तथा उन लोगों के परिवार को जोकि अब भी हमारे साथ थे, बांट दी। अवरोध के समय मेरी माताओं[3] तथा ख्वाजा क़ाज़ी के पास से लगातार इस आशय के पत्र आते रहते थे

---

[1] मुगूलों।

[2] रमजान ६०२ हि० (मई १४६७ ई०)।

[3] कूतलूक निगार खानम ईसान दौलत बेगम तथा सम्भवतः शाह सुल्तान बेगम।

कि, ''हम लोग इस प्रकार घिरे हैं और यदि आप आकर हमारी सहायता न करेंगे तो सब कार्य बिगड़ जायेंगे। समरकन्द को अन्दिजान की शक्ति से ले लिया गया था। यदि अन्दिजान अधिकार में रहेगा तो ईश्वर की कृपा से समरकन्द पुनः मिल जायगा।'' इसी आशय के पत्र लगातार प्राप्त हुए।।

बाबर का रुग्ण होना

उन दिनों एक बार रुग्ण हो कर मैं स्वस्थ हुआ था। अपनी रुग्णावस्था में मैं अपनी भली भांति देख भाल न कर सका। चिन्ता एवं परेशानी के कारण मैं इतनी बुरी तरह बीमार हो गया कि चार दिन तक मेरी जिह्वा बन्द रही। मेरे मुंह में रुई से पानी टपकाया जाता था। छोटे–बड़े बेग तथा जवान मेरे जीवन से निराश होकर अपने विषय में चिन्ता करने लगे। जब मेरी यह दशा थी तो बेगों ने भूल से मुझे ऊजून हसन के एक सेवक को दिखला दिया जो उसकी ओर से दूत बन कर आया था, और संधि के लिये बड़ी कठोर शर्ते लाया था। तदुपरान्त उन लोगों ने उसे बिदा कर दिया। ४–५ दिन उपरान्त मैं कुछ स्वस्थ हो गया किन्तु मैं बोल न सकता था। जब मेरी माता और मेरी माता की माता ईसान दौलत बेगम, मेरे गुरू तथा पीर ख्वाजा मौलाना काजी के इस प्रकार के चिन्ताजनक एवं आग्रह पूर्ण पत्र आये तो मैं कैसे प्रभावित न होता।

रजब मास (फ़रवरी–मार्च) में एक शनिवार को हम समरकन्द से अन्दिजान के लिये रवाना हुये। मैं वहां १०० दिन तक राज्य कर चुका था। दूसरे शनिवार को हम खुजंद पहुंचे। उसी दिन अन्दिजान से एक व्यक्ति यह समाचार लाया कि उसी शनिवार से ७ दिन पूर्व जब कि हम समनरकन्द से रवाना हुए थे, अली दोस्त तग़ाई ने अन्दिजान के क़िले को विरोधियों को समर्पित कर दिया। इसका सविस्तार उल्लेख इस प्रकार है : ऊजून हसन के सेवक ने, जो मुझे देखने के उपरान्त अन्दिजान वापस चला गया था, वहां जाकर कहा कि ''बादशाह की जिह्वा बन्द हो चुकी है और रुई से जल टपकाया जा रहा है।'' उसने अली दोस्त तग़ाई से भी शपथ लेकर यही बात कह दी। अली दोस्त खाकान द्वार में था। इस बात से वह निःसहाय हो गया और उसने शत्रुओं को बुलवा कर उनसे प्रतिज्ञा कराई और क़िला समर्पित कर दिया। किले में खाद्य सामग्री तथा योद्धाओं की कमी न थी। उस विश्वासघाती नमकहराम कायर ने उस समाचार की आड़ लेकर किला समर्पित कर दिया।

अन्दिजान पर अधिकार प्राप्त कर लेने के उपरान्त जब शत्रुओं ने मेरे खुजंद पहुंचने के समाचार सुने तो ख्वाजा मौलाना क़ाज़ी को अपमानित करके क़िले के द्वार पर फांसी दे दी। वह ख्वाजा मौलाना काजी के नाम से प्रसिद्ध था किन्तु उसका नाम अब्दुल्लाह था। उसका वंश पिता की ओर से शेख बुरहानुद्दीन अली कीलीच तक और माता की ओर से सुल्तानुल ईलीक मीर्जा तक पहुंचता था। फ़रग़ाना की विलायत में इस वंश के लोग पीर, शेखुल इस्लाम तथा क़ाज़ी होते आये हैं। वह हज़रत उबैदुल्लाह एहरारी का

मुरीद था और उसने उनसे शिक्षा–दीक्षा पाई थी। इस बात में मुझे कोई संदेह नहीं है कि ख्वाजा मौलाना क़ाज़ी वली[1] थे। उनकी विलायत[2] के सम्बन्ध में इस बात से बढ़ कर कौन सी अन्य बात हो सकती है कि उनके हत्यारों का अल्प समय ही में कोई चिह्न शेष न रहा। ख्वाजा मौलाना क़ाज़ी बड़े विचित्र व्यक्ति थे और किसी बात से भय न करते थे। मैंने उनके समान पराक्रमी कोई अन्य व्यक्ति नहीं देखा। यह भी वली होने का एक प्रमाण है। अन्य वीरों में थोड़ी बहुत चिन्ता एवं भय अवश्य होता है किन्तु ख्वाजा मौलाना काज़ी में किसी प्रकार की कोई चिन्ता न थी। ख्वाजा की हत्या के उपरान्त जो लोग ख्वाजा से सम्बन्धित थे उदाहरणार्थ सेवक, क़बीले वाले तथा सहायक सभी बन्दी बना कर नष्ट कर दिये गये । अन्दिजान के लिए हमने समरकन्द को खो दिया और अब अन्दिजान भी हाथ से निकल गया। यह इस लोकोक्ति के अनुसार हुआ कि ''असावधानी में इस स्थान को छोड़ा और अब वहां का भी न रहा।'' मेरे लिये यह अवसर बड़ा ही कठिनाई का तथा कष्टदायक था। जब से मैं बादशाह हुआ था उस समय से लेकर अब तक मैं इस प्रकार अपने सेवकों तथा राज्य से वंचित न हुआ था। जब से मुझे बुद्धि प्राप्त हुई उस समय से लेकर अब तक मैंने इस प्रकार का कोई कष्ट अथवा दु:ख सहन न किया था।

बाबर खुजन्द में

हमारे खुजन्द पहुंचने पर कुछ विश्वासघातियों ने जो बाह्य रूप से अपने आपको हमारा हितैषी प्रदर्शित करते थे और जो खलीफ़ा को हमारे फाटक पर न देख सकते थे, मुहम्मद हुसेन मीर्जा दूगलात तथा अन्य लोगों को इस प्रकार प्रभावित किया कि उसे ताशकीन्त की ओर निर्वासित कर दिया गया। क़ासिम बेग कूचीन को पूर्व ही में खान से अन्दिजान के विरुद्ध प्रस्थान करने का आग्रह करने के लिये भेज दिया था। खान जो मेरा मामा था सेना एकत्र करके आहनगरान घाटी के मार्ग से कींदीरलीक दर्रे के नीचे पहुंचा। मैं वहां खुजंद से आया और अपने खान दादा के दर्शन किये। तदुपरान्त हमने दर्रे को पार किया और अक्शी की ओर ठहरे। शत्रु भी अपनी सेना एकत्र करके अक्शी पहुंचे। उसी समय पाप नामक स्थान वालों ने सूचना भेजी कि उन्होंने किले को दृढ़ कर लिया है। किन्तु खान के अग्रसर होने की योजना में कुछ बातें स्पष्ट न थीं अतः शत्रुओं ने उस पर आक्रमण करके उस पर अधिकार जमा लिया। यद्यपि खान में अनेकों उत्तम गुण थे किन्तु सिपाहियों तथा सेनापतियों के गुण से वह पूर्णतः शून्य था। जिस समय कार्य इस सीमा तक पहुंच गया था कि यदि वह एक पड़ाव और आगे बढ़ जाता तो सम्भवतः उस प्रदेश पर बिना युद्ध के अधिकार प्राप्त हो जाता, वह शत्रुओं की धूर्ततापूर्ण बातों से मार्ग भ्रष्ट हो गया। संधि की वार्ता करने लगा। उसने ख्वाजा अबुल मकारिम तथा अपने द्वार की रक्षा करने वालों के सरदार तम्बल बेग के बड़े

---

[1] प्रतिष्ठित संत।

[2] प्रतिष्ठित संत होने।

भाई बेग तिल्बा को राजदूत बना कर भेजा। उन लोगों ने[1] अपनी मुक्ति हेतु इस प्रकार झूठी–सच्ची बातें कहीं और खान तथा उन लोगों को जो कि मध्यस्थ थे उपहार एवं घूस देकर तथा चिकनी चुपड़ी बातें करके इस प्रकार प्रभावित किया कि खान लौट गया।

जो अमीर, सरदार तथा वीर मेरे साथ थे उनमें से अधिकांश के परिवार वाले अन्दिजान में थे। जब वे अन्दिजान पर अधिकार प्राप्त करने से निराश हो गये तो छोटे बड़े अमीर तथा युवक लगभग ७०० या ८०० की संख्या में मुझसे पृथक् हो गये। बेगों में अली दरवेश वेग, अली मजीद कूचीन, मुहम्मद बाक़िर बेग, शेख अब्दुल्लाह ईशक आका, मीरीम लाग़री थे। जो लोग मेरे साथ रह गये और जिन्होंने मेरा साथ देने के लिये अपनी मातृभूमि से पृथक् होना तथा कष्ट भोगना स्वीकार किया उनमें अच्छे बुरे मिला कर कुल २०० और ३०० के बीच में रहे होंगे। बेगों में कासिम कूचीन बेग, वैस लाग़री बेग, इबराहीम सारू मींगलीग बेग, शेरीम तग़ाई, सैयिदी क़रा बेग, मेरे घर के सरदारों में मीर शाह कूचीन, सैयिद क़ासिम जलाएर ईशक आकाई, क़ासिम उजब, अली दोस्त तग़ाई का पुत्र मुहम्मद दोस्त, मुहम्मद अली मुबश्शिर, खुदाई बीरदी तूगची मुग़ूल, यारीक तग़ाई, बाबा अली का पुत्र बाबा कुली, पीर वैस, शेख वैस, यार अली बलाल, कासिम मीर आख़ूर तथा हैदर रिकाबदार थे।

मैं बड़ी कठिनाई में था। मैं बिना खूब रोये अपने आपको रोक न सकता था। मैं खुजन्द वापस चला गया। वहां शत्रुओं ने मेरी माता, मेरी दादी तथा कुछ अन्य लोगों के परिवार को, जो मेरे साथ थे, मेरे पास खुजंद भेज दिया। मैंने रमज़ान मास (अप्रैल–मई) खुजंद में व्यतीत किया। तदुपरान्त मैंने एक आदमी सुल्तान महमूद खां के पास इस आशय से भेजा कि वह उससे समरकन्द पर आक्रमण हेतु सहायता का आग्रह करे। उसने अपने पुत्र सुल्तान मुहम्मद खानिका एवं (उसके संरक्षक) अहमद बेग को ४–५,००० आदमियों सहित मेरी सहायतार्थ नियुक्त किया और स्वयं औरातीपा तक पहुंचा। उस स्थान पर मैं उससे भेंट करके यार ईलाक़ के मार्ग से रवाना हुआ। सुल्तान मुहम्मद तथा अहमद बेग मेरे पूर्व अन्य मार्ग से यार ईलाक़ पहुंच चुके थे। मैं बूरका ईलाक़ से संगरज़ पहुंचा जो कि मुख्य नगर है और यार ईलाक़ के दारोगा[2] की राजधानी है किन्तु मेरे पहुंचने के पूर्व सुल्तान मुहम्मद तथा अहमद बेग, शैबान खां के आक्रमण तथा शीराज़ एवं उसके समीप के स्थानों के विध्वंस होने के समाचार पाकर शीघ्रातिशीघ्र लौट गये थे। अब मेरे लिये कोई आशा न रह गई थी। मुझे भी विवश होकर खुजन्द वापस होना पड़ा।

क्योंकि मुझे राज्य पर अधिकार करने तथा बादशाह बनने की आकांक्षा थी अतः मैं एक या दो बार की असफलता से निराश होकर बैठा न रह

---

[1] हसन तथा तम्बल।

[2] हाकिम।

सकता था। अन्दिजान को विजय करने के विचार से सहायता की याचना हेतु मैं खान के पास ताशकीन्त पहुंचा। इसके अतिरिक्त मैंने ७–८ वर्षों से शाह बेगम[1] तथा अन्य सम्बन्धियों से भेंट न की थी। इस बहाने से मैंने उनसे भी भेंट करली। कुछ दिन उपरान्त खान ने सैयिद मुहम्मद हुसेन दुग़लात, अयूब बेगचीक तथा जान हसन बारीन को ७–८ हजार आदमियों सहित सहायतार्थ नियुक्त किया। यह सहायता लेकर मैं खुद पहुंचा और वहां पर बिना ठहरे ही शीघ्रातिशीघ्र बढ़ता हुआ कन्दे बादाम को बायें हाथ पर छोड़ता रातों रात नसूख पहुंच कर किले को सीढ़ियां लगा कर अधिकार में कर लिया। यह खुजन्द से ६–१० यीग़ाच और कन्दे बादाम से ३ यीगाच[2] है। उस समय खरबूजे की फ़सल थी। नसूख में एक प्रकार का खरबूज़ा होता है जो इस्माईल शेखी कहलाता है। उसके ऊपर का छिलका पीला होता है। उसका बीज लगभग सेब के बीज के बराबर होता है और गूदा चार अंगुल मोटा होता है। वह बड़ा ही स्वादिष्ट होता है। इस प्रकार के खरबूजे उस क्षेत्र में नहीं पाये जाते। दूसरे दिन मुगूल बेगों ने निवेदन किया कि, ''हमारे आदमियों की संख्या बड़ी थोड़ी है अतः इस किले पर अधिकार करके हम क्या कर लेंगे?'' वास्तव में उस समय वही बात उचित थी। वहां ठहर कर किले को दृढ़ करने से कोई लाभ न था अतः हम लोग पुनः खुजंद लौट गये।.....

खुसरो शाह तथा बाईसंगर मीर्जा का हिसार पर अधिकार जमाना, सुल्तान मसऊद का शरण हेतु सुल्तान हुसेन मीर्जा के पास पहुंचना, खुसरो शाह द्वारा बल्ख का अवरोध। सुल्तान हुसेन मीर्जा का जुनून वेग के विरुद्ध प्रस्थान, सुल्तान हुसेन मीर्जा के पुत्रों का विद्रोह, सुल्तान मसऊद मीर्जा का उसके दरबार से प्रस्थान, खुसरो शाह का अंधा कराना।[3]

---

[1] बाबर की सौतेली दादी, यूनुस खां की विधवा और अहमद तथा महमूद चगताई की माता।

[2] १२ से १८ मील।

[3] इन घटनाओं से सम्बन्धित वर्णन का अनुवाद नहीं किया गया है।

६०४ हि०

(१६ अगस्त १४६८ ई० से ८ अगस्त १४६६ ई०)

हम खुजन्द से दो बार निकले थे, एक बार अन्दिजान के लिये और एक बार समरकन्द के लिए और दोनों बार हमें, इस कारण कि हमारे भाग्य न खुले थे, वापस होना पड़ा। खुजन्द एक बड़ा साधारण स्थान है। २००–३०० आदमियों तक के साथ तो वहां बड़े कष्ट से जीवन निर्वाह हो सकता है तो फिर एक महत्वाकांक्षी का वहां क्या भला हो सकता था?

बाबर का जाड़े के लिये पशावर प्राप्त करना

क्योंकि हम समरकन्द वापस जाना चाहते थे अतः हमने मुहम्मद हुसेन कूरकान दूग़लात के पास औरातीपा में यह आग्रह करने के लिये आदमी भेजे कि वह शीत ऋतु के लिये हम पशाग़र प्रदान कर दे ताकि हम वहां उस समय तक जब तक समरकन्द पर आक्रमण करना सम्भव हो ठहर सकें। उसकी अनुमति पा कर मैं खुजन्द से पशाग़र के लिये रवाना हो गया। पशाग़र यार ईलाक का एक ग्राम है। वह हजरत ख्वाजा[1] के अधिकार में था किन्तु हाल की उथल–पुथल में वह मुहम्मद हुसेन मीर्जा के अधिकार में आ गया।

जब हम जमीन पहुंचे तो मुझे ज्वर चढ़ आया । ज्वर के बावजूद ज़मीन से प्रस्थान करके शीघ्राति शीघ्र यात्रा करते हुए पर्वत के मार्ग को पार करके हम रबाते ख्वाजा[2] पहुंचे। रबाते ख्वाजा शादवार के तूमान के दारोगा[3] की राजधानी है। हमें आशा थी कि हम वहां पहुंच कर सीढ़ियां लगा कर किले पर चढ़ जायेंगे और किसी को सूचना न हो पायेगी। इस प्रकार हम क़िले पर अधिकार जमा लेंगे। इस आशय से हम वहां प्रातःकाल पहुंचे किन्तु हमने वहां के आदमियों को चौकन्ना पाया। वहां से मुड़ कर हम बिना रुके हुए पशाग़र की ओर रवाना हुए। ज्वर के बावजूद मैंने १४–१५ यीग़ाच[4] की यात्रा की। पशाग़र में कुछ दिन ठहर कर हमने इबराहीम सारू वैस लाग़री, शेरीम तग़ाई तथा कुछ घर के जवानों एवं वीरों को यार ईलाक़ के किले पर आक्रमण करने तथा उन्हें अधिकार में करने के लिए नियुक्त किया। उन दिनों में यार ईलाक़ सैयिद यूसुफ़ बेग के अधिकार में था। हमारे समरकन्द से प्रस्थान करने के समय वह वहीं रह गया था। सुल्तान अली मीर्जा ने उसे अत्यधिक आश्रय प्रदान किया। सैयिद यूसुफ़ बेग ने क़िलों की व्यवस्था हेतु

---

[1] ख्वाजा उबैदुल्लाह एहरार।

[2] समरकन्द के पश्चिम में।

[3] हाकिम ।

[4] ७०–८० मील।

अपने छोटे भाई के पुत्र अहमद यूसुफ़ को नियुक्त किया था। अहमद यूसुफ़ आजकल सियालकोट का हाकिम है। उन दिनों वह उसी किले में था। हमारे बेगों तथा वीरों ने उस शीत ऋतु में चक्कर लगा कर कुछ किलों पर संधि तथा युक्ति द्वारा और कुछ किलों पर युद्ध द्वारा अधिकार जमा लिया। उस विलायत में मुगूलों तथा ऊज़बेकों के कारण कोई ऐसा ग्राम नहीं है जहां प्रतिरक्षा का प्रबंध न हो। उन्हीं दिनों में हमारे कारण सुल्तान अली मीर्जा ने सैयिद यूसुफ़ बेग तथा उसके भतीजे से शंकित होकर दोनों को खुरासान भेज दिया।

समस्त शीत ऋतु इसी रस्साकशी में व्यतीत हो गई। ग्रीष्म ऋतु के प्रारम्भ में सुल्तान अली मीर्जा ने ख्वाजा यहया को मुझसे संधि की वार्ता करने के लिए भेजा और वह स्वयं अपनी सेना[1] के आग्रह पर शीराज़ तथा कबूद की ओर रवाना हुआ। मेरे सैनिकों की संख्या २०० से अधिक और तीन सौ से कम रही होगी, और मैं चारों ओर से शत्रुओं से घिरा था । भाग्य मेरा साथ न दे रहा था। मैंने कुछ समय तक अन्दिजान के चक्कर लगाये, समरकन्द पर अधिकार जमाया किन्तु कहीं कोई सफलता न मिली। मुझे संधि करके पशाग़र से लौट जाने पर विवश होना पड़ा।

खुजन्द एक बड़ा साधारण सा स्थान है। एक बेग का भी समय वहां बड़ी कठिनाई से व्यतीत होता होगा। वहां हमें हमारे परिवार वालों तथा सहायकों को लगभग आधे वर्ष तक ठहरना पड़ा। उन दिनों वहां के मुसलमानों ने हमारे लिये यथासंभव व्यय करने तथा सेवा करने में कोई कमी न की। अब हम किस मुंह से खुजन्द की ओर प्रस्थान करते और यदि खुजन्द पहुंच भी जाते तो वहां जाने से लाभ ही क्या होता? न हमारा कोई ठिकाना था और न हम कहीं ठहर सकते थे। इसी असमंजस में हम औरातीपा के दक्षिण की ग्रीष्म ऋतु की चरागाह में पहुंचे। कई दिन तक वहां हम परेशानी में पड़े रहे। हमारी समझ में न आता था कि कहाँ जायें और कहाँ ठहरें। हम बड़ी दुर्दशा को प्राप्त हो चुके थे। उन्हीं दिनों में एक दिन ख्वाजा अब्दुल मकारिम जोकि अपनी मातृ भूमि से मेरे ही समान निर्वासित कर दिया गया था और परेशान था, मुझसे भेंट करने आया। मैंने उससे अपने ठहरने तथा प्रस्थान करने के स्थान एवं क्या करने और क्या न करने के सबन्ध में परामर्श किया। वह बड़ा प्रभावित हुआ और उसने मेरी दशा पर शोक प्रकट करते हुये मेरे लिए फातेहा पड़ा[2] और चला गया। मैं भी बड़ा प्रभावित हुआ और उसके विषय में चिन्तित रहा।

बाबर द्वारा मर्गीनान पर अधिकार

उसी दिन मध्याह्नोपरान्त की नमाज के समय एक सवार घाटी की तलहटी में दृष्टिगत हुआ। वह सम्भवतः अली दोस्त तग़ाई का सेवक था। उसका नाम यूलचूक था। उसे यह लिखित संदेश देकर भेजा गया था कि,

---

[1] समरकन्द की सेना।

[2] शुभकामना हेतु कुरान के प्रथम सूरे का पाठ ।

''यद्यपि इससे पूर्व मैंने बड़े बड़े अपराध किये हैं किन्तु यदि कृपापूर्वक आप मेरे पास आ जायेंगे तो मैं आपको मर्गीनान देकर एवं निष्ठापूर्वक सेवा करके अपने पापों का प्रायश्चित कर सकूँगा।''

इस हैरानी तथा परेशानी में यह समाचार पाते ही हम निःसंकोच तत्काल जब कि सूर्यअस्त हो रहा था मर्गीनान की ओर इस प्रकार चल खड़े हुये कि मानो हमें वहां अचानक छापा मारना हो। वहां से मर्गीनान लगभग २४ अथवा २५ यीगाच[1] पर होगा। रात भर और प्रातःकाल से मध्याह्नोत्तर की नमाज़ के समय तक कहीं भी विश्राम न किया गया और निरन्तर यात्रा करते हुए मध्याह्नोत्तर की नमाज़ के समय तंग आव नामक स्थान में जो खुजंद के अधीनस्थ एक ग्राम है पड़ाव किया गया। घोड़ों को वहां ठण्डा करके दाना दिया गया। संधि–प्रकाश के नक्कारे के बजने के समय हम लोगों ने प्रस्थान कर दिया। रात भर तथा प्रातः काल तक और दूसरे दिन सूर्य अस्त होने तक एवं दूसरे दिन रात भर तथा प्रातःकाल तक यात्रा करके हम मर्गीनान से एक यागीच पर पहुंच गये। यहां बैस बेग तथा कुछ अन्य लोगों ने चिन्ता प्रकट करते हुये निवेदन किया कि ''अली दोस्त बड़ा दुष्ट है। हमारे और उसके दूत तो एक दूसरे के पास आये गये हैं और हमने एक दूसरे से कोई शर्त नहीं की है। ऐसी अवस्था में किस भरोसे पर उसके पास जा रहे हैं ?'' वास्तव में उनकी चिन्ता ठीक ही थी। कुछ देर ठहर कर हमने आपस में परामर्श किया। अन्त में यह निश्चय हुआ कि ''यद्यपि यह चिन्ता ठीक ही थी किन्तु इसे पहले करना चाहिये था। इस समय वहां हम ३ रात और दो दिन की यात्रा के उपरान्त बिना कहीं ठहरे अथवा विश्राम किये हुए पहुंचे हैं। किसी मनुष्य अथवा घोड़े में अब कोई दम नहीं रह गया है। अब जिस स्थान पर हम पहुंच चुके हैं वहां से कैसे लौट सकते हैं। और यदि लौटें भी तो कहां जायें? अब जब हम यहां तक पहुंच चुके हैं तो फिर आगे प्रस्थान करना ही चाहिये। ईश्वर की इच्छा के बिना कुछ भी नहीं हो सकता।'' यह निश्चय करके हम लोग ईश्वर पर भरोसा करके चल खड़े हुये और कोई अधिक बात न की।

सुन्नत की नमाज[2] के समय हम मर्गीनान के किले में पहुंचे गये। अली दोस्त ने बन्द द्वार के पीछे से शर्ते प्रस्तुत करने को कहा। जब वे स्वीकार हो गई तो उसने किले के द्वार खोल दिये। उसने दो काटकों के मध्य में मेरे प्रति अभिवादन किया। तदुपरान्त हमने उससे भेंट की और वह हमें किले के भीतर एक उपयुक्त भवन में ले गया। हमारे साथ छोटे बड़े मिला कर २४० आदमी थे।

अन्दिजान की दशा

ऊजून हसन तथा तम्बल बड़ा अत्याचार एवं कठोरता प्रदर्शित कर रहे थे। उस प्रदेश के सभी क़बीले मेरी इच्छा करने लगे थे। मर्गीनान पहुंचने के

---

[1] लगभग ४५ मील।

[2] सूर्योदय के उपरान्त की नमाज जो अनिवार्य नहीं है।

दो–तीन दिन. उपरान्त मैंने क़ासिम बेग के साथ पशागर के १०० से अधिक आदमी तथा मर्गीनान के नये सैनिक एवं अली दोस्त के सहायक इस आशय से भेजे कि वे किसी न किसी प्रकार बहला फुसला कर अन्दिजान के दक्षिण उदाहरणार्थ अशपारी, तुस्कशार, चीकराक और आस पास के पहाड़ियों को मेरी ओर मिलाने का प्रयत्न करें। इबराहीम सारू, वैस लागरी तथा सैयिदी करा को आदेश दिया गया कि वे खुजन्द नदी पार करके जायें और जिस प्रकार सम्भव हो उस ओर के आदमियों को मेरी ओर मिलाने का प्रयत्न करें।

ऊजून हसन का आक्रमण

ऊजून हसन तथा तम्बल ने जो सैनिक एवं मुगूल उन्हें मिल सके, उन्हें एकत्र किया और जो लोग अन्दिजान तथा अक्शी की सेनाओं में सेवा करने के आदी थे, उन्हें बुलवाया। तदुपरान्त हमारे पहुंचने के कुछ दिन उपरान्त जहांगीर मीर्जा को अपने साथ लेकर, मर्गीनान से २ मील पूर्व की ओर सपान नामक ग्राम में पहुंचे। वहां वे मर्गीनान के अवरोध के उद्देश्य से उतर पड़े। एक–दो दिन उपरान्त वे आक्रमण करने के लिये निकट पहुंच गये। यद्यपि क़ासिम बेग, इबराहीम सारू तथा वैस लाग़री सरीखे सेनापतियों के चले जाने के उपरान्त मेरे साथ बड़े थोड़े से आदमी रह गये थे किन्तु उनको युद्ध हेतु तैयार किया गया और पंक्तियों को सुव्यवस्थित करके शत्रुओं पर छापा मार कर उन्हें आगे बढ़ने से रोक दिया गया। उस दिन खलील नामक दस्तार पेच[1] चुहरा[2] ने बड़ी वीरता से युद्ध किया। यद्यपि वे पहुंच गये थे किन्तु कोई सफलता न प्राप्त कर सके। एक दो–दिन तक वे किले के समीप न पहुंच सके।

कासिम बेग एवं इबराहीम सारू इत्यादि की सफलता

जब क़ासिम बेग अन्दिजान के दक्षिण की पहाड़ियों में पहुँचा तो समस्त अशपारी, तूरुकशार तथा चीकराक तथा कृषक एवं पर्वतों और मैदानों के क़बीले हमारे सहायक बन गये। जब इबराहीम सारू तथा वैस लाग़री इत्यादि ने नदी को अक्शी की ओर पार कर लिया तो पाप एवं कुछ अन्य क़िले अधिकार में आ गये। ऊजून हसन (तथा तम्बल) बड़े अत्याचारी एवं दुष्ट थे। किसान एवं क़बीले वाले सभी उनके आचार व्यवहार से तंग थे। अक्शी के हसन दीकचा नामक एक प्रतिष्ठित आदमी ने अपने सहायकों तथा अक्शी के जन साधारण एवं गंवारों ने लाठी–डंडे मार मार कर ऊजून हसन तथा तम्बल के आदमियों को बाहरी किले से, भीतरी क़िले में खदेड़ दिया। तदुपरान्त उन्होंने इबराहीम सारू, वैस लाग़री एवं सैयिदी करा को किले के भीतर बुलवा लिया।

सुल्तान महमूद खां ने मेरी सहायता हेतु हैदर कूकूल्दाश के पुत्र बन्दे अली तथा हाजी ग़ाज़ी मंगीत को नियुक्त किया था। हाजी उसी समय

---

[1] पगड़ी बांधने वाला।

[2] सेवक, विशेष रूप से छोकरा।

शैबानी खां के पास से भाग कर (महमूद) खां के पास बारीन तूमान और उसके बेगों के साथ आया था। वे लोग ठीक इसी समय मेरे पास पहुंच गये।

ऊजून हसन का अक्शी को सेना भेजना

ऊजून हसन इन समाचारों को पाकर बड़ी चिन्ता में पड़ गया। उसने तत्काल अपने विश्वस्त सहायकों एवं उपयोगी वीरों को अक्शी के भीतरी किले वालों की सहायता हेतु भेजा। उसकी सेना पौ फटते फटते नदी तट पर पहुंच गई। जब मेरी सेना वालों तथा मुगूलों को ये समाचार ज्ञात हुये तो अश्वा रोहियों के एक दल को आदेश दिया गया कि वे अपने घोड़ों पर से सब सामान उतार दें और नदी में घुसने के लिये तैयार रहें। ऊजून हसन के आदमी जल्दी में घाट की नौकाओं को नदी के चढ़ाव की ओर न ले जा सके और इस कारण जहां नदी को पार करके पहुंचना चाहिये था वहां न पहुंच सके अपितु उतार की ओर निकल गये। यह देखकर हमारे आदमी तथा मुगूल घोड़ों की नंगी पीठों पर नदी के दोनों तट से जल में प्रविष्ट हो गये। जो लोग नौका में थे, वे कोई युद्ध न कर सके। कारलूगाच बख्शी ने एक मुगूल बेग के पुत्र को बुलवा कर, उसका हाथ पकड़ लिया और अपनी तलवार से उसकी हत्या कर दी। इस विश्वासघात से क्या लाभ हो सकता था? मामला इस सीमा से निकल चुका था। उसके इस अत्याचार के कारण ही नौका के बहुत से आदमियों की हत्या करा दी गई। हमारे आदमियों ने तत्काल सब को पकड़ लिया और कुछ को छोड़ कर सब की हत्या कर दी। ऊजून हसन के विश्वास–पात्रों में से कारलूगाच बख्शी, खलील दीवान तथा काजी गुलाम भाग गये। क़ाज़ी गुलाम अपने आपको गुलाम कह कर बचा सका। उसके विश्वस्त वीरों में से सैयिद अली, जो अब[1] मेरा विश्वास पात्र है, हैदर कुली तथा किलका काशगरी बच कर भाग सके। उसके ७०–८० आदमियों में से इन ५–६ बेचारों के अतिरिक्त कोई न बच सका।

ऊजून हसन तथा तम्बल की मर्गीनान से वापसी

ऊजून हसन तथा तम्बल इस घटना के समाचार सुनकर मर्गीनान के समीप न ठहर सके और घबड़ाहट एवं जल्दी में अन्दिजान की ओर चल दिये। वहां वे ऊजून हसन की बहिन के पति नासिर बेग को नियुक्त कर गये थे। यदि वह ऊजून हसन से दूसरे स्थान पर न था तो तीसरे स्थान पर होने में क्या सन्देह है।[2] वह अनुभवी था और वीर भी। जब उसने ये समाचार सुने तो उसने समझ लिया कि अब उन्हें विजय प्राप्त नहीं हो सकती। उसने अन्दिजान को दृढ़ करके मेरे पास एक आदमी भेजा। जब ऊजून हसन के आदमियों ने देखा कि किला उनके लिये दृढ़तापूर्वक बन्द कर लिया गया है तो वे छिन्न भिन्न हो गये। ऊजून हसन अपनी पत्नी के पास अक्शी चला गया। तम्बल, ऊश चला गया। जहांगीर मीर्जा के घर के कुछ सैनिक तथा

---

[1] हिन्दुस्तान में।

[2] सम्भवतः तम्बल दूसरे स्थान का स्वामी होगा।

वीर ऊजून हसन के पास से भाग गये और उसके ऊश पहुंचने के पूर्व तम्बल से मिल गये।

बाबर का अन्दिजान पर अधिकार

जैसे ही हमने यह सुना कि अन्दिजान वालों ने उनके लिये किला बन्द कर लिया है तो मैं प्रातः काल मर्गीनान से रवाना हो गया और मध्याह्न तक अन्दिजान[1] पहुंच गया। वहां मैंने नासिर बेग तथा उसके दो पुत्रों दोस्त बेग एवं मीरीम बेग से भेंट की और उनके विषय में पूंछ–तांछ करके उन्हें कृपा एवं आश्रय का आश्वासन दिलाया। इस प्रकार ईश्वर की कृपा से मेरे पिता का राज्य जो दो वर्ष हुये मेरे हाथ से निकल गया था ज़ीक़ाद ६०४ हि० (जून १४६८ ई०) में मेरे अधिकार में आ गया।[2]

सुल्तान अहमद तम्बल जहांगीर मीर्जा को लेकर ऊश चल दिया। जैसे ही वे वहां पहुंचे तो वहां के जन साधारण एवं गंवार लोग अक्शी वालों के समान लाठी डंडे लेकर उनपर टूट पड़े और उनपर कड़ा आक्रमण करके उन्हें नगर से निकाल दिया। तदुपरान्त उन लोगों ने एक आदमी भेज कर मुझे सूचना कराई कि वे लोग किले पर मेरे लिये अधिकार किये हैं। जहांगीर मीर्जा तथा तम्बल अपने थोड़े से सहायकों को लेकर ऊजूकीन्त नामक किले में भाग गये।

ऊजून हसन के विषय में समाचार प्राप्त हुये कि अन्दिजान पर अधिकार प्राप्त करने में असमर्थ होने के कारण वह अक्शी चला गया था और ऐसा समझा जाता था कि वह क़िले में प्रविष्ट हो गया है। वह विद्रोह का नेता था अतः हम लोग ये समाचार पाकर अन्दिजान में ४–५ दिन से अधिक न ठहर कर अक्शी की ओर रवाना हो गये। हमारे वहां पहुंचने पर उसके पास अक्शी को समर्पित कर देने तथा सन्धि कर लेने के अतिरिक्त कोई अन्य उपाय न रह गया था।

हम लोग अक्शी तथा कास्पन एवं उस क्षेत्र की शासन व्यवस्था ठीक करने के लिये कुछ दिन तक ठहरे रहे। जो मुगूल हमारी सहायता हेतु आये थे, उन्हें हमने ताशकीन्त चले जाने की अनुमति दे दी। हम ऊजून हसन, उसके परिवार वालों एवं आश्रितों को लेकर अन्दिजान चले आये। अक्शी में कुछ समय के लिये क़ासिम उजब रह गया जो पहले घर के वीरों में से था और अब बेगों की श्रेणी को प्राप्त हो गया है।

मुगूलों के विद्रोह

सन्धि हो जाने के कारण, ऊजून हसन के प्राण अथवा धन–सम्पत्ति को कोई हानि पहुंचाये बिना उसे करातीगीन मार्ग से हिसार की ओर जाने की अनुमति दे दी गई। उसके सहायकों में से थोड़े से उसके साथ गये, शेष

---

[1] ४७ मील ४.१.२ फरलांग।

[2] बाबर लगभग २ वर्ष तक अन्दिजान के बाहर रहा किन्तु राज्य से केवल १६ मास ही के लिये वंचित रहा।

लोग उसका साथ छोड़कर वहीं रह गये। यही वे लोग थे जिन्होंने पिछली परेशानियों में मेरे मुसलमान[1] सहायकों तथा ख्वाजा क़ाज़ी के आदमियों को लूटा मारा था। बहुत से बेगों के परामर्श से यह निश्चय हुआ कि, ''इन्हीं लोगों ने हमारे हितैषी मुसलमान सहायकों को लूटा मारा है। उन्होंने अपने ही मुग़ूल बेगों के प्रति कौन सी निष्ठा प्रदर्शित की है जो वे मेरे हितैषी रहेंगे? यदि वे बन्दी बना लिये जायें तथा लूट लिये जायें तो कौन सा अपराध होगा, और विशेष रूप से ऐसी दशा में जब कि वे हमारी ही आंखों के सामने हमारे ही वस्त्र धारण किये और हमारे ही घोड़ों पर सवार टहला करेंगे तथा हमारी ही भेड़ों का मांस खाया करेंगे? इसे कौन सहन कर सकता है? यदि दया–भाव की दृष्टि से इन्हें बन्दी न बनाया जाये अथवा न लूटा जाये तो इस बात को बहुत बड़ी कृपा समझा जाये, यदि उन्हें यह आदेश दे दिया जाये कि उन लोगों के पास हमारे छापा मार युद्ध के समय के सहायकों का जो माल असबाब हो वे उसे लौटा दें।''

वास्तव में यह ठीक ही प्रतीत होता था। हमने अपने आदमियों को आदेश दे दिया कि वे उनसे अपना माल असबाब ले लें। यद्यपि यह आदेश उचित तथा न्याय–युक्त था किन्तु मैं अब समझता हूं कि इसके देने में जल्दी की गई। जहांगीर सरीखी चिन्ता मेरे पास ही बैठी थी, ऐसी अवस्था में लोगों को भय भीत न करना चाहिये था। विजय एवं शासन की दृष्टि से यद्यपि बहुत सी बातें बाह्य रूप से ठीक एवं न्याय–युक्त ज्ञात होती थीं किन्तु उनके विषय में आदेश देने के पूर्व लाखों बार सोच विचार कर लेना उचित एवं आवश्यक होता है। केवल हमारे इस असावधानी में दिये गये आदेश के कारण, कितने कष्ट तथा कितने विद्रोह उठ खड़े हुये। अन्त में इसी बिना अधिक सोचे समझे आदेश के कारण हमें अन्दिजान से दूसरी बार निर्वासित होना पड़ा। इसके कारण मुग़ूल चिन्तित एवं भयभीत हो गये। वे रबातीक ऊरचीनी अर्थात् ईकी सू–आरासी होते हुये, ऊजकीन्त पहुंचे और एक आदमी तम्बल के पास भेजा।[2]

तम्बल का अन्दिजान पर आक्रमण

तम्बल जहांगीर मीर्जा को अपने साथ लेकर अन्दिजान के पूर्व में पहुंचा और दो मील दूर ऐश नामक पहाड़ी के समक्ष चरागाह में उतर पड़ा। एक दो–बार उसने अपनी सेना की पंक्तियां सुव्यवस्थित करके चेहल दुरुतरान से ऐश की ओर छापा मारा। हमारे सैनिक भी युद्ध के लिये तैयार होकर उद्यानों तथा आस पास के स्थान तक पहुंचे। वह आगे न बढ़ सका और पहाड़ी के दूसरी ओर लौट गया। इस दिशा में सर्व प्रथम पहुंचने के उपरान्त उसने मीरीम लाग़री तथा तूक़ा बेग, दो बेगों की हत्या करा दी। लगभग एक मास तक वह आस पास पड़ा रहा किन्तु कोई सफलता प्राप्त न कर सका।

---

[1] यहाँ मुगूलों की उन आदतों से तुलना की गई है जो उनमें इस्लाम स्वीकार करने के पूर्व थीं और जिनके कारण उन्होंने बाबर के सहायकों को कष्ट पहुँचाये।

[2] इसके बाद के कुछ वाक्यों का अनुवाद नहीं किया।

तदुपरान्त वह ऊश की ओर वापस चला गया। ऊश इबराहीम सारू को दे दिया गया था और उसके आदमी अब उसकी रक्षा कर रहे थे।

६०५ हि०

(८ अगस्त १४६६ ई० से २८ जुलाई १५०० ई०)

अहमद तम्बल मुगूल के विरुद्ध प्रस्थान

राजदूतों को शीघ्रातिशीघ्र प्रस्थान करने का आदेश दिया गया ताकि कुछ विलायतों के अश्वारोहियों तथा पदातियों को बुला लायें और कुछ लोग क़म्बर अली को तथा उन लोगों को, जो अपनी विलायतों में चले गये हैं, उन्हें बुला लायें। कुछ दूतों एवं अधिकारियों को, तोरे[1] फावड़े, कुठार तथा अन्य युद्ध–सामग्री और जो खाद्य सामग्री हमारे साथ थी, उन्हें एकत्र करने के लिये भेजा गया।

जैसे ही अश्वारोही तथा पदाती जो विभिन्न विलायतों से सेना का साथ देने के लिये बुलवाये गये थे और सैनिक एवं सेवक जो अपने कार्यों के लिये विभिन्न दिशाओं में छिन्न–भिन्न हो गये थे, एकत्र हो गये तो मैं ईश्वर पर भरोसा करके १८ मुहर्रम (२५ अगस्त) को हाफ़िज़ बेग के चार बाग़ में पहुंच गया और वहां अपना सामान ठीक करने के लिये कुछ दिन तक ठहरा रहा। तदुपरान्त हमने अपने दायें बायें, मध्य एवं अग्रभाग की पंक्तियों तथा अश्वारोहियों और पदातियों को सुव्यवस्थित किया और मैं अपने शत्रुओं के विरुद्ध सीधा ऊश की ओर चल दिया।

ऊश पहुंच कर समाचार प्राप्त हुये कि तम्बल उस क्षेत्र में ठहरने में असमर्थ होने के कारण उत्तर की ओर रबाते सरहंग चला गया है। उस रात्रि में हम लोग लात–कीन्त में ठहरे। दूसरे दिन जब हम ऊश से गुजर रहे थे तो समाचार प्राप्त हुये कि तम्बल के विषय में कहा जाता है कि वह अन्दिजान चला गया है। हम लोग ऊजकीन्त तक बढ़ गये और कुछ लोगों को उन भागों में छापा मारने के लिये पृथक कर दिया।[2] हमारे शत्रु अन्दिजान चले गये और रात्रि में किले की खाई में पहुंच गये किन्तु जब वे किले की चहार दीवारी पर सीढ़ियां लगा रहे थे तो किले वालों को सूचना मिल गई। वे कोई भी सफलता न प्राप्त कर सके और वापस चले गये। हमारे छापा मारने वाले भी ऊजकीन्त के चारों ओर छापा मार कर बिना कोई ऐसी वस्तु प्राप्त किये हुये जिससे उन्हें कष्ट के अनुकूल संतोष प्राप्त होता, लौट आये।....

---

[1] तोरों का बाबर के ग्रंथ में विभिन्न स्थानों पर उल्लेख हुआ है किन्तु किसी स्थान पर इनका कोई स्पष्ट उल्लेख नहीं हुआ है। कुछ विद्वानों के अनुसार तोरे लकड़ी के टुकड़ों को कीलों तथा जंजीरों से जकड़ कर तैयार किये जाते थे। वे एक प्रकार की ढाल का काम देते थे। उनके पीछे सैनिक आक्रमण हेतु अग्रसर होते थे।

[2] अन्दिजान से ऊश लगभग ३३ मील है। तम्बल जिस मार्ग पर था, वह बाबर के पूर्व में था।

खुसरो शाह द्वारा बाईसुंगर मीर्जा की हत्या

खुसरो शाह ने इस वर्ष बल्ख के विरुद्ध आक्रमण करना निश्चय करके बाईसुंगर मीर्जा को अपने साथ चलने के लिये बुलवाया। उसे वह अपने साथ कून्यूज़ ले गया और बल्ख की ओर चल दिया। जब वे उबाज घाट पर पहुंचे तो उस कृतघ्न काफ़िर ने बादशाह बनने के लोभ में..........मीर्जा की हत्या करा दी। १० मुहर्रम १७ अगस्त को उसने बादशाही के ऐसे अंकुर (सन्तान), इतने योग्य, इतने मधुर स्वभाव वाले तथा इतने उच्च वंश वाले की हत्या करा दी। उसने मीर्जा के कुछ बेगों तथा घर के सैनिकों को मरवा डाला।

बाईसुंगर मीर्जा का जन्म तथा वंश

उसका जन्म हिसार की विलायत में ८८२ हि० (१४४७ ई०) में हुआ था। वह सुल्तान महमूद मीर्जा का दूसरा पुत्र था और सुल्तान मसऊद मीर्जा से छोटा तथा सुल्तान अली मीर्जा, सुल्तान हुसेन मीर्जा तथा सुल्तान वैस मीर्जा से, जो खान मीर्जा के नाम से प्रसिद्ध था, बड़ा था। उसकी माता पाशा बेगम थी।. . . . .

उसका राज्य

उसके पिता सुल्तान महमूद मीर्जा ने उसे बुखारा प्रदान कर दिया था। जब सुल्तान महमूद मीर्जा की मृत्यु हो गई तो उसके बेगों ने एकत्र होकर परामर्श करके बाईसुंगर मीर्जा को समरकन्द का बादशाह बना दिया। कुछ समय तक बुखारा उसके समरकन्द के राज्य में सम्मिलित रहा किन्तु तरखानों के विद्रोह[1] में वह उसके हाथ से निकल गया। जब वह समरकन्द छोड़कर खुसरो शाह के पास चला गया तो मैंने समरकन्द पर अधिकार जमा लिया। खुसरो शाह ने हिसार पर अधिकार जमा कर उसे प्रदान कर दिया।[2]..

तम्बल की पराजय

.................जब हम साका ग्राम में जो खूबान[3] के पूर्व में दो मील पर है पहुंचे तो शत्रु सेना की पंक्तियां सुव्यवस्थित करके खूबान के बाहर निकला। हम लोग तेजी से अग्रसर हुये। युद्ध के समय हमारे पदाती जिनके लिये तोरों[4] की बड़े परिश्रम से व्यवस्था की गई थी बहुत पीछे रह गये थे। ईश्वर की कृपा से उनकी कोई आवश्यकता न पड़ी। उनके पहुंचने के पूर्व ही हमारी सेना की बाई पंक्ति ने उन लोगों की दायीं पंक्ति से युद्ध प्रारम्भ कर दिया था। युद्ध हमारी सेना के अग्र भाग तथा दायीं पंक्ति तक न पहुंच सका। हमारे आदमियों ने उनके बहुत से वीरों को गिरा दिया। हमने आदेश दिया कि सब के सिर काट डाले जायें। सावधानी एवं उत्तम सैन्य कला की दृष्टि से, हमारे बेगों में से क़ासिम बेग और विशेष रूप से अली दोस्त ने

---

[1] ९०१ हि. (१४९६ ई०) में।

[2] ९०३ हि० (१४९७ ई.) में।

[3] अन्दिजान के समीप लगभग १५ मील पर।

[4] देखिये पृ० ५२६।

अधिक दूर तक शत्रुओं का पीछा करना उचित न समझा। इस कारण उनके बहुत से आदमी हमारे हाथ न लगा सके। हम लोग खूबान ग्राम में ठहरे। यह मेरा प्रथम सुव्यवस्थित युद्ध था। परमेश्वर ने अपनी महान् कृपा से हमें विजय एवं सफलता प्रदान की। यह हमारे लिये बड़ा शुभ शकुन था।

दूसरे दिन मेरे पिता की माता, मेरी दादी शाह सुल्तान बेगम अन्दिजान से इस आशय से आई कि यदि जहांगीर मीर्जा बन्दी बना लिया गया हो तो उसे क्षमा करा दें।

बाबर का शीत ऋतु व्यतीत करने के लिये दोआब जाना

अब शीत ऋतु प्रारम्भ हो गई थी। खुले मैदान में कोई अनाज अथवा फल न रह गया था और तम्बल के विरुद्ध ऊजकीन्त की ओर प्रस्थान उचित न समझा गया अतः हम लोग अन्दिजान वापस चले आये। कुछ दिन उपरान्त परामर्श के बाद यह निश्चय हुआ कि हमारे शीत ऋतु में नगर में रहने से शत्रुओं को कोई हानि न पहुंचेगी अपितु वे धावे मार मार कर तथा छापा मार युद्ध से और भी शक्तिशाली बन जायेंगे। हमारे लिये भी यह आवश्यक था कि हम ऐसे स्थान पर शीत ऋतु व्यतीत करें जहां हमारे आदमी अनाज की कमी से शक्तिहीन न होने पायें और शत्रुओं को रोक कर परेशान कर सकें। इन कारणों से हमने अन्दिजान से रबातीक ऊरचीनी में जो दोआब के नाम से प्रसिद्ध है अरमियान तया नूशाब के समीप शीत ऋतु व्यतीत करना निश्चय किया। उपर्युक्त दोनों ग्रामों में पहुंचकर हमने शीत ऋतु में ठहरने के लिये स्थान निश्चित कराये।

बाबर के सैनिकों द्वारा तम्बल के सैनिकों पर छापे, कम्बर अली के आग्रह पर उसे अस्फरा तथा कन्दे बादाम चले जाने की अनुमति, बाबर का अन्य सैनिकों को भी जाने को अनुमति देना और स्वयं अन्दिजान वापस चला जाना, सुल्तान महमूद खां का तम्बल की सहायता हेतु मुगूलों को नियुक्त करना, कासिम उजब बाबर के अक्शो के हाकिम का बन्दी बनाया जाना, तम्बल का सुआरसी की ओर प्रस्थान, अहमद बेग तथा सुल्तानीम का कासान को घेर लेना, बाबर का उनके विरुद्ध प्रस्थान, उनका भागना, तम्बल का अग्रसर होना किन्तु अरखियान की ओर प्रस्थान, बाबर का उसका पीछा करना, कम्बर अली का असंतोष, बाबर का विशाखारान की ओर प्रस्थान, तम्बल और जहांगीर मीर्जा, तथा बाबर में संधि,[1] बाबर को अन्दिजान को वापसी, अली दोस्त बेग का बाबर के प्राचीन सहायकों के प्रति अत्याचार ।[2]

---

[1] सन्धि की यह शर्त रक्खी गई कि खुजन्द नदी के उस ओर का भाग जो अक्शी की तरफ है जहांगीर मीर्जा के अधीन रहे और अन्दिजान की ओर का मेरे अधीन रहे। ऊजकीन्त भी मुझे प्रदान कर दिया जाय। जब वे लोग अपने परिवार सहित वहाँ से हट जायं और जब हम अपने–अपने राज्य को सुव्यवस्थित कर लें तो मैं जहांगीर मीर्जा के साथ समरकन्द पर आक्रमण करू। जब मैं समरकन्द विजय कर लूँ और उस पर अधिकार जमा लूँ तो मैं अन्दिजान जहांगीर मीर्जा को दे दूं।

[2] इन अंशों का अनुवाद नहीं किया गया है।

बाबर का प्रथम विवाह

आयेशा सुल्तान बेगम से, जो सुल्तान अहमद मीर्जा की पुत्री थी, मेरी मंगनी मेरे पिता तथा चाचा ही के जीवन काल में हो गई थी। खुजन्द पहुंच कर शाबान (मार्च १५०० ई०) में मैंने उससे विवाह कर लिया। यह मेरे वैवाहिक जीवन का प्रथम अवसर था। यद्यपि मुझे उसके प्रति कुछ कम स्नेह न था, किन्तु लज्जा व सुशीलता के कारण मैं उसके पास १०, १५ अथवा २० दिन में एक बार जाता था। बाद में जब मेरा उसके प्रति प्रथम स्नेह भी समाप्त हो गया तो मेरी लज्जा भी बढ़ गई, यहां तक कि मेरी माता खानम मुझसे ज़बरदस्ती करतीं और मुझे डांट फटकार कर महीने अथवा ४० दिन में एक बार अपराधी के समान उसके पास भेजती थीं।

बाबुरी से प्रेम

इन दिनों शिविर के बाजार में बाबुरी नामक एक तरुण रहता था। उसके और मेरे नाम में एक विचित्र अनुरूपता थी। इससे पूर्व मेरी तबीयत किसी पर न आई थी और न किसी से प्रेम तथा इश्क की बातें सुनता था और न कहता था। इस अवसर पर मैंने फ़ारसी के कुछ शेरों की रचना की। उनमें से एक शेर यह है :–

शेर

''मेरे समान कोई आशिक़ खराब तथा अपमानित नहीं हुआ है,
कोई माशूक तेरे समान निष्ठुर एवं उपेक्षणीय नहीं हुआ है।''

यदि कभी संयोग से बाबुरी मेरे सामने आ जाता तो मैं लज्जा एवं मर्यादा के कारण बाबुरी की और सीधी दृष्टि भी न डाल सकता था। उससे मेल जोल तथा बात चीत तो बड़े दूर की बात रही। में उन्माद एवं झेंप में उसके आने पर उसे धन्यवाद भी न दे पाता था, तो उसके चले जाने की शिकायत ही किस प्रकार कर सकता था? मुझमें इतनी शक्ति भी तो न थी कि उसका उचित रूप से स्वागत ही कर लेता। एक दिन प्रेम के उन्माद में मैं अपने मित्रों के साथ एक गली में जा रहा था। अचानक मेरा और उसका सामना हो गया। झेंप एवं घबराहट में मेरी यह दशा हो गई कि मैं उससे आंख भी न मिला सका और न एक शब्द कह सका। झेंप तथा घबराहट में मैं मुहम्मद सालेह के इस शेर का स्मरण करता हुआ उसे छोड़कर चल दिया।

शेर

''जब मैं अपने माशूक को देखता हूं तो झेंप जाता हूं,
मेरे मित्र मेरी ओर देखते हैं और मैं दूसरे की ओर।''

ये शेर बड़े आश्चर्यजनक रूप से मेरे अनुरूप थे। इश्क एवं मुहब्बत के उत्साह एवं जवानी की मस्ती में नंगे सिर तथा नंगे पांव, गलियों, छोटे–छोटे और बड़े–बड़े बागों में मारा मारा फिरा करता था। न मैं मित्र की चिन्ता करता था और न शत्रु की, न अपने की और न पराये की।

शेर

''बिना मेरे ज्ञान के, मेरे भीतर से इच्छा निकल गई,
यही हाल होता है एक परी चेहरा माशूक का
न तो मेरा घूमना फिरना अपने वश में था और न उठना बैठना।''

शेर

''न तो मुझमें जाने की शक्ति थी और न ठहरने की ताक़त,
हे मेरे चित्त–चोर तूने मुझे जो बना दिया, मैं वही था।''

सुल्तान अली मीर्जा तथा तरखानियों में झगड़ा, मुहम्मद मजीद तरखान का समरकन्द से पलायन, खान मीर्जा का समरकन्द के विरुद्ध प्रस्थान, सुल्तान अली मीर्जा द्वारा पराजय। बाबर का समरकन्द बुलाया जाना, ऊश के हाथ से निकल जाने के समाचार सुनना, बाबर का अपनी यात्रा जारी रखना, कम्बर अली का तम्बल द्वारा बन्दी बनाया जाना और उसका भाग जाना।[1]

समरकन्द से सम्बंधित घटनायें

हमारे खान यूरती में पहुंचने के उपरान्त, समरकन्द के वेगों ने मुहम्मद मजीद तरखान की अधीनता में उपस्थित होकर मेरे प्रति अभिवादन किया। उनसे नगर पर अधिकार जमाने के विषय में वार्ता की गई। उन लोगों ने कहा, ''ख्वाजा यहया भी पादशाह के लिये इच्छुक है। उसकी सहायता से नगर पर सुगमतापूर्वक बिना युद्ध अथवा लड़े भिड़े अधिकार जमाया जा सकता है।'' ख्वाजा ने हमारे दूत को अन्तिम उत्तर न दिया कि उसने हमें नगर में बुलाना निश्चय कर लिया है। किन्तु उसने कोई ऐसी बात भी न कही जिससे हम निराश हो जाते।

खान यूरती से रवाना होकर हम लोग दरे ग़म की ओर रवाना हो गये। वहां से हमने अपने किताबदार[2] ख्वाजा मुहम्मद अली को ख्वाजा यहया के पास भेजा। उसने आकर हमें बताया कि हमारे पहुंचने पर नगर समर्पित कर दिया जायगा। तदनुसार हम लोग रात्रि में दरे ग़म से सीधे नगर की ओर बढ़ते चले गये किन्तु हमारी योजना सफल न हो सकी कारण कि सुल्तान मुहम्मद दूल्दाई के पिता सुल्तान महमूद ने, जो हमारे शिविर से भाग गया था, (सुल्तान अली के साथियों को) ऐसी सूचना दे दी जिसके फलस्वरूप वे लोग चौकन्ने हो गये। हम लोग दरे गम तट पर वापस चले गये।

जिस समय मैं यार ईलाक़ में था, मेरा एक विश्वासपात्र बेग, इबराहीम सारू जिसे अली दोस्त ने लूट कर निकाल दिया था मेरी सेवा में उपस्थित हुआ। उसके साथ मुहम्मद यूसुफ़, सैयिद यूसुफ़ (ऊग़लाक़ची) का पुत्र भी

---

[1] इस अंश का अनुवाद नहीं किया गया है।

[2] पुस्तकों की देख रेख करने वाला अधिकारी।

था। एक–एक दो–दो करके मेरे वंश के प्राचीन सेवक, बेग तथा कुछ घर के सेवक मेरे पास एकत्र होने लगे। सभी अली दोस्त के शत्रु थे। कुछ को उसने निकाल दिया था, कुछ को लूट लिया था और कुछ को बन्दी बना लिया था। वह भयभीत हो गया। इसका कारण यह था कि तम्बल की सहायता से उसने मुझे तथा मेरे हितैषियों को परेशान किया तथा कष्ट पहुंचाया था। मुझे उस नमक हराम से हार्दिक घृणा हो गई थी। लज्जा तथा भय के कारण वह हमारे साथ अधिक ठहर न सका। उसने जाने की अनुमति मांगी और मैंने प्रसन्नतापूर्वक आज्ञा दे दी। वह तथा उसका पुत्र मुहम्मद दोस्त मेरी अनुमति पाकर तम्बल के पास चले गये और विश्वासपात्र हो गये। पिता एवं पुत्र दोनों ही ने अत्यधिक षड्यंत्र रचा था। अली दोस्त कुछ वर्ष उपरान्त हाथ में नासूर के कारण मृत्यु को प्राप्त हो गया। मुहम्मद दोस्त ऊज़बेकों के पास चला गया। यह भी कुछ अधिक बुरा न था किन्तु वहां से भी नमकहरामी करके वह अन्दिजान की पहाड़ियों के आंचल में भाग गया। उसने वहां बड़ा विद्रोह तथा उपद्रव मचाया। अन्त में वह ऊज़बेकों के हाथ में पड़ गया और उन्होंने उसे अंधा बना दिया। इस लोकोक्ति ''नमक ने उसकी आंख ले ली'' का अर्थ उसके विषय में सत्य निकला।

हमारे वहां कुछ सप्ताह के निवास के उपरान्त यह समाचार प्राप्त हुये कि सुल्तान अली मीर्ज़ा ने समरकन्द शैबानी खां को दे दिया है। यह इस प्रकार हुआः–

मीर्जा की माता, जुहराबेगी आगा ने अपनी अज्ञानता एवं मूर्खता में शैबानी खां को गुप्त रूप से लिख दिया कि यदि वह उससे विवाह कर लेगा तो उसका पुत्र उसे समरकन्द समर्पित कर देगा। जब शैबानी खां (उसके पुत्र) के पिता के देश पर अधिकार जमा ले तो वह उसके पुत्र को कोई देश प्रदान कर दे। सैयिद यूसुफ़ को इस षड्यन्त्र का ज्ञान होगा। यह षड्यन्त्र उसी ने रचा होगा।

६०६ हि०

(२८ जुलाई १५०० से १७ जुलाई १५०१ ई०)

समरक़न्द ऊज़बेकों के हाथों में ।

जब उस स्त्री के वचनानुसार शैबानी खां समरकन्द पहुंचा तो वह मैदान के बाग़ में उतरा। मध्याह्न के समय, सुल्तान अली मीर्जा किसी से भी परामर्श लिये बिना अपने कुछ विश्वासपात्रों को, जिन्हें अधिक ज्ञान न था, अपने साथ लेकर चार मार्गों के फाटक से शैबानी खां के पास पहुंचा। खान ने उसका भली भांति स्वागत न किया। जब वे एक दूसरे से भेंट कर चुके तो खान ने उसे कम सम्मानित हाथ की ओर बैठाया।[1] ख्वाजा यहया, मीर्जा के प्रस्थान के विषय में सुनकर बड़ा परेशान हुआ किन्तु विवश होकर वह भी चला गया।[2] खान ने बिना खड़े हुये उसकी ओर देखा और ऐसे शब्द कहे जिनसे शिकायत टपकती थी किन्तु जब ख्वाजा जाने लगा तो शैबानी खां ने उठकर उसके प्रति सम्मान प्रदर्शित किया।

जैसे ही ख्वाजा अली बाय के पुत्र ने रबाते ख्वाजा में मीर्जा के शैबानी खां के पास जाने के विषय में सुना तो वह भी शैबानी खां के पास चला गया। जहां तक उस अभागिनी मूर्ख स्त्री का सम्बन्ध है उसने पति प्राप्त करने के लोभ में अपने पुत्र के घर–बार को नष्ट करा दिया किन्तु शैबानी खां ने उसकी कण भर भी चिन्ता न की अपितु उसे कनीज़ तथा रखेली स्त्री की भी श्रेणी प्रदान न की।

सुल्तान अली मीर्जा भी अपने किये पर व्याकुल और शैबानी खां के पास आने पर अत्यधिक लज्जित था। उसके विश्वासपात्रों ने जब यह देखा तो वे इस बात का प्रयत्न करने लगे कि वे उसे भगा ले जायें। सुल्तान अली मीर्जा राज़ी न हुआ। उसकी मौत आ चुकी थी। वह मुक्त न हो सका। वह तीमूर सुल्तान की (हवेली) में ठहरा हुआ था। तीन चार दिन उपरान्त किले के ऊलांग में उसकी हत्या करा दी गई।[3] इस पांच दिन के नश्वर जीवन के लिये वह कुख्याति के साथ मृत्यु को प्राप्त हुआ। एक स्त्री की बातों में आकर उसने अपने आप को नेकनामों के समूह से निकाल दिया। ऐसे व्यक्ति के कार्यों के विषय में इससे अधिक नहीं लिखा जा सकता। इन कुकृतियों के विषय में इससे अधिक नहीं सुना जा सकता।

---

[1] अपनी दाई ओर । 'हबीबुस्सियर' के अनुसार अली का भली भांति स्वागत किया गया।

[2] 'शैबानी नामा' के लेखक मुहम्मद सालेह मीर्जा के अनुसार उसने नगर की रक्षा का प्रयत्न किया। वह कहा करता था कि, ''ईश्वर करे बाबर मीर्जा आ जाता।''

[3] ''शैबानी नामा'' तथा 'नसरत नामा' (६०८ हि०) में अली की हत्या के अपराध को शैबाक खां पर से हटाने का प्रयत्न किया गया है। 'नसरत नामा' में लिखा है कि 'वह नशे में कोहिक नदी में डूब कर मर गया।

मीर्जा की हत्या के उपरान्त, शैबानी खां ने जान अली को उसके मीर्जा के पीछे भेजा। वह ख्वाजा यहया से भी शंकित था अतः उसने उसे तथा उसके दोनों पुत्रों ख्वाजा मुहम्मद जकरिया तथा ख्वाजा बाक़ी को खुरासान की ओर भेज दिया। उसने उनके पीछे कुछ ऊज़बेगों को लगा दिया जिन्होंने ख्वाजा कार्दज़ान के समीप ख्वाजा तथा उसके दोनों छोटे बालकों की हत्या कर दी। शैबानी खां कहा करता था कि, ''ख्वाजा की हत्या मैंने नहीं कराई। कम्बर बी एवं कुपुक बी ने उनकी हत्या की।'' यह तो उससे भी बुरा है जैसा कि मसल है पाप करके बहाना बनाना पाप से भी निंद्य होता है कारण कि यदि बेग लोग ऐसे कार्य अपने खान तथा बादशाह की सूचना के बिना करने लगे तो फिर खानी तथा बादशाही कहां रह जायेगी।

बाबर का केश से मूरा दर्रे को ओर प्रस्थान

क्योंकि ऊज़बेगों ने समरकन्द पर अधिकार जमा लिया था अतः हम लोग केश छोड़कर हिसार की ओर चल दिये। मुहम्मद मजीद तरखान तथा समरकन्द के बेग भी उसके साथ अपने परिवार एवं परिजनों सहित हमारे साथ रवाना हुये किन्तु जब हम चग़ानियान की चुल्तू नामक चरागाह में उतरे तो वे भी हमसे पृथक् होकर खुसरो शाह के पास चले गये और उसकी सेवा में प्रविष्ट हो गये।

हम अपने शहर तथा अपनी विलायत से वंचित हो चुके थे। हमें यह मालूम न था कि कहां जायें अथवा कहां ठहरें। यद्यपि खुसरो शाह ने हमारे वंश के ऊपर न जाने कितने अत्याचार किये थे फिर भी हमें विवश होकर उसकी विलायत से होकर गुजरना पड़ा।

हमारी एक योजना यह थी कि मैं अपने खान दादा अर्थात् अलचा खान के पास करातीगीन तथा अलाई होता हुआ चला जाऊं किन्तु इसकी व्यवस्था न हो सकी। दूसरी योजना यह थी कि हम काम जल धारा तथा सराताक़ दर्रे की ओर चले जायें। जब हम लोग नूनदाक के समीप थे तो खुसरो शाह का एक सेवक मेरे पास ६ घोड़े तथा ६ कपड़े के थान लाया।[1] जब हम लोग काम घाटी के मुंह पर उतरे तो शेर अली चुहरा, हमारे पास से भाग कर खुसरो शाह के भाई वली के पास तथा दूसरे दिन कूच बेग हमसे पृथक् होकर हिसार चला गया।[2]

हम घाटी में प्रविष्ट होकर उसके ऊपर की ओर बढ़ने लगे। उसके ढालू एवं सकरे मार्ग पर तथा उसके ऊबड़–खाबड़ एवं दुर्गम रास्ते की यात्रा के कारण बहुत से घोड़ों तथा ऊंटों को छोड़ देना पड़ा। सराताक़ दर्रे तक पहुंचने के पूर्व हमें तीन–चार रात्रि पड़ाव करने पड़े। यह बड़ा ही विचित्र दर्रा था। हमने ऐसा सकरा तथा ढालू दर्रा कभी न देखा था और न कभी ऐसी कठिन कन्दराओं तथा करारों की यात्रा की थी। उन खतरनाक सकरे

---

[1] तुक तथा मुगूल ६.६ के सेट में उपहार देते हैं ।

[2] उसका घर हिसार में रहा होगा।

मार्गों, अचानक उतारों, खतरनाक ऊंचाइयों, चाकू की धार के समान करारों की यात्रा बड़ी ही कठिनाई एवं अत्यधिक कष्ट भोग कर की गई। फ़ान पर्वत में एक बहुत बड़ी झील है जिसकी परिधि एक कुरोह शरई[1] है। यह बड़ी ही सुन्दर झील है और वैचित्र्य से शून्य नहीं है।

इसी बीच में समाचार प्राप्त हुये कि इबराहीम तरखान शीराज़ के किले को दृढ़ बना कर वहां आरूढ़ है। उसके अतिरिक्त कम्बर अली तथा अबुल क़ासिम कोहबर दोनों यार ईलाक़ पहुंच गये हैं और वहां के नीचे के किले को दृढ़ बना कर वहीं जमे हैं। अबुल कासिम कोहबर ख्वाजा दीदार में था। ऊजबेगों द्वारा समरकन्द पर अधिकार जमा लेने के उपरान्त वह वहां न ठहर सका था।

फ़ान को अपनी दाईं ओर छोड़ते हुये हम लोग केशतूद की ओर बढ़ गये । फ़ान का मलिक अपने सौजन्य, दान–पुण्य, सेवा एवं दया भाव के लिये प्रसिद्ध था। जिस समय सुल्तान हुसेन मीर्जा हिसार पहुच गया था, और सुल्तान मसऊद मीर्जा अपने छोटे भाई बाईसुंगर मीर्जा के पास फ़ान के मार्ग से समर कन्द की यात्रा के उद्देश्य से फ़ान पहुंचा तो उसने उसे ७० या ८० घोड़े उपहार स्वरूप भेंट किये। इसी प्रकार उसने अन्य लोगों की भी सेवा की थी। उसने मेरे पास एक साधारण सा घोड़ा भेजा और स्वयं मेरी सेवा में उपस्थित न हुआ। जो लोग अपने दान–पुण्य के लिये प्रसिद्ध थे, वे मेरे प्रति व्यवहार के समय कृपण तथा जो लोग सौजन्य के लिये प्रसिद्ध थे, वे धृष्ट हो जाते थे। खुसरो शाह अपने दान–पुण्य तथा दया भाव के लिये प्रसिद्ध था। बदी उपज्ज़मान मीर्जा की उसने कितनी अधिक सेवायें की, बाकी तरखान तथा अन्य बेगों के प्रति उसने अत्यधिक सौजन्य प्रदर्शित किया। मैं उसके राज्य से दो बार[2] होकर गुजरा। उसने जितनी कृपा–दृष्टि मेरे बेगों के प्रति प्रदर्शित की थी उसकी तो चर्चा ही नहीं अपितु उसने मेरे साधारण से साधारण सेवक के साथ जो सौजन्य प्रदर्शित किया था वह भी उसने मेरे साथ प्रदर्शित न किया। वास्तव में उसने हमारे प्रति उससे भी कम सौजन्य प्रदर्शित किया।

शेर

"हे, मेरे दिल, किसने कोई सौजन्य देखा है सांसारिक व्यक्तियों से,
उससे सौजन्य की आशा ही मत करो जिसमें सौजन्य नहीं।"

इस विचार से कि ऊजबेग लोग केशतूद में हैं, हम लोग फ़ान से होते हुये उधर की ओर रवाना हुये। केशतूद के विषय में यह समझा जाता था कि वह नष्ट हो गया होगा और कोई भी उसमें न होगा। हम कोहिक नदी के तट पर पहुंचे और वहां उतर पड़े। उस स्थान से हमने थोड़े से बेगों को

---

[1] २ मील।

[2] दूसरा अवसर उस समय था जब बाबर ने मुख से काबुल की ६१० हि० (१५०४.५ ई.) में यात्रा की थी।

क़ासिम कूचीन के अधीन रबाते ख्वाजा पर अचानक धावा करने के लिये भेजा। उसके उपरान्त हमने यारी के समक्ष एक पुल द्वारा नदी पार की और यारी होते हुये शुंकार खाने की पर्वतीय श्रेणियों से यार इलाक़ पहुंचे। हमारे बेग लोग रबाते ख्वाजा पहुंच गये। वे सीढ़ियां लगा चुके थे कि किले के भीतर वालों को पता चल गया और उन्होंने उन्हें पीछे हट जाने पर विवश कर दिया। किला न ले सकने के कारण वे हमारे पास वापस आ गये।

बाबर का समरकन्द पर पुनः आक्रमण

कम्बर अली अब भी संगजार पर अधिकार जमाये हुये था। उसने आकर मुझसे भेंट की। अबुल क़ासिम कोहबर तथा इबराहीम तरखान ने हमारी सेवा हेतु योग्य आदमियों को भेज कर निष्ठा एवं सेवा भाव प्रदर्शित किया। हम लोग अस्फ़ीदिक पहुंचे जो यार ईलाक़ के अधीनस्थ एक ग्राम है। उस समय शैबाक़ खां ख्वाजा दीदार के समीप ३–४,००० ऊज़बेगों तथा उन सैनिकों सहित जो उस स्थान से एकत्र हो सकते थे, पड़ाव किये हुये था। उसने समरकन्द का राज्य जान वफ़ा को प्रदान कर दिया था। जान वफ़ा उस समय किले में ५०० या ६०० आदमियों सहित था। हमजा सुल्तान तथा मंहदी सुल्तान कुएल के समीप के एक किले में पड़ाव किये हुये था। हमारे आदमियों की संख्या जिसमें अच्छे बुरे सभी सम्मिलित थे २४० थी।

हमने अपने समस्त बेगों और अन्य अधिकारियों से विचार विनिमय के उपरान्त यह निश्चय किया कि क्योंकि शैबानी खां ने समरकन्द पर हाल ही में अधिकार जमाया है अतः समरकन्द निवासियों का न तो उसके प्रति कोई स्नेह होगा और न उसका स्नेह वहां के निवासियों के प्रति हुआ होगा। यदि कुछ किया जा सकता है तो वह इसी समय। यदि समरकन्द निवासी हमें कोई सहायता न भी देंगे तो वे ऊजबेगों की ओर से हमसे युद्ध भी न करेंगे। यदि एक बार समरकन्द हमारे हाथ में आ जाये तो फिर जो कुछ होना है वह होगा।

यह निश्चय करके हम लोग यार ईलाक से मध्याह्नोत्तर की नमाज के उपरान्त रवाना हो गये। वहां से प्रस्थान करके अंधेरे में आधी रात की यात्रा के उपरान्त खान यूरती पहुंचे। यहां हमें सूचना प्राप्त हुई कि समरकन्द के सैनिक हमारे आगमन से अवगत हैं। इस कारण हम लोग नगर के समीप न गये अपितु खान यूरती से वापस हो गये और सुबह होते होते कोहिक नदी रबाते ख्वाजा के नीचे पार करके हम लोग एक बार पुनः यार ईलाक पहुंच गये।

एक दिन अस्फीदिक में हमारे घर के सैनिकों का एक दल मेरी सेवा में बैठा था। उनमें दोस्ते नासिर, नुयान कूकूल्दाश, खान कुली करीम दाद, शेख दरवेश, मीरीमे नासिर सभी वहां थे। नान प्रकार के विषयों पर वार्ता हो रही थी। मैंने कहा, "बताओ, ईश्वर की कृपा से हम समरकन्द पर अधिकार जमा सकेंगे?" किसी ने कहा, "हम गरमियों में उस पर अधिकार कर लेंगे–वह शरद् काल का अन्त था।" कुछ लोगों ने कहा, "एक मास में" कुछ ने कहा,

"४० दिन, "कुछ ने कहा, "२० दिन।" नुयान कूकूल्दाश ने कहा, "हम १४ दिन में अधिकार जमा लेंगे।" ईश्वर ने उसकी बात सच कर दी। हमने समरकन्द पर ठीक १४ दिन में अधिकार जमा लिया।

उन्हीं दिनों में मैंने एक आश्चर्यजनक स्वप्न देखा। मैंने देखा कि मानो हजरत ख्वाजा उबैदुल्लाह (एहरार) आ रहे हैं। मैं उनके स्वागतार्थ बढ़ा। ख्वाजा मेरे पास आकर बैठ गये। लोगों ने उनके समक्ष दस्तरख्वान बिछाया। सम्भवतः सफ़ाई की ओर उचित ध्यान न दिया गया था। इससे हजरत ख्वाजा कुछ खिन्न दृष्टिगत हुये। मुल्ला बाबा ने यह देख कर मेरी ओर संकेत किया। मैंने भी संकेत में उत्तर दिया कि "यह दस्तरख्वान बिछाने वाले की भूल है।" ख्वाजा समझ गये और उन्होंने मेरी बात स्वीकार कर ली। जब वे उठ खड़े हुए तो मैं उन्हें पहुंचाने गया। उस घर के बड़े कमरे में मुझे ऐसा प्रतीत हुआ कि उन्होंने मेरा दायां अथवा बायां बाजू पकड़ कर उठाया, यहां तक कि मेरा एक पांव धरती से उठ गया। उन्होंने मुझसे तुर्की में कहा, ''शेख मसलहत''[1] ने समरकन्द प्रदान कर दिया है।" मैंने वास्तव में इसके कुछ दिन उपरान्त समरकन्द पर अधिकार जमा लिया।

बाबर का समरकन्द पर अचानक अधिकार जमाना

इस स्वप्न के दो–तीन दिन उपरान्त हम अस्फीदिक से वशमन्द के किले में चले गये। यद्यपि इससे पूर्व एक बार मैं समरकन्द पर अचानक अधिकार जमाने के उद्देश्य से उसके बहुत निकट पहुंच गया था, किन्तु किले के सैनिकों के सावधान हो जाने के कारण हमें वापस आजाना पड़ा था किन्तु फिर भी ईश्वर पर भरोसा करके हम एक बार पुनः मध्याह्नोत्तर की नमाज के उपरान्त वशमन्द के किले से इस उद्देश्य से रवाना हो गये। आधी रात में हम ख्याबान के मग़ाक नामक पुल पर पहुंच गये। वहां से हमने ७०–८० वीरों के दल को इस आशय से भेजा कि वे गारे आशिकां के सामने किले की दीवार पर सीढ़ियां लगाकर किले के भीतर उतर जायें और तत्काल फ़ीरोज़ा द्वार पर पहुंच कर वहां अधिकार जमा लें और मेरे पास एक आदमी को भेज दें। इन वीरों ने पहुंच कर गारे आशिकां के समक्ष किले की दीवार पर सीढ़ियां लगा दी और किले में प्रविष्ट होते ही बिना किसी के सावधान हुये द्वार पर पहुंच गये। फ़ाज़िल तरखान पर आक्रमण करके उसकी तथा उसके सैनिकों की हत्या कर दी। कुठार से ताला तोड़ डाला और फाटक खोल दिया। मैं वहां पहुंच कर किले में प्रविष्ट हो गया।

फ़ाज़िल तरखान (समरकन्द) के तरखानियों में से न था। वह तुर्किस्तान का एक व्यापारी तरखान था। वह तुर्किस्तान में शबानी खां की सेवा में था और शबानी खां का विश्वास–पात्र था।

अबुल कासिम कोहबर हमारे साथ स्वयं न आया था अपितु अपने ३०–४० परिजन अपने अनुज अहमद कासिम के अधीन भेज दिये थे।

---

[1] शेख मसलहत का मकबरा खुजन्द में है। बाबर ने ६०३ हि० (१४६७–६८ ई०) में यहां शरण ली थी। तीमूर ने भी ७६० हि० (१३६० ई०) में इसका तबाफ किया था।

इबराहीम तरखान का कोई आदमी हमारे साथ न था। उसका छोटा भाई अहमद तरखान मेरे नगर में प्रविष्ट होने तथा खानकाह में स्थान ग्रहण करने के उपरान्त कुछ परिजनों के साथ उपस्थित हुआ।

शहर वाले अब भी सो रहे थे। कुछ दूकानदारों ने अपनी दूकानों से झांक कर हमें देखा। और मेरे लिये शुभकामनायें करने लगे। जब कुछ देर उपरान्त यह समाचार शहर में प्रसारित हुये तो वे हर्ष उल्लास एवं प्रसन्नता का प्रदर्शन करने लगे। उन लोगों ने गली–कूचों में पागल कुत्तों के समान ऊज़बेगों की हत्या करनी प्रारम्भ कर दी। ४००–५०० इस प्रकार मार डाले गये। जान वफ़ा, जो ऊजबेगों की ओर से हाकिम था, ख्वाजा यहया के घर में निवास कर रहा था। वह भाग कर शैबाक खां के पास चला गया।

फ़ीरोज़ा द्वार में प्रविष्ट होकर मैंने सीधे मदरसे की ओर वहां पहुंच कर खानकाह के ताक में स्थान ग्रहण किया। दिन निकलने तक मारो–मारो का शोर होता रहा। कुछ प्रतिष्ठित लोगों एवं दूकानदारों को जब इन बातों का पता लगा तो वे प्रसन्नतापूर्वक मुझसे भेंट करने आये और जो भोजन उनके पास उपस्थित था उसे वे मेरे लिये लाये और मेरे लिये शुभकामनायें करने लगे। दिन निकलने के समय हमें पता चला कि ऊज़बेग लोग लोहे के फाटक पर, बाहरी तथा भीतरी फाटक को दृढ़ बनाये युद्ध कर रहे हैं। १०–१५–२० आदमियों को लेकर मैं तत्काल फाटक की ओर लपका किन्तु मेरे पहुंचने के पूर्व सर्व साधारण, जो शहर के कोने कोने में लूट मार कर रहे थे, ने ऊजबेगों को वहां से भगा दिया था। शैवाक खां को जब इस बात की सूचना मिली तो वह दिन निकलने पर १००–१५० आदमियों को लेकर लोहे के फाटक की ओर बढ़ा। संयोग से वह बड़े विचित्र समय पर पहुंचा किन्तु जैसा कि उल्लेख हो चुका है मेरे आदमियों की संख्या बड़ी कम थी। यह देखकर कि उसे कोई सफलता प्राप्त नहीं हो सकती, वह तत्काल वापस चला गया। लोहे–के फाटक से मैं भीतरी किले में पहुंचा और वहां बूस्तान महल में उतर पड़ा। शहर के प्रतिष्ठित एवं सम्मानित व्यक्ति तथा उच्च श्रेणी के लोग मुझसे भेंट करके मुझे बधाई देने लगे।

समरक़न्द १४० वर्ष से हमारे वंश की राजधानी रह चुका था। ऊज़बेग सरीखे शत्रु ने इसपर अपना अधिकार जमा लिया था और वह मेरे हाथ से निकल गया था। यद्यपि वह लुट चुका था और नष्ट–भ्रष्ट हो चुका था किन्तु ईश्वर की कृपा से हमारा राज्य हमें वापस मिल गया।

सुल्तान मीर्जा ने हिरात[1] पर उसी प्रकार अचानक आक्रमण करके अधिकार जमा लिया था जिस प्रकार हमने किन्तु न्यायकारी, अनुभवी एवं समझदार लोग भली भांति समझ सकते हैं कि मेरी विजय तथा उसकी विजय में बड़ा अन्तर है।।

१. वह कई वर्ष से राज्य कर रहा था और बड़ा अनुभवी था।

---

[1] ८७५ हि० (१४७० ई०) में। हुसेन की उस समय अवस्था ३२ वर्ष की थी।

२.उसका विरोधी यादगार मुहम्मद नासिर मीर्जा था जो १७–१८ वर्ष का अनुभव–शून्य बालक था।

३. यादगार मीर्जा के एक विश्वासपात्र मीर अली ने एक व्यक्ति को, जो पूर्ण स्थिति से परिचित था, सुल्तान हुसेन मीर्जा के पास अचानक धावा करने के लिये आमंत्रित करने को भेजा था।

४. उसके शत्रु किले में न थे अपितु बागे रागान में थे। इसके अतिरिक्त यादगार मुहम्मद नासिर मीर्जा तथा उसके सहायक इतना अधिक नशे में चूर थे कि केवल तीन ही आदमी फाटक पर थे और वे भी बद–मस्त थे।

५. उसने एक बार ही में उन लोगों को असावधान पाकर समरकन्द पर अधिकार जमा लिया। इसके विपरीत जब मैंने समरकन्द पर अधिकार जमाया तो

अ. मेरी अवस्था १६ वर्ष की थी।

ब. मेरा शत्रु शैबाक़ खां बड़ा ही अनुभवी तथा कार्य कुशल और अधिक अवस्था का था।

स. मेरे पास समरकन्द से कोई भी नहीं आया यद्यपि यहां वाले हृदय से मुझे चाहते थे। कोई भी शैबाक खां के भय के कारण आने के विषय में सोच भी न सकता था।

द. मेरे शत्रु किले में थे। केवल किले पर ही नहीं अधिकार जमाया गया अपितु शत्रु को भी भगा दिया गया।

क. मैं एक बार इससे पूर्व भी वहां पहुंच चुका था अतः मेरे शत्रु मेरे विषय में चौकन्ने हो गये थे। दूसरी बार हमारे पहुंचने पर ईश्वर ने सब क़ुछ ठीक कर दिया। समरकन्द विजय हो गया।

इन बातों के कहने का उद्देश्य यह नहीं है कि मैं किसी की प्रसिद्धि को घटाना चाहता हूं अपितु जो तथ्य था वह लिख दिया गया। इस लिखने का उद्देश्य यह नहीं कि मैं अपनी बड़ाई करना चाहता हूं अपितु केवल जो सत्य बात थी वह लिख दी गई।

कवियों ने इस विजय की तारीख के विषय में कविताओं की रचनायें की। एक तारीख मुझे याद रह गई है :– बुद्धि ने उत्तर दिया, ''जान ले यह तारीख बाबर बहादुर के विजय की तारीख है।''

समरकन्द की विजय के उपरान्त, शादवार, सुग़द तथा आस पास के तूमान एवं किले एक–एक करके मुझे प्राप्त होने लगे। कुछ किलों से ऊजबेग हाकिम भय के कारण भाग गये; कुछ किलों में से उनके निवासियों ने उन्हें निकाल दिया और मेरे पास चले आये। कुछ किलों में ऊजवेग हाकिम बन्दी बना लिये गये और हमारी ओर से किले की रक्षा करते रहे।

उसी समय शैबाक़ खां के परिवार वाले, उसकी पत्नियां एवं उसके ऊजबेग तुर्किस्तान से आ गये। उन्होंने ख्वाजा दीदार तथा अलीआबाद के समीप पड़ाव किया किन्तु जब उसे ज्ञात हो गया कि किला हमें प्राप्त हो गया और किले वाले हमारे सहायक बन गये हैं तो वह बुखारा वापस चला

गया। ईश्वर की कृपा से सुग़द एवं मियान काल के समस्त क़िले तीन–चार मास में मुझे प्राप्त हो गये। इसके अतिरिक्त बाकी तरखान ने इस अवसर से लाभ उठाकर करशी, खुजार तथा करशी[1] पर अधिकार जमा लिया और दोनों ऊज़्बेगों के हाथ से निकल गये। अबुल मुहसिन मीर्जा[2] के आदमियों ने मर्व से आकर कराकूल पर अधिकार जमा लिया। मेरे कार्य भली–भांति सम्पन्न हो रहे थे।

बाबर की पुत्री का जन्म

(पिछले वर्ष) हमारे अन्दिजान से प्रस्थान के उपरान्त मेरी मातायें, मेरी पत्नियां तथा अन्य संबंधी सैकड़ों कठिनाइयां एवं कष्ट भोगते हुये औरातीपा पहुंचे। अब हमने उन्हें समरकन्द बुलवाया। उनके आने के थोड़े दिन बाद आयेशा सुल्तान द्वारा, जो मेरी पहली पत्नी तथा सुल्तान अहमद मीर्जा की पुत्री थी, मेरे एक पुत्री का जन्म हुआ। उसका नाम फखुत्रिसा रक्खा गया। वह मेरी प्रथम संतान थी। उस समय मेरी अवस्था १६ वर्ष की थी। एक मास अथवा ४० दिन में उसकी मृत्यु हो

बाबर समरकन्द में

समरकन्द पर अधिकार जमा लेने के उपरान्त दूतों एवं समाचार वाहकों को खानों, सुल्तानों तथा बेगों के पास प्रत्येक दिशा में सहायता प्रदान करने के विषय में आग्रह करने के लिये भेजा गया। कुछ लोगों ने, यद्यपि वे अनुभवी थे, बड़ी मूर्खता से मना कर दिया। कुछ लोग, जिनके सम्बन्ध हमारे वंश से अच्छे एवं संतोषजनक न थे, अपने विषय में चिन्तित थे अतः वे मौन रहे। कुछ लोगों ने यद्यपि सहायता भेजी किन्तु वह अपर्याप्त थी। इनमें से प्रत्येक के विषय में उचित स्थान पर उल्लेख किया जायेगा।

जब मैंने समरकन्द को दूसरी बार विजय किया तो अली शेर[3] बेग जीवित था। हमने उससे पत्र–व्यवहार किया। उसके नाम जो पत्र मेरी ओर से लिखा गया उसके पीछे मैंने अपना एक तुर्की शेर लिख दिया। उसका उत्तर आने के पूर्व अशान्ति एवं झगड़ा प्रारम्भ हो गया था।[4] मुल्ला बीनाई को, जब शैबाक खां ने समरकन्द विजय कर लिया था तो उसके समक्ष प्रस्तुत किया गया था। वह उसके साथ कुछ दिन तक रहा। जब मैंने शहर पर अधिकार जमा लिया तो वह मेरी सेवा में उपस्थित हुआ। क़ासिम बेग को उसके प्रति संदेह था अतः उसने उसे शहरे सब्ज की ओर भिजवा दिया किन्तु उसके योग्य तथा निरपराध होने के कारण उसे वापस बुलवा लिया।

---

[1] सम्भवतः केश, किन्तु बाद में केवल दो ही स्थानों का नाम लिखा गया है अतः इस स्थान को बाबर काटना भूल गया होगा।

[2] अबुल मुहसिन मीर्जा बाईकरा।

[3] अली शेर की मृत्यु ३ जनवरी १५०१ ई० में हुई।

[4] यह बात स्पष्ट नहीं कि किस भगड़े तथा अशान्ति की ओर संकेत है कारण कि २० अप्रैल १५०२ ई० तक इस प्रकार की कोई बात पैदा न हुई थी। सम्भवतः अली शेर बेग तथा मुल्ला बीनाई के झगड़ों की ओर संकेत है।

वह सर्वदा मेरी सेवा में कसीदा[1] तथा ग़ज़लें लाया करता था। वह नवा की प्रथानुसार मेरे नाम पर एक गीत बना कर लाया और एक रुबाई की भी रचना करके लाया।

रुबाई

"कोई ग़ल्ला मेरे पास नहीं जिसे मैं खा सकू,
न तो कोई "मल्ला" है जिसे पहिन सकू।
जिस आदमी के पास भोजन तथा वस्त्र न हो,
वह अपनी योग्यता एवं विद्वता किस प्रकार प्रदर्शित कर सकता है?"

उन दिनों में मैं जी बहलाने के लिये एक दो शेर की रचना कर लेता था किन्तु मैं ग़ज़ल न पूरी कर सका था। मुल्ला बीनाई के उत्तर में मैंने इस साधारण सी रुबाई की रचना को और उसके पास भेज दी:

रुबाई

"जो तुम्हारी हार्दिक इच्छा है, वही होगा,
उपहार तथा वृत्ति दोनों के लिये आदेश हो जायेगा।
तुमने जो 'गल्ला' तथा 'मल्ला' का उल्लेख किया है, उसे मैं समझता हूं
तुम्हारे शरीर पर वस्त्र ही वस्त्र हो जायेंगे और घर में भोजन ही भोजन।"

मुल्ला बीनाई ने एक अन्य रुबाई की रचना करके मेरे पास भेजा। उसने इसमें मेरी बहर[2] का अनुसरण किया किन्तु अपनी रदीफ़[3] का प्रयोग करके इसे दूसरी बहर में कर दिया :–

रुबाई

"मेरा मीर्जा, जमीन तथा समुद्र का स्वामी होगा,
वह अपनी योग्यता के लिये संसार में प्रसिद्ध हो जायेगा।
यदि एक बिना अर्थ के शब्द का इनाम यह है,
तो फिर यदि मैं समझ बूझ कर कहता तो पता नहीं क्या मिलता।"

अबुल बरका ने जिसका तखल्लुस[4] फ़िराक़ी' था और जो उसी समय शहरे सब्ज़ से समरकन्द आया था कहा कि बीनाई को उसी बहर में इस प्रकार कहना चाहिये था:

---

[1] वह कविता जिसमें किसी की प्रशंसा हो।
[2] शेर का वजन, वृत्त।
[3] गजल में काफिये के बाद में आने वाला शब्द अथवा शब्द–समूह।
[4] कवि का वह नाम जिसे वह अपनी कविता में लिखता है: उपनाम ।

रुबाई

"आकाश जो अत्याचार करता है उसके विषय में पूंछ–तांछ की जायेगी,
यह दानी सुल्तान उस की कुकृतियों का न्याय कर देगा।
हे साक़ी! यदि तूने अभी तक मेरा प्याला लबालब नहीं भरा है,
तो अब इस बार वह लबालब भर जायेगा।"

इस शीत ऋतु में मुझे अत्यधिक सफलता प्राप्त रही और शेबाक़ खां के कार्य पतनशील रहे। केवल दो एक दुर्घटनायें घटीं।

१.मर्व के आदमी, जिन्होंने कराकूल पर अधिकार जमा लिया था, वहां न ठहर सके और वह पुनः ऊज़बेगों के अधिकार में आ गया।

२. शैबाक खां ने इबराहीम तरखान के छोटे भाई अहमद को दबूसी में घेर लिया और उस स्थान पर अधिकार जमा कर वहां के निवासियों का सेना के एकत्र होकर पहुंचने के पूर्व क़त्ले आम करा दिया।

समरकन्द की विजय के समय मेरे साथ कुल २४० आदमी थे। बाद के ५–६ मास में ईश्वर की कृपा से हमारी सेना की संख्या इतनी बढ़ गई कि हम लोग शैबाक़ खां सरीखे शत्रु से खुले मैदान में युद्ध कर सके जो लोग हमारे आस पास थे, उन्होंने हमें निम्नांकित सहायता भेजी :–

खान के पास से ४०००–५००० आदमी, अयूब बेगचीक तथा करका महमूद आये। जहांगीर मीर्जा की ओर से खलील तम्बल का छोटा भाई १००–२०० आदमियों सहित आया। सुल्तान हुसेन मीर्जा सरीखे अनुभवी बादशाह के पास से जिसे शैबाक़ खां की योजनाओं का पूर्ण ज्ञान था कोई भी न आया। बदी उज्ज़मान मीर्जा के पास से भी कोई न आया। खुसरो शाह जिसने हमारे वंश को इतनी हानि पहुंचाई थी, शैबाक़ खां की अपेक्षा हमसे अधिक डरता था।

बाबर का शैबाक़ खाँ के विरुद्ध प्रस्थान

शव्वाल मास[1] में, मैं समरकन्द से शैबाक खां के विरुद्ध युद्ध करने की इच्छा से निकला और बागे नव में ५–६ दिन तक सेना एकत्र करने एवं युद्ध की सामग्री जमा करने के लिये ठहरा रहा। हमने खाईं एवं वृक्षों की डालों से अपने शिविर की रक्षा कर ली। नव रोज़ बाग़ से एक पड़ाव के बाद दूसरा पड़ाव पार करते हुए हम सरे पुल की ओर बढ़े और वहां पड़ाव कर दिया। शैबाक़ खां दूसरी दिशा से अग्रसर हुआ और ख्वाजा कादंजन में लगभग एक यीगाच[2] की दूरी पर उतर पड़ा। हम लोग वहां ३–४ दिन पड़ाव किये रहे। रोज़ाना हमारे आदमी हमारी ओर से और उसके आदमी अपनी दिशा से अग्रसर होते और आपस में झड़प होती थी। एक दिन वे बड़ी अधिक संख्या में आये और घोर युद्ध हुआ किन्तु किसी को भी विजय न प्राप्त हुई। उस

---

[1] शव्वाल मास २० अप्रैल १५०१ ई० से प्रारम्भ हुआ।

[2] लगभग ५ मील।

युद्ध से हमारा एक आदमी खाई को बड़े शीघ्र ही वापस हो गया। उसके पास पताका थी। कुछ लोगों का मत है कि वह सैयिदी करा बेग की पताका थी। वह वास्तव में बातें करने में पक्का किन्तु तलवार चलाने में कच्चा था। शैबाक खां ने हमारे ऊपर एक रात्रि में छापा मारा किन्तु शिविर के चारों ओर खाई एवं शाखाओं के कारण वह कोई सफलता प्राप्त न कर सका।

होने वाले युद्ध के लिये मैंने अत्यधिक परिश्रम किया और हर प्रकार की सावधानी पर ध्यान रक्खा। क़म्बर अली ने भी अत्यधिक प्रयत्न किया। केश में बाकी तरखान १०००–२००० आदमियों को लिये दो–चार दिन में हमारे पास पहुंच जाने के उद्देश्य से पड़ाव किये हुये था। दियूल में ४ यीगाच दूर सैयिद मुहम्मद मीर्ज़ा दूग़लात था जो मेरे खान दादा के पास से १०००–२००० आदमी लाया था। वह भी प्रातःकाल हमारे पास पहुंच जाता। इस स्थिति के कारण हमने युद्ध करने में जल्दी की।

शेर

''जो जल्दी में अपना हाथ तलवार की ओर बढ़ाता है,
उसे पश्चाताप के कारण अपने हाथ को दांतों से चबाना पड़ता है।''[1]

युद्ध के लिये मेरे इतना इच्छुक होने का कारण यह था कि युद्ध के दिन ८ सितारे दोनों सेनाओं के मध्य में थे। यदि उस दिन युद्ध न होता तो वे १३ या १४ दिन तक शत्रु के पीछे रहते। मैं अब समझ गया हूं कि इन बातों का कोई मूल्य नहीं और हमारी जल्दी निराधार थी।

क्योंकि हम युद्ध करना चाहते थे अतः हम अपने शिविर से प्रातःकाल रवाना हो गये। हग कवच धारण किये थे। हमारे घोड़ों पर लोहे की झूल इत्यादि पड़ी थी। सेना को दायें, बायें, मध्य एवं अग्र भाग में विभाजित करके पंक्तियां ठीक कर दी गई थीं। हमारी सेना के दायें भाग में इबराहीम सारू, इबराहीम जानी, अबुल क़ासिम कोहबर, तथा अन्य बेग थे। हमारी सेना के बायें भाग में मुहम्मद मजीद तरखान, इबराहीम तरखान, तथा अन्य समरक़न्दी बेग, और सुल्तान हुसेन अरगून, करा बरलास, पीर अहमद तथा ख्वाजा हुसेन थे। क़ासिम बेग मेरे साथ मध्य भाग में था तथा मेरे कई विश्वासपात्र एवं घर के सैनिक मेरे साथ थे। अग्र भाग में क़म्बर अली सलाख, बन्दे अली, ख्वाजा अली, मीर शाह कूचीन सैयिद कासिम ईशक आका, बन्दे अली का छोटा भाई खलदार और हैदर कासिम का पुत्र कूच थे। उनके साथ अन्य उत्तम वीर तथा घर के सैनिक भी थे।

इस प्रकार पंक्तियां सुव्यवस्थित करके हम अपने शिविर से अग्रसर हुये। सेना वाले भी अपनी पंक्तियां सुव्यवस्थित करके अपनी ओर से आगे बढ़े। उसकी सेना का दायां भाग महमूद, जानी तथा तीमूर सुल्तान के और बायां

---

[1] शेख सादी की 'बोस्तां' से उधृत।

भाग हमज़ा, मंहदी, तथा कुछ अन्य सुल्तानों के अधीन था। जब हमारी सेनायें एक दूसरे के सामने आईं तो उसने अपनी सेना के दायें भाग को चक्कर लगवा कर हमारे पीछे पहुंचा दिया। मुझे भी अपनी सेना की व्यवस्था में परिवर्तन करना पड़ा। इसके कारण सेना का अग्र भाग जिसमें अनुभवी एवं बहुत बड़े–बड़े सैनिक थे, दायें भाग की ओर हो गया और हमारे अग्र भाग की रक्षा के लिये मुश्किल से ही कोई रह गया। इसके बावजूद जिन लोगों ने सामने से आक्रमण किया हमने उनका मुकाबला किया और उन्हें उनके मध्य भाग की ओर पीछे ढकेल दिया। हम लोगों ने इतनी अधिक सफलता प्राप्त कर ली कि शैबाक़ खां के अनुभवी सरदार यह राय देने लगे कि, ''हमें चल देना चाहिये। अब ठहरने का समय नहीं रहा।'' किन्तु वह दृढ़ रहा। शत्रु की सेना का दायां भाग इस बीच में मेरी सेना के बायें भाग को बुरी तरह पराजित करके मेरी सेना के पीछे के भाग पर बुरी तरह आक्रमण करने लगा। जैसा कि कहा जा चुका है, हमारी सेना का अग्र भाग, कारण कि वे दायें भाग में पहुंच गये थे, खाली रह गया था। शत्रुओं ने हमारे ऊपर सामने एवं पीछे से आक्रमण प्रारम्भ कर दिया और हमारे ऊपर बाणों की वर्षा करते रहे। अयूब बेगचीक की मुगूल सेना हमारी सहायतार्थ पहुंची किन्तु वह युद्ध के काम की न थी। उसने हमारे ही आदमियों को घोड़ों से गिराना तथा लूटना प्रारम्भ कर दिया। यह कार्य उन्होंने केवल पहिले–पहल ही न किया था। इन अभागे मुगूलों की यही प्रथा है। यदि वे जीतने लगते हैं तो वे तत्काल शत्रु को लूटने लगते हैं और यदि हारने लगते हैं तो अपनी ही ओर वालों को लूटना मारना प्रारम्भ कर देते हैं। हमने ऊज़बेगों को जिन्होंने हमारे सामने के भाग पर कई कड़े आक्रमण किये पीछे हटा दिया किन्तु जो लोग चक्कर लगाकर हमारी सेना के पीछे पहुंच गये थे, वे हमारी पताका पर बाणों की वर्षा करते रहे। इस प्रकार आगे तथा पीछे से आक्रमण करके उन्होंने हमारे आदमियों को भगा दिया।

ऊज़बेकों के युद्ध की विशेषता

युद्ध में ऊज़बेग लोग तूलगमा पर बड़ा अधिक भरोसा रखते हैं। वे तूलग़मा की व्यवस्था के बिना युद्ध नहीं करते। उनके युद्ध की दूसरी विशेषता यह है कि वे सब, बेग तथा परिजन अग्रदल से पीछे के दल वाले सभी, घोड़ों को सरपट भगाते बाणों की वर्षा करते हुये चिल्ला–चिल्ला कर आक्रमण करते हैं और यदि पराजित हो जाते हैं तो छिन्न–भिन्न नहीं होते अपितु संगठित होकर घोड़ों को सरपट भगाते निकल जाते हैं।

बाबर की पराजय

हमारे साथ १०–१५ आदमी रह गये थे। कोहिक नदी पास थी। मेरी सेना के दायें भाग का अन्तिम सिरा नदी पर था। हम शीघ्र नदी की ओर बढ़े। इस ऋतु में नदी में बाढ़ आ जाती है। हम नदी में उतर गये। हम तथा घोड़े कवच धारण किये थे। आधी दूर के उपरान्त नदी को तैर कर पार करना पड़ता था। एक बाण की दूरी तक हमें घोड़ों को इतने अधिक बोझ के

बावजूद तैराना पड़ा। नदी से बाहर निकल कर हमने अपने घोड़ों के भारी सामान को पृथक करके वहीं फेंक दिया। इस प्रकार नदी के उत्तरी तट पर पहुंच कर हम अपने शत्रुओं के आक्रमण से सुरक्षित थे। सब लोगों से अधिक मुगूल लोग हमें घोड़ों से गिराने एवं लूटने में आगे–आगे रहे।[1] इबराहीम तरखान तथा कुछ अन्य उत्तम वीरों को मुगूलों ने घोड़ों से गिरा दिया और उनकी हत्या कर दी। हम लोग कोहिक नदी के उत्तरी तट पर होते हुए बड़े और कुलबा के समीप उसे पुनः पार करके मैं शहर में शेखजादा द्वार से प्रविष्ट हुआ और भीतरी किले में मध्याह्नोत्तर के मध्य में प्रविष्ट हुआ।

हमारे बहुत बड़े–बड़े बेग, सर्वोत्कृष्ट वीर तथा बहुत से आदमी उस युद्ध में नष्ट हो गये। इबराहीम तरखान, इबराहीम सारू तथा इबराहीम जानी मारे गये। यह बड़ी विचित्र बात है कि इबराहीम नामक तीन बड़े बेग मार डाले गये। हैदर क़ासिम का ज्येष्ठ पुत्र अबूल कासिम कोहबर, खदाई बीरदी तूगची तथा तम्बल का छोटा भाई खलील, जिनका कई बार उल्लेख हो चुका है, मार डाले गये। हमारे बहुत से आदमी विभिन्न दिशाओं में भाग गये। मुहम्मद मजीद तरखान कून्यूज़ तथा हिसार की ओर खुसरो शाह के पास चल दिया। कुछ घर के सैनिक एवं वीर उदाहरणार्थ खुदाई बीरदी तुर्कमान का करीम दाद, ज्ञान का कूकूल्दाश तथा पशाग़र का मुल्ला बाबा औरातीपा की ओर भाग गये। मुल्ला बाबा उस समय मेरी सेवा में न था अपितु अतिथि के रूप में आया था। अन्य लोगों ने भी वही किया जो शेरीम तग़ाई तथा उसके सहायकों ने किया। यद्यपि वह मेरे साथ शहर में लौट आया था और जब सब लोगों से परामर्श किया गया तो उसने सब लोगों की भांति किले की दृढ़तापूर्वक रक्षा करने और लड़ने–मरने के लिये उद्यत रहने की राय दी थी किन्तु इसके बावजूद यद्यपि मेरी मातायें एवं बड़ी–छोटी बहिनें समरकन्द में थीं, उसने अपनी पत्नियों एवं परिवार वालों को औरातीपा भेज दिया और केवल स्वयं कुछ साधारण सैनिकों के साथ ठहरा रहा। उसने केवल इसी अवसर पर यह तुच्छ कार्य नहीं किया अपितु समस्त कठिनाइयों एवं खतरों के अवसरों पर वह इसी प्रकार के कार्य करता चला आया है।

बाबर का समरकन्द में घिर जाना

दूसरे दिन मैंने ख्वाजा अबुल मकारिम, कासिम तथा अन्य बेगों, घर के सैनिकों तथा उन वीरों को जो परामर्श हेतु बुलाये जाया करते थे बुलवाया। हमने निश्चय किया कि हम क़िले की दृढ़तापूर्वक रक्षा करेंगे और वहां जान की बाजी लगा देंगे। क़ासिम बेग तथा मेरे विश्वास–पात्र एवं घर के सैनिक सुरक्षित सेना में रक्खे गये। मैंने सुविधा हेतु शहर के मध्य में उलूग़ बेग

---

[1] एल्फिन्स्टन की पोथी में यह शेर सम्भवतः हुमायूँ के हाथ का लिखा हुआ है :
"यदि मुगूल कोम कहीं फ़िरिश्तों के रूप में हों तो भी बुरे होंगे,
यदि मुगूलों का नाम सोने के अक्षरों में भी लिखा हो तो बुरा होगा।
मुगूलों के खेत से एक बाली भी मत तोड़ो,
जो भी मुगूलों के बीज से बोया जायगा, वह बुरा होगा।"

मीर्जा के भदरसे की छत पर खेमें लगवा कर स्थान ग्रहण किया। अन्य बेगों तथा वीरों को फाटकों एवं बाहरी किले की चहार दीवारियों पर स्थान प्रदान किये गये।

दो–तीन दिन उपरान्त शैबाक़ खां ने किले से कुछ दूर पड़ाव किया। इस पर शहर के सर्व साधारण गलियों एवं मुहल्लों से, भीड़ की भीड़, मदरसे के द्वार पर पहुंच कर मेरे प्रति शुभ कामनायें करने एवं शोर–गुल मचाने लगे। शैबाक़ खां घोड़े पर सवार हो गया था किन्तु शहर के समीप तक न पहुंच सका। बहुत दिन इस प्रकार व्यतीत हो गये। सर्वसाधारण को बाण तथा तलवार का कोई अनुभव न था और न उन्हें किसी आक्रमण के विषय में कुछ ज्ञात था अतः इन घटनाओं से उनके साहस में वृद्धि हो गई और वह बहुत आगे बढ़–बढ़ कर छापे मारने लगे। यदि सेना के जवान उन्हें इस प्रकार असावधानी से अग्रसर होने पर रोकते तो वे लोग उन्हें बुरा भला कहते थे।

एक दिन जब शैबाक़ खां ने लोहे के फाटक की ओर आक्रमण किया तो सर्वसाधारण पिछली घटनाओं से प्रोत्साहित होकर बड़े साहस से दूर तक बढ़ते चले गये। उनकी वापसी की देख भाल के लिये मैंने कुछ जवानों को शुत्रगर्दन की ओर भेजा। कूकूल्दाश लोग, कुछ विश्वासपात्र उदाहरणार्थ नुयान कूकूल्दाश, कुल नज़र, तग़ाई बेग तथा मजीद रवाना हुये। दो–एक ऊज़बेग घोड़े बढ़ा कर उन लोगों की ओर बढ़े और कुल नज़र से तलवार द्वारा युद्ध किया। शेष ऊजबेग लोग घोड़ों से उतर पड़े और सर्व साधारण पर कड़ा आक्रमण किया और उन्हें पीछे हटा कर लोहे के फाटक के भीतर ढकेल दिया। कूच बेग तथा मीर शाह कूचीन ख्वाजा खिज्र की मस्जिद की ओर उतर कर युद्ध कर रहे थे। जिस समय ऊजबेग प्यादे शहर के सर्व साधारण को पीछे हटा रहे थे, ऊजबेग अश्वारोहियों का एक दस्ता मस्जिद की ओर बढ़ा। जब ऊजबेग निकट पहुंचे तो कूच बेग ने आगे बढ़कर उनसे युद्ध किया। उसने बड़ा पराक्रम दिखाया और सब लोग देखते रहे। जो लोग भागे आ रहे थे उनके हाथ से बाण चलाने एवं डट कर मुकाबला करने का अवसर हाथ से निकल चुका था। मैं फाटक के ऊपर से बाण चला रहा था और जो लोग मेरे साथ थे, वे भी बाण चलाते रहे। ऊपर से बाणों की इस वर्षा से शत्रु लोग ख्वाजा खिज्र की मस्जिद की ओर अग्रसर न हो सके और उन्हें पीछे हटना पड़ा।

अवरोध के समय प्रत्येक रात्रि में बाहरी किले की चहारदीवारी का पहरा दिया जाया करता था। कभी मैं (इस कार्य हेतु जाता) था, कभी कासिम बेग और कभी कोई घर का बेग। फ़ीरोज़ा द्वार से शेखजादा द्वार तक तो घोड़े पर सवार होकर जा सकते थे किन्तु शेष मार्ग पैदल चलना पड़ता था। जब कुछ लोग बाहरी किले की चहारदीवारी का चक्कर लगाने जाते तो पूरे किले का चक्कर लगाते लगाते सुबह हो जाती।

एक दिन शैबाक़ खां ने लोहे के फाटक तथा शेखजादों के फाटक के मध्य में आक्रमण किया। क्योंकि मैं सुरक्षित सेना में था अतः मैं बिना गाजेरिस्तान[1] तथा सुई बनाने वालों के फाटक की चिन्ता किये हुये उस स्थान पर पहुंच गया। उस दिन मैं एक शती घोड़े[2] पर सवार था और एक पतली धनुष से खूब बाण चला रहा था। वह तत्काल बाण द्वारा मारा गया। शत्रुओं ने इस बार इतना घोर आक्रमण किया कि वे चहारदीवारी के बिल्कुल नीचे तक पहुंच गये। लोहे के फाटक के समीप युद्ध में अत्यन्त व्यस्त होने के कारण हम शहर की अन्य दिशाओं की ओर कोई ध्यान न दे रहे थे। सुई बनाने वालों के फाटक तथा गाजेरिस्तान के मध्य की भूमि में शत्रुओं ने ७००–८०० बड़े अच्छे आदमी छिपा रखे थे। उनके पास २४–२५ इतनी चौड़ी सीढ़ियां थीं कि उनके द्वारा दो–तीन आदमी चढ़ सकते थे। यह स्थान उस जगह था जहां चहारदीवारी से एक मार्ग मुहम्मद मजीद तरखान के घर जाता है। उस स्थान पर कूच बेग तथा मुहम्मद मजीद तरखान अपने वीरों सहित नियुक्त थे और मुहम्मद मजीद के घर में ठहरे थे। सुई बनाने वालों के फाटक में करा बरलास, गाजेरिस्तान में कूतलूक ख्वाजा कूकूल्दाश, शेरीम तग़ाई तथा उसके बड़े और छोटे भाई नियुक्त थे। क्योंकि शहर की दूसरी ओर आक्रमण हो रहा था, इन चौकियों के आदमी सावधान न थे अपितु अपने–अपने स्थानों एवं बाजारों को अन्य आवश्यक कार्यों के लिये चले गये थे। केवल वेग लोग अपने अपने स्थान पर एक–दो सर्वसाधारण के साथ थे। कूच बेग, मुहम्मद कुली, शाह सूफ़ी तथा एक अन्य वीर ने बड़ी वीरता का प्रदर्शन किया। कुछ ऊजवेग चहार दीवारी पर चढ़ आये थे, कुछ चढ़ रहे थे कि ये चारों आदमी उस स्थान पर पहुंच गये और शत्रुओं पर निरन्तर प्रहार करके उन सब को भगा दिया। कूच बेग ने सबसे अधिक वीरता दिखाई। इस अवसर पर उसने अत्यधिक पराक्रम दिखाया और बड़ी योग्यता से सेवा की। इस अवरोध के समय उसने दो बार बड़ी ही उत्तम सेवायें की। करा बरलास सुई बनाने वालों के फाटक में अकेला रह गया था। वह भी अन्त तक भली–भांति दृढ़ रहा। कूतलक ख्वाजा तथा कुल नज़र मीर्जा गाज़ेरिस्तान द्वार में अपने–अपने स्थानों पर थे। वे भली भांति दृढ़ रहे और उन्होंने शत्रुओं की सेना के पीछे के भाग पर आक्रमण किया।

एक बार कासिम बेग ने अपने वीरों सहित सुई बनाने वालों के फाटक से निकल कर ऊज़वेगों का ख्वाजा कफ़शेर तक पीछा किया। कुछ लोगों को घोड़ों से गिरा दिया और कुछ लोगों के सिर काट कर लौट आया।

अब अनाज पकने का समय आ गया था किन्तु कोई भी शहर में नया गल्ला न लाया। अवरोध दीर्घ काल तक खिंच जाने से शहर वालों को अनाज की कमी के कारण अत्यधिक कष्ट भोगने पड़े यहां तक कि लोग कुत्तों तथा गधों का मांस खाने पर विवश हो गये। घोड़ों को दाने के अभाव

---

[1] सम्भवतः धोबियों के रहने का मुहल्ला।

[2] 'यज आतलीक अथवा सद अस्पगी।'

के कारण पत्तियां खिलानी पड़ती थीं। अनुभव से यह ज्ञात था कि शहतूत तथा देवदार की पत्तियां बड़ी अच्छी होती हैं। कुछ लोग वृक्षों की छाल उतार उतार कर और उन्हें भिगो कर घोड़ों को खिलाने लगे।

तीन–चार मास तक शैबाक़ खां किले के समीप न आया अपितु इसका दूर से अवरोध कराके स्वयं एक चौकी से दूसरी चौकी में घूमा करता था। एक दिन जब आधी रात में हमारे आदमी सावधान न थे शत्रु फ़ीरोज़ा द्वार तक पहुंच गये और नक्कारे बजा बजा कर युद्ध के नारे लगाने लगे। मैं मदरसे में था और कपड़े न पहिने था। बड़ी चिन्ता एवं परेशानी फैल गई। इसके उपरान्त वे हर रात में नक्कारे बजाते और युद्धनाद लगाते पहुंच जाते और हमें परेशान करते।

यद्यपि दूत एवं समाचार वाहक प्रत्येक दिशा में भेजे गये किन्तु कहीं से सहायता एवं कुमक न प्राप्त हुई। जिस समय मुझमें पूरी शक्ति थी उस समय भी कहीं से सहायता न प्राप्त हुई थी तो अब कोई मेरी किस प्रकार सहायता करता? क्योंकि हमें कहीं से सहायता मिलने की आशा न थी अतः अवरोध का अधिक समय तक मुक़ाबला न किया जा सकता था। एक प्राचीन लोकोक्ति है कि किले की रक्षा हेतु एक सिर दो हाथ एवं दो पांव होने चाहिये अर्थात् सेनापति सिर है, दो दिशाओं की कुमक दो हाथ हैं, और किले का अन्न–जल दो पांव हैं। जिन आस पास के लोगों से हमें सहायता की आशा थी उनके विचार ही कुछ और थे। सुल्तान हुसेन मीर्जा सरीखे अनुभवी एवं वीर बादशाह ने हमारे प्रोत्साहन हेतु कोई संदेश तक न भेजा। इसके विपरीत उसने कमालुद्दीन हुसेन गाजुर गाही को शैबाक़ खां के पास दूत के रूप में भेजा।

तम्बल और फ़रग़ाना

इस वर्ष तम्बल ने अन्दिजान से बीशकीन्त की ओर प्रस्थान किया। अहमद बेग तथा उसके सहायकों ने खान को उसके विरुद्ध प्रस्थान करने पर विवश कर दिया। दोनों सेनाओं का आमना सामना लक–लकान तथा तूराक के चारबाग़ में हुआ किन्तु वे बिना युद्ध किये पृथक् हो गये। सुल्तान महमूद युद्ध करने वाला आदमी न था। तम्बल के मुकाबले के समय उसने कर्म एवं वचन दोनों में कायरता प्रदर्शित की। अहमद बेग में शिष्टाचार की कमी थी किन्तु वह वीर एवं निष्ठावान् था। उसने अपने भद्दे तरीके से कहा, ''यह तम्बल क्या कर सकता है कि आप लोग उससे इतना भयभीत एवं डरे हुये हैं ? यदि आप लोगों में उसकी ओर देखने का साहस नहीं है तो युद्ध में जाने के पूर्व आंखों पर पट्टियां बांध लीजिये।''

९०७ हि०

(१७ जुलाई १५०१ से ७ जुलाई १५०२ ई०)

शैबानी को समरकन्द समर्पित करना

अवरोध में अधिक समय लग गया। रसद तथा खाद्य सामग्री किसी दिशा से भी न प्राप्त हो सकी और कुमक तथा सहायता किसी ओर से न पहुंच सकी। सैनिक तथा प्रजाजन निराश होकर एक एक, दो–दो करके किले से निकल कर भागने लगे। शैबाक खां ने किले वालों की कठिनाइयों से अवगत होकर गारे आशिक़ां के समीप पड़ाव कर दिया; मैं भी शैबाक खां के सामने कूये पायान में मलिक मुहम्मद मीर्जा के घरों में पहुंचा। उन्हीं दिनों में से किसी दिन ख्वाजा हुसेन का भाई ऊजून हसन अपने १०–१५ सेवकों सहित पहुंच कर क़िले में प्रविष्ट हो गया। ऊजून हसन के कारण ही जहांगीर मीर्जा ने विद्रोह किया था और उसी की वजह से मुझे समरकन्द से निकलना पड़ा था।[1] उसने न जाने कितनी कृतघ्नता और कितना षड्यन्त्र प्रदर्शित किया था। उसका पहुंचना वास्तव में बड़ी धृष्टता का कार्य था।

सैनिकों तथा नागरिकों की दुर्दशा बढ़ती गई। मेरे विश्वासपात्र तथा प्राचीन सेवक किले की दीवार से फांद–फांद कर बाहर भागने लगे। उन्हीं में से पीर वैस, शेख वैस तथा वैस लाग़री भी थे हमें किसी ओर से भी कुमक मिलने की आशा न रही। वास्तव में रसद तथा खाद्य सामग्री की बड़ी दुर्दशा हो गई। जो समाप्त हो जाता उसके स्थान पर किसी ओर से कोई खाद्य सामग्री तथा रसद न पहुंच रही थी। इसी बीच में शैबाक़ खां ने संधि की वार्ता प्रारम्भ कर दी। यदि किसी ओर से भी आशा होती अथवा खाद्य सामग्री आ जाने की उम्मीद होती तो सन्धि के प्रस्ताव पर कोई ध्यान न दिया जाता किन्तु आवश्यकतावश सन्धि करके लगभग आधी रात के समय शेखजादा द्वार से हम लोग नगर के बाहर चले गये।

बाबर का समरकन्द से प्रस्थान

मैं अपनी माता खानम को लेकर चल खड़ा हुआ। दो अन्य स्त्रियां भी साथ होलीं। उनमें से एक बीशकाये खलीफ़ा तथा दूसरी मींगलीक कूकूल्दाश थी। इसी प्रस्थान के समय मेरी बड़ी बहिन खानजादा बेगम शैबाक़ खां के हाथों में पड़ गई।[2] रात्रि के अंधेरे में हम मार्ग भूल गये और सुग़द की नहरों के समीप भटकते रहे। प्रातःकाल सैकड़ों कठिनाइयों के उपरान्त हम ख्वाजा दीदार को पार कर सके। सुन्नत की नमाज के समय हम क़राबूग़ नामक पुश्ते पर पहुंचे। क़राबूग पुश्ते के उत्तर की ओर जुदूक नामक स्थान के नीचे

---

[1] ९०३ हि० (मार्च १४९८ ई०) में ।

[2] इस स्थान पर बाबर का अत्यन्त संक्षिप्त वर्णन बड़ा भ्रमात्मक है। वास्तव में खानजादा का विवाह बाबर ने संधि हेतु अपनी तथा अपनी माता की इच्छा से किया था। 'शैबानी नामा' में इस विवाह का बड़ा सविस्तार वर्णन दिया गया है।

नीचे होते हुए ईलान ऊती की ओर चल खड़े हुये। मार्ग में मैंने कम्बर अली एवं कासिम बेग के साथ घोड़ा दौड़ाया। मेरा घोड़ा आगे निकल गया। मैंने यह देखने के लिये कि उनके घोड़े कितना पीछे रह गये हैं, पीछे घूम कर देखा। मेरे घोड़े का तंग ढीला हो गया था; ज़ीन ढीली हो गई। मैं सिर के बल भूमि पर गिर पड़ा। यद्यपि मैं तत्काल उठकर सवार हो गया किन्तु रात्रि तक मेरी बुद्धि ठिकाने न रही। यह दशा तथा पिछली घटनायें मेरी आंखों के सामने स्वप्न के समान घूमती रहीं। मध्याह्नोत्तर की नमाज के उपरान्त हमने ईलान ऊती में पड़ाव किया। वहां हमने एक घोड़े को ज़िबह करके उसके मांस के कबाब बनाये। थोड़ी देर के लिये घोड़ों को आराम दिया। तदुपरान्त सवार होकर प्रातःकाल के पूर्व खलीला नामक ग्राम में पहुंचे और वहां उतर पड़े। खलीला से हम दीज़क पहुंचे।

उन दिनों दीज़क में हाफ़िज़ मुहम्मद दूल्दाई का पुत्र तथा ताहिर थे। वहां उत्तम मांस तथा मैदे की रोटी, मीठे खरबूज़ों तथा उत्तम अंगूरों की बहुतायत थी। उसकी दरिद्रता के उपरान्त इतनी समृद्धि एवं उतनी कठिनाई के पश्चात् इतना सुख प्राप्त हो गया।

शेर

''भय तथा भूख से हमें आराम प्राप्त हो गया,
नये संसार का नया जीवन हमें मिल गया।
हमारे मस्तिष्क से मौत के भय का अन्त हो गया,
हमारे आदमियों की भूख का कष्ट समाप्त हो गया।''

हमें अपने जीवन–काल में इतना संतोष कभी न प्राप्त हुआ था। पूरे जीवन में शान्ति तथा अल्प–मूल्यता के महत्व का इतना अनुभव न हुआ था। कठिनाई के उपरान्त जब सुख एवं परिश्रम के उपरान्त जब निश्चिन्तता प्राप्त होती है तो बड़ा आनन्द आता है। चार पांच बार मुझे इसी प्रकार कठिनाई के उपरान्त सुख एवं परिश्रम के उपरान्त निश्चिन्तता प्राप्त हुई।[1] प्रथम शान्ति यही थी। इतने बड़े शत्रु के कष्ट तथा भूख की परेशानी से मुक्त हो कर हमें सुख–शान्ति एवं निश्चिन्तता प्राप्त हो गई।

बाबर दिखकत में

दीज़क में तीन चार दिन विश्राम करने के उपरान्त हमने औरातीपा की ओर प्रस्थान किया। पशाग़र, मार्ग से कुछ हट कर है। क्योंकि हम उसे कुछ समय तक अपने अधिकार में रख चुके थे[2] अतः उधर से जाते हुए हमने उसकी सैर की। पशाग़र के किले मे एक अध्यापिका जो बहुत समय तक

---

[1] दूसरी बार ९०८ हि० (१५०२–३ ई०) में, तीसरी बार ९१४ हि० (१५०८–९ ई०) में, चौथी बार जिसका बाबर नामा में उल्लेख नहीं ९१८ हि० (१५१२–१३ ई०) में ग़जदीवान की पराजय के उपरान्त और पांचवीं बार ९३३ हि० (१५२७ ई०) में विष से बच जाने पर प्रसन्नता हुई।

[2] ९०४ हि० (१४९८–९९ ई०)।

मेरी माता खानम की सेविका रह चुकी थी और इस बार घोड़े के न होने के कारण समरकन्द में रह गई थी अचानक मिल गई। मैंने उसके पास जाकर उसके विषय में पूछा तो पता चला कि वह समरकन्द से, इस स्थान तक पैदल आई थी।

मेरी माता खानम की छोटी बहिन खूब निगार खानम इस नश्वर संसार से बिदा हो चुकी थी। यह समाचार भी हमें औरातीपा में ही पहुंचाये गये। मेरे पिता की माता की भी अन्दिजान में मृत्यु हो चुकी होगी। यह समाचार भी हमें औरातीपा में ही मिले। खानम ने मेरे (नाना) खान बाबा, यूनुस खां के निधन के उपरान्त अपनी (सौतेली) माता भाई एवं बहिनों उदाहरणार्थ (क्रमशः) शाह बेगम, सुल्तान महमूद खां, सुल्तान निगार खानम तथा दौलत सुल्तान खानम से भेंट न की थी। उनको पृथक् हुये १३–१४ वर्ष व्यतीत हो चुके थे। इन सम्बन्धियों से भेंट करने के लिये वह ताशकीन्त की ओर रवाना

मैंने मुहम्मद हुसेन मीर्जा से परामर्श के उपरान्त दिखकत नामक स्थान पर, जो औरातीपा के अधीन है, शीत ऋतु व्यतीत करना निश्चय किया। भारी सामान दिखकत में छोड़कर, कुछ दिन उपरान्त मैंने शाह बेगम, अपने खान दादा तथा अन्य सम्बन्धियों से भेंट करने के उद्देश्य से ताशकीन्त की ओर प्रस्थान किया। वहां पहुंचकर मैंने शाह बेगम तथा अपने खान दादा से भेंट की। वहां मैं कुछ दिन तक ठहरा रहा। मेरी माता की सगी बड़ी बहिन मिहर निगार खानम[1] भी समरकन्द से आ गई थीं और ताशकीन्त में थीं। मेरी माता खानम रुग्ण हो गई और रोग बहुत बढ़ गया। उन्हें बड़े खतरों का सामना करना पड़ा।

हज़रत ख्वाजगाने ख्वाजा समरकन्द से किसी न किसी प्रकार निकल कर फ़र–कत में निवास करने लगे थे। मैंने वहां जाकर उनसे भेंट की। मुझे आशा थी कि मेरे खान दादा मेरे ऊपर कृपा तथा मेरी सहायता हेतु कोई विलायत अथवा कोई परगना प्रदान कर देंगे। उन्होंने औरातीपा प्रदान करने का वचन दिया। किन्तु मुहम्मद हुसेन मीर्जा ने उसे न दिया। पता नहीं उसने स्वयं नहीं दिया अथवा उनकी ओर से कोई संकेत पा गया। वहां (औरातीपा में) कुछ दिन ठहर कर मैं दिखकत पहुंचा।

दिखकत

दिखकत पर्वतीय प्रदेश में स्थित है। पर्वत के नीचे दूसरी ओर माचा नामक प्रदेश है। यहां के निवासी यद्यपि फ़ारसी भाषा भाषी ताजीक हैं और ग्राम में निवास करते हैं किन्तु तुर्कों के समान चरवाहे तथा गड़रियों के समान हैं। दिखकत में लगभग ४०,००० भेड़ें होंगी। इस ग्राम में हम किसानों के घरों में ठहरे। मैं ग्राम के एक सरदार के घर में ठहरा। वह ७०–८० वर्ष का वृद्ध था। उसकी माता भी जीवित थी। उसकी अवस्था १११ वर्ष की थी।

---

[1] शैबानी खां ने खानजादा से विवाह करने के लिये उसे तलाक दे दिया था।

उसका कोई सम्बन्धी तीमूर बेग के साथ उसके हिन्दुस्तान[1] के आक्रमण के समय उसकी सेना में था। उसे यह बात याद थी। कभी कभी वह इस विषय में वार्तालाप करती थी। दिखकत ही में उसकी सन्तान के ६६ व्यक्ति वर्तमान थे, उसके पुत्र, पौत्र के पुत्र तथा पौत्र के पौत्र। उसकी सन्तान में से २०० व्यक्तियों की मृत्यु हो चुकी थी। उसके पौत्र के पौत्र की अवस्था २५ अथवा २६ वर्ष थी। उसके काली दाढ़ी थी। जिन दिनों मैं दिखकत में था तो दिखकत के पर्वतों के आस पास पैदल यात्रा करने जाया करता था। अधिकांश मैं नंगे पांव भ्रमण किया करता था जिसके कारण मेरे पांव ऐसे सख्त हो गये थे कि उनपर पत्थर तथा चट्टान का कोई प्रभाव न होता था। इसी भ्रमण के समय मध्याह्नोत्तर तथा सायंकाल की नमाज के मध्य में एक सकरे मार्ग पर एक गाय जाती दिखाई पड़ी। मैंने कहा ''यह मार्ग कहां तक जाता है ? गाय पर दृष्टि रखो और किसी ओर दृष्टि न हटाओ यहां तक कि मार्ग के विषय में तुम्हें ज्ञात हो जाये।'' ख्वाजा असदुल्लाह ने परिहास करते हुये कहा, ''यदि गाय मार्ग भूल जाये तो फिर हम क्या करें?''

जहाँगीर मीर्जा तथा तम्बल को उपहार

शीत ऋतु में मेरे कुछ सिपाहियों ने, इस कारण कि वे धावों में हमारा साथ न दे सकते थे, अन्दि जान जाने की अनुमति मांगी। कासिम बेग ने आग्रह किया, ''क्योंकि ये लोग जा रहे हैं अतः जहांगीर मीर्जा को आप अपने वस्त्रों में से विशेष रूप से कोई वस्तु भेज दें।'' मैंने अपनी रोवेंदार टोपी भेज दी। कासिम बेग ने पुनः आग्रह किया कि, ''यदि आप कोई वस्तु तम्बल को भी भेज दें तो कोई आपत्ति न होगी।'' यद्यपि मेरी इच्छा न थी किन्तु उसके आग्रह पर, मैंने तम्बल को एक बड़ी तलवार, जिसे नुयान कूकूल्दाश ने अपने लिये समरकन्द में बनवाया था, भेज दी। जैसा कि अगले वर्ष के वृत्तांत में उल्लेख किया जायेगा, यही तलवार मेरे सिर पर लगी।

ईसान दौलत बेगम का आगमन

कुछ दिन उपरान्त, मेरी बड़ी माता, (नानी) ईसान दौलत बेगम, जो मेरे समरकन्द से प्रस्थान करते समय वहीं रह गई थी, हमारे परिवार, बचे खुचे सामान तथा कुछ दुर्बल एवं भूखे आदमियों सहित दिखकत में पहुंची।

शैबाक खाँ का खान के राज्य में आक्रमण

उस वर्ष शीत ऋतु में शैबाक़ खां ने खुजन्द नदी बरफ़ पर होकर पार की और शाहरुखिया तथा बीशकीन्त के समीप के स्थानों में लूटमार की। इस समाचार को पाते ही हमने अपनी संख्या की कमी पर ध्यान दिये बिना शीघ्रातिशीघ्र सवार होकर हश्त यक के समक्ष खुजन्द के नीचे के स्थानों की ओर प्रस्थान किया। कड़ाके का जाड़ा पड़ रहा था। पूरे समय ही दरवेश की वायु से कम गति की वायु न चल रही होगी। ठंडक इतनी अधिक थी कि उन्हीं दो–तीन दिनों में जाड़े की अधिकता के कारण कई आदमी मृत्यु को

---

[1] १३६८–६६ ई० में।

प्राप्त हो गये। मुझे स्नान की आवश्यकता थी। मैं एक नहर पर पहुंचा जिसके किनारों का जल जमकर बरफ़ बन गया था किन्तु बीच का जल, नहर की तीव्रगति के कारण बरफ़ न बना था। उस जल में प्रविष्ट होकर मैंने स्नान किया। १६ बार जल में डुबकी लगाई। जल की ठंडक मेरे शरीर में घुस गई। दूसरे दिन प्रातःकाल हम लोगों ने खासलार के सामने से खुजन्द नदी बरफ़ पर से होकर पार की। नदी पार करके रात्रि में यात्रा करते हुये हम बीशकीन्त पहुंचे। शैबाक़ खां, शाहरुखियां के समीप के स्थानों पर लूट मार करके तत्काल वापस चला गया होगा।

नुयान कूकूल्दाश की मृत्यु

उन दिनों बीशकीन्त मुल्ला हैदर के पुत्र अब्दुल मिनआन के अधीन था। उसका एक छोटा पुत्र मूमिन बड़ा ही अयोग्य तथा चरित्रहीन व्यक्ति था। जिस समय मैं समरकन्द में था, वह मेरी सेवा में उपस्थित हुआ था, और मैंने उसके प्रति कृपादृष्टि प्रदर्शित की थी। मुझे यह ज्ञात नहीं कि नुयान कूकूल्दाश ने उसके प्रति क्या दुर्व्यवहार किया था जो यह गुदा मैथुन करने वाला उससे ईर्ष्या रखता था। जब हमें ऊज़बेगों के पलायन के समाचार प्राप्त हुये तो हमने खान के पास आदमी भेजकर बीशकीन्त सेप्रस्थान कर के आहनगरान नामक स्थान पर तीन–चार दिन तक पड़ाव किया। समरकन्द के परिचय के कारण मुल्ला हैदर के पुत्र मूमिन ने नुयान कूकूल्दाश, अहमदे कासिम तथा कुछ अन्य व्यक्तियों को भोजन के लिये आमंत्रित किया। मेरे बीशकीन्त से प्रस्थान करने पर वे लोग वहीं रुक गये। मूमिन ने इन लोगों की दावत एक गहरी कन्दरा के किनारे पर की। हमने वहां से प्रस्थान कर के आहनगरान के अधीनस्थ सामसीरक नामक स्थान पर पड़ाव किया। दूसरे दिन प्रातःकाल समाचार प्राप्त हुए कि नुयान कूकूल्दाश मस्ती में कन्दरा के किनारे से गिर कर मृत्यु को प्राप्त हो गया। हमने उसकी माता के भाई, हक़ नज़र तथा कुछ अन्य लोगों को भेजा जिन्होंने उस स्थान का जहां वह गिरा था पता लगाया और उसकी लाश को बीशकीन्त में दफ़न कर के लौट आये। उन लोगों को नुयान की लाश कन्दरा के किनारे से जहां दावत का आयोजन हुआ था, एक बाण की दूरी पर नीचे की ओर मिली थी। कुछ लोगों को सन्देह हुआ कि मूमिन ने इस कारण कि समरकन्द में वह नुयान के प्रति ईर्ष्या रखने लगा था उसकी हत्या करा दी। किसी को तथ्य का ज्ञान नहीं। मेरे ऊपर उसकी मृत्यु का बड़ा प्रभाव पड़ा। मैं किसी अन्य व्यक्ति की मृत्यु से बहुत कम इतना प्रभावित हुआ था। ८–१० दिन तक मैं विलाप करता रहा। उसकी मृत्यु की तिथि का वाक्य ''फ़ौत शुद नुयान''[1] है।

शैबाक़ खां का औरातीपा पर आक्रमण

बहार के आते ही शैबाक़ खां के औरातीपा पर आक्रमण के समाचार लोगों में प्रसिद्ध होने लगे। दिखकत की भूमि के समतल होने के कारण

---

[1] 'नुयान मर गया'।

हमने आब बुरदन[1] दर्रे को सुगमतापूर्वक पार कर लिया और माचा के पर्वतीय प्रदेश में प्रविष्ट हो गये। आब बुरदन माचा का अन्तिम ग्राम है। इस आब बुरदन के नीचे एक झरना है जिसका जल नीचे की ओर जर अफ़शां में पहुंचता है। झरने का ऊपरी भाग माचा में सम्मिलित हैं। नीचे का भाग पलग़र से सम्बन्धित है। इस झरने के बग़ल में एक मक़बरा है। मैंने वहां की चट्टान पर ये तीन शेर खुदवा दिये :–

शेर

''मैंने सुना है कि प्रतापी जमशेद ने,[2]
एक झरने के ऊपर एक चट्टान पर खुदवा दिया।
हमारे सरीखे अनेक व्यक्तियों ने इस झरने पर सांस ली है,
और पलक झपकाते उनका अन्त हो गया।
हमने संसार पर वीरता तथा शक्ति द्वारा अधिकार प्राप्त किया,
किन्तु हम उसे क़ब्र में न ले जा सके।''

उस पर्वतीय प्रदेश में यह प्रथा है कि पत्थरों पर शेर तथा अन्य लेख खुदवा दिये जाते हैं। जब हम माचा ही में थे, तो मुल्ला हिजरी नामक कवि हिसार से आकर मेरी सेवा में उपस्थित हुआ। उस समय मैंने निम्नांकित शेर की रचना कीः –

शेर

''तुम्हारा चित्त तुम्हें इससे अधिक भ्रम में न डाल दे कि तुम इससे अधिक हो,
लोग तुम्हें अपने प्राण कहते हैं, प्राण से अधिक तुम निःसन्देह हो।''

औरातीपा में लूट मार करके शैबाक़ खां वापस चला गया। जब वह वहां था तो हमने अपने आदमियों की संख्या तथा अस्त्र–शस्त्र की कमी पर ध्यान न देते हुये, माचा में खेमे तथा असबाब छोड़ कर, आब बुरदन दर्रा पार किया और दिखकत इस आशय से पहुंचे कि हम सब लोग निकट ही रहें और किसी अवसर को आने वाली रातों में हाथ से जाने न दें। शैबाक़ खां स्वयं सीधा वापस चला गया और हम लोग माचा लौट आये।

बाबर का ताशकीन्त की ओर प्रस्थान

मैंने सोचा कि इस प्रकार बिना किसी घर बार, देश अथवा निवास स्थान के पर्वतों में मारे–मारे फिरने से कोई लाभ नहीं। मैंने सोचा कि, खान के पास चला जाना उचित होगा। क़ासिम बेग वहां जाने पर राजी न था कारण कि जैसा कि उल्लेख हो चुका है उसने शासन प्रबन्ध तथा सुव्यवस्था की दृष्टि से करा बूलाक में मुगलों की हत्या करा दी थी। सम्भवतः वह इसी लिये

---

[1] आब बुरदन ग्राम जर अफशां पर समुद्र से ११२०० फीट की ऊँचाई पर है।

[2] सादी की 'बोस्तान' से, अन्तिम शेर 'गुलिस्तान' में भी है।

वहां जाने में संकोच कर रहा था। मैंने यद्यपि बहुत आग्रह किया किन्तु उसने हमारा साथ न दिया और अपने भाइयों, अन्य छोटे–बड़े लोगों तथा अपने समस्त सम्बन्धियों एवं सहायकों सहित हिसार की ओर चल दिया। हम आब बुरदन दर्रे को पार करके ताशकीन्त में खान की सेवा में चल दिये।

बाबर खान के साथ

जिन दिनों में तम्बल अपनी सेना लेकर अहनगरान की घाटी में प्रविष्ट हुआ था तो उसकी सेना के विशेष लोगों में से मुहम्मद दूग़लात जो हिसारी के नाम से प्रसिद्ध था और उसके अनुज हुसेन दूग़लात तथा कम्बर अली सिलाख ने संगठित हो कर तम्बल की हत्या का प्रयत्न किया। तम्बल को जब इस बात का पता चला तो वे लोग उसके पास न ठहर सके और भाग कर खान के पास चले गये।

ईदे कुर्बान[1] हमने शाहरुखिया में व्यतीत की। वहां विलम्ब किये बिना मैं ताशकीन्त खान के पास पहुंचा।

मैंने एक रुबाई की रचना की थी। मुझे उसके विषय में सन्देह था कारण कि मैंने उस समय कविताओं के मुहावरों का उतना अध्ययन न किया था जितना अब कर लिया है। खान को कविता से रुचि थी और वह कवितायें लिखता था, यद्यपि उसकी ग़ज़लें अच्छी न थीं। मैंने रुबाई को खान की सेवा में प्रस्तुत कर के अपने सन्देह को उसके समक्ष प्रस्तुत किया किन्तु मुझे संतोषजनक उत्तर न प्राप्त हुआ। उसने सम्भवतः कविता के मुहावरों का अध्ययन कम किया था। रुबाई इस प्रकार है :

रुबाई

''कभी एक मनुष्य दूसरे को कष्ट में पुकारते हुये नहीं सुनता,
कोई भी किसी को निर्वासित होने पर संतुष्ट नहीं कहता।
निर्वासित होने पर मेरे हृदय को भी संतोष नहीं,
जो संतुष्ट हो वह निर्वासित नहीं, चाहे मनुष्य वह हो।''

बाद में मुझे ज्ञात हुआ कि तुर्की काव्य में कविता हेतु 'ते' व 'दाल' तथा 'गैन', 'काफ़' और 'काफ़' में अदल–बदल हो सकती है।

पताकाओं की जय जय कार

कुछ दिन उपरान्त तम्बल औरातीपा पहुंचा। जैसे ही यह समाचार खान को प्राप्त हुये उसने सेना लेकर ताशकीन्त से प्रस्थान किया। बीशकीन्त तथा सामसीरक के मध्य में उसने अपनी सेना की बाई तथा दाईं ओर की पंक्तियां ठीक की और अपने सैनिकों की गणना की। तदुपरान्त मुगूलों के नियमानुसार पताकाओं की जयजयकार कराई। खान घोड़े से उतर पड़ा। उसके समक्ष ९ पताकायें लगा दी गईं। एक मुगूल ने एक लम्बा सफ़ेद कपड़ा एक गाय के अगले पांव में बांध दिया और कपड़े का दूसरा सिरा

---

[1] बकरीद, १० जिलहिज्जा (१६ जून १५०२ ई०) ।

अपने हाथ में ले लिया। तीन लम्बे–लम्बे कपड़ों के टुकड़े ९ पताकाओं में से ३ पताकाओं के डंडों के नीचे बांध दिये गये। एक टुकड़े को खान अपने पांव के नीचे रख कर खड़ा हो गया। एक टुकड़े को मैं अपने पांव के नीचे कर के खड़ा हुआ। एक कपड़े का सिरा सुल्तान महमूद खानिका अपने पांव के नीचे करके खड़ा हुआ। उस मुगूल ने जो उस कपड़े का एक सिरा पकड़े हुये खड़ा था, जो गाय के पांव में बंधा था, मुगूली भाषा में कुछ कह कर पताकाओं की ओर देखा और संकेत किया। खान तथा उपस्थित गणों ने पताका की दिशा में कुमीज़[1] छिड़का। समस्त तुरहियां तथा नक्कारे बजने लगे। सेना वालों ने तीन बार युद्ध के नारे लगाये। तदुपरान्त सवार होकर एक बार पुनः नारा लगाया और पताकाओं के चारों ओर घोड़े दौड़ाये।

चिगीज़ खाँ की प्रथाओं का पालन

जो नियम चिंगीज़ खां ने बनाये थे उनका पालन मुगूल लोग अब भी उसी प्रकार करते हैं। प्रत्येक के लिये एक स्थान निश्चित होता है और वह स्थान वही होता है जो उसके पूर्वजों का था। दायें भाग वाले की संतान दायें भाग में, बायें भाग वाले की संतान बायें भाग में तथा केन्द्र वाले की सन्तान केन्द्र में स्थान ग्रहण करती है। जो लोग सब से अधिक विश्वास के योग्य होते हैं, वे दायें तथा बायें भाग के अन्तिम सिरों पर रहते हैं। चीरा तथा बेगचीक क़बीले के लोग सर्वदा दायें भाग के सिरे पर रहते हैं। उस समय चीरा क़बीले के तूमान का बेग बड़ा ही शूर–वीर था। उसका नाम कश्का महमूद था। प्रसिद्ध बेगचीक तूमान का बेग, अयूब बेगचीक था। इन दोनों में इस बात पर मतभेद हो गया कि कौन अन्त में रहे। इस बात पर एक–दूसरे ने तलवारें खींच लीं। अन्त में यह निश्चय हुआ कि एक जिर्गा[2] में ऊंचाई पर खड़ा हो और एक यसाल[3] में ऊंचाई पर खड़ा हो।

दूसरे दिन प्रातःकाल सामसीरक के समीप जिर्गे का प्रबन्ध किया गया और शिकार खेला गया। तदुपरान्त तूराक चारबाग़ की ओर प्रस्थान किया गया। इस दिन मैंने एक ग़ज़ल पूरी की। यह प्रथम ग़ज़ल थी जो पूरी की गई। इसका प्रथम शेर इस प्रकार है:

''अपनी आत्मा के अतिरिक्त मैंने किसी भी मित्र को विश्वास के योग्य नहीं पाया,

अपने हृदय के अतिरिक्त किसी को भी मैंने भरोसे के काबिल नहीं पाया।''

इसमें छः शेर थे। इसके उपरान्त मैंने जितनी ग़ज़लों की भी रचना की, वह इसी नमूने की थीं।

---

[1] सम्भवतः फेनदार घोड़ी का दूध।

[2] शिकार के घेरे में।

[3] युद्ध की पंक्ति में।

खान सामसीरक से निरन्तर यात्रा करता हुआ, खुजन्द नदी के तट पर पहुंचा। एक दिन भ्रमण करते हुए हमने नदी पार की। वहां हमने भोजन बनाया और सभी छोटे बड़ों ने आनन्द–उल्लास में समय व्यतीत किया। उस दिन कोई मेरी पेटी का सोने का बन्द चुरा ले गया। दूसरे दिन खान कुली का बयान कुली तथा सुल्तान मुहम्मद वैस भाग कर तम्बल के पास चले गये। सभी का विचार था कि चोरी उन लोगों ने की होगी, किन्तु यह बात प्रमाणित न हो सकी। अहमद कासिम कोहबर भी आज्ञा लेकर औरातीपा चला गया। वह भी वहां जाकर पुनः न आया और तम्बल के पास रुक गया।

९०८ हि०

(७ जुलाई १५०२ से २६ जून १५०३ ई०)

बाबर की ताशकीन्त में दरिद्रता

खान के इस अभियान से कोई लाभ न हुआ। न उसने किसी किले को विजय किया, न किसी शत्रु को पराजित किया, केवल वह गया और वापस चला आया।

मुझे अपने ताशकीन्त–निवास के समय अत्यधिक दरिद्रता एवं अपमान का सामना करना पड़ा। मेरे अधीन न तो कोई राज्य था और न किसी राज्य के मिलने की कोई आशा थी। मेरे अधिकांश सेवक छिन्न–भिन्न हो गये। जो रह गये, वे भी मेरे साथ दरिद्रता के कारण कहीं न जा सकते थे। जब मैं अपने खान दादा के द्वार पर जाता तो कभी मेरे साथ एक आदमी और कभी दो आदमी होते थे। यह बड़ा अच्छा था कि वह कोई अपरिचित व्यक्ति न था अपितु मेरा सगा सम्बन्धी था। खान दादा[1] के प्रति अभिवादन करके मैं शाह बेगम की सेवा में उपस्थित होता था। अपने घर के समान वहां नंगे सिर तथा नंगे पांव चला जाता था।

चीन की ओर प्रस्थान का संकल्प

अन्त में इस प्रकार की दरिद्रता एवं इस तरह बिना घर–बार के रहने के कारण मैं परेशान हो गया। मैंने सोचा कि, ''इस जीवन से यह कहीं अच्छा है कि जहां कहीं सींग समाये मैं निकल जाऊं और लोगों के बीच में इतने अपमान तथा दरिद्रता का जीवन न व्यतीत करूं। जहां तक मेरे पांव मुझे ले जा सकें मैं चला जाऊं।'' मैंने खिता[2] जाने का संकल्प कर लिया। मुझे बाल्यावस्था से खिता की यात्रा की इच्छा थी किन्तु राज्य तथा अन्य सम्बन्धों के कारण यह सम्भव न हो पाता था। अब राज्य हाथ से निकल चुका था। मेरी माता भी अपनी (सौतेली) माता तथा अपने भाई के पास पहुंच चुकी थीं। मेरी यात्रा में जितनी बाधायें हो सकती थीं उनका अन्त हो चुका था। मुझे अपनी माता की ओर से जो चिन्ता थी वह भी न रही थी। मैंने ख्वाजा अबुल मकारिम द्वारा शाह बेगम तथा खान की सेवा में निवेदन कराया कि, ''इस समय शैबाक़ खां सरीखा शत्रु प्रकट हो गया है। मुगूल तथा तुर्क दोनों ही को उससे अपनी रक्षा करनी चाहिये। उसके प्रति, इससे पूर्व कि वह ऊज़बेग दल पर पूर्ण रूप से अधिकार जमा ले अथवा अपनी शक्ति अत्यधिक बढ़ा ले, चिन्ता करनी चाहिये कारण कि कहा गया है:

---

[1] माता का भाई, मामा।

[2] चीन।

पद्य

''यदि तू बुझा सकता है तो आज ही बुझा ले,
यदि अग्नि खूब भड़क उठी तो संसार को भस्म कर देगी;
अपने शत्रु को धनुष में बाण लगाने का अवसर न दे,
जब कि तेरा एक बाण उसे बींध सकता हो।''[1]

छोटे खान (अहमद अलचा) तथा खान दादा में २०–२५ वर्ष से भेंट नहीं हुई है। मैंने तो उससे कभी भी भेंट नहीं की। यदि मैं उसके पास चला जाऊं तो मैं केवल उससे भेंट ही न कर सकूँगा किन्तु उसे उन लोगों से भेंट कराने के लिये भी ला सकूँगा।''

मेरा उद्देश्य यह था कि इस बहाने से मैं उन लोगों के पास से चला जाऊं। उस वातावरण से निकल कर एक बार यदि मैं मुगुलिस्तान अथवा तुरफ़ान में पहुंच गया तो फिर मेरे लिये कोई प्रतिबन्ध न होगा। मैंने अपनी योजना की चर्चा किसी से भी न की, कारण कि मेरे लिये यह असम्भव था कि मैं इस योजना को अपनी माता से बता सकता। इसके अतिरिक्त मेरे मुट्ठी भर साथी, जो समस्त कठिनाइयों एवं निर्वासन में मेरा साथ देते रहे थे और मेरे कारण सभी लोगों से अपने सम्बन्ध विच्छेद कर लिये थे और इस दुर्भाग्य में मेरे सहायक थे, इस योजना से अवगत न कराये जा सकते थे। उनसे इस विषय पर वार्ता करने में कोई प्रसन्नता न हो सकती थी।

ख्वाजा ने मेरी योजना शाह बेगम तथा खान की सेवा में प्रस्तुत की और उन्हें समझाया कि वे अनुमति दे दें किन्तु बाद में उन्होंने सोचा कि सम्भवतः मैं पुनः कहीं प्रोत्साहन के अभाव के कारण जाने की अनुमति न मांगता हूँ। इससे उनकी मर्यादा को ठेस पहुंचती थी, इस कारण वे आज्ञा देने में विलम्ब करने लगे।

छोटे खान का ताशकीन्त पहुंचना

इसी बीच में मेरे छोटे खान दादा के पास से एक व्यक्ति ने आकर यह समाचार पहुंचाये कि खान इस ओर आ रहा है। इस समाचार के कारण मेरी योजना भंग हो गई। जब एक दूसरे व्यक्ति ने छोटे खान दादा के निकट आ जाने के समाचार पहुंचाये तो हम लोग, शाह बेगम, उसकी छोटी बहिनें, सुल्तान निगार खानम, दौलत सुल्तान खानम, और मैं तथा सुल्तान मुहम्मद खानिका और खान मीर्जा (वैस) उसके स्वागतार्थ रवाना हुये।

ताशकीन्त तथा सैराम के मध्य में यगा[2] नामक एक ग्राम तथा कुछ अन्य छोटे–छोटे गांव हैं। वहां इबराहीम अता तथा इसहाक अता की क़ब्र हैं। हम लोग उस स्थान तक पहुंचे। मुझे अपने छोटे खान दादा के आने का निश्चित समय ज्ञात न था। मैं बिना किसी चिन्ता के टहलने निकल गया। अचानक

---

[1] शेख सादी की 'गुलिस्तां से उद्धृत ।

[2] यगमा के नाम से भी प्रसिद्ध है।

वह मेरे समक्ष पहुंच गया। मैं आगे बढ़ा। जब मैं रुका तो वह भी रुक गया। वह कुछ असमंजस में पड़ गया। सम्भवतः वह किसी निश्चित स्थान पर घोड़े से उतर कर बैठ जाना और मुझसे सम्मानपूर्वक भेंट करना चाहता था। इसके लिये अब समय न था। जब हम लोग एक दूसरे के समीप पहुंचे तो मैं घोड़े से उतर पड़ा। उसे घोड़े से उतरने का भी समय न मिल सका। मैं घुटनों के बल झुका और आगे बढ़ कर मैंने उससे भेंट की। उसने जल्दी तथा घबराहट में सुल्तान सईद खां तथा बाबा खां सुल्तान को आदेश दिया कि वे घोड़े से उतर कर घुटनों के बल झुकें और मुझसे भेंट करें। खान के पुत्रों में यही दो सुल्तान आये थे। उनकी अवस्था १३–१४ वर्ष की रही होगी। जब मैं उनसे भेंट कर चुका तो हम लोग सवार हो कर शाह बेगम की सेवा में पहुंचे। मेरे छोटे खान दादा ने शाह बेगम तथा उसकी बहिनों से भेंट की। भेंट के उपरान्त वे सब बैठ गये और आधी रात तक एक दूसरे से बीती हुई बातों की चर्चा करते रहे।

दूसरे दिन प्रातःकाल मेरे छोटे खान दादा ने मुझे अपने अस्त्र–शस्त्र, जीन सहित अपना एक विशेष घोड़ा और सिर से पांव तक पहिनने के मुगूल वस्त्र–एक मुगल टोपी, एक चीनी अतलस का जामा जिसके हाशियों पर जंजीरे का काम था, तथा चीनी अस्त्र–शस्त्र जो वहां की प्राचीन प्रथानुसार बाईं ओर लटकाये जाते थे, एक सैनिकों का थैला, एक बाहरी थैला तथा तीन चार अन्य वस्तुयें जिन्हें स्त्रियां अपने गले के सामने लटकाये रहती हैं उदाहरणार्थ अबीर दान, बहुत से फूलदान तथा तीन चार अन्य चीजें जो दाईं ओर लटकाई जाती हैं।

वहां से हम लोग ताशकीन्त की ओर रवाना हुये। मेरा बड़ा खान दादा भी ताशकीन्त छोड़ कर तीन चार यीग़ाच[1] आगे बढ़ आया था। एक उचित स्थान पर शामियाना लगवा कर मेरा बड़ा खान दादा बैठ गया। छोटा खान दादा सीधे उसके समक्ष पहुंचा और निकट पहुंच कर खान के दायें से बायें तक एक चक्कर लगाया और उसके समक्ष पहुंच कर घोड़ से उतर पड़ा। अभिवादन के स्थान पर पहुंच कर ९ बार घुटने के बल झुका। तदुपरान्त खान के निकट जा कर उससे भेंट की। बड़े खान दादा ने भी छोटे खान दादा के निकट पहुंचने पर खड़े होकर उसका स्वागत किया। बड़ी देर तक वे लोग आलिंगन किये खड़े रहे। छोटा खान पृथक् होते समय ९ बार फिर घुटने के बल झुका। उपहार प्रस्तुत करते समय भी वह कई बार घुटनों के बल झुका। तदुपरान्त वह जा कर बैठ गया।

छोटे खान के सभी आदमियों की वेश–भूषा मुगूल प्रथानुसार थी। वे मुगूल टोपी तथा चीनी अतलस के जामे, जिन पर जंजीरे का काम था, धारण किये हुये थे। उनके पास मुगूल निषंग और हरी सागरी जीन सहित मुगूल प्रथानुसार सजे हुये घोड़े थे। छोटे खान दादा के साथ बहुत थोड़े से

[1] १२–१५ मील ।

आदमी थे। वे १००० से अधिक तथा २००० से कम रहे होंगे। मेरे छोटे खान दादा का बड़ा विचित्र स्वभाव था। वह बड़ा ही कुशल तलवार चलाने वाला तथा वीर था। अस्त्र–शस्त्र में वह तलवार पर अधिक भरोसा करता था। वह कहा करता था कि ''अस्त्र–शस्त्र में शश पर[1], पियाजी[2], कीस्तिन[3], तबर जीन[4] तथा बालतू[5] होते हैं। जब उनसे प्रहार किया जाता है उनका प्रभाव सर्व प्रथम उसी (भाग) पर होता है जिसे वे सर्व प्रथम छूते हैं किन्तु तलवार सिर से पांव तक काटती चली जाती है।'' वह अपनी तेज़ धार वाली तलवार कभी भी पृथक् न करता था। वह या तो उसकी कमर में या उसके हाथ में रहती थी। उसका पालन–पोषण एक दूरस्थ स्थान पर हुआ था अतः उसकी बात चीत में कुछ गंवारपन था खुर्रापन था।

इसी मुगूल वस्त्र में जिसका उल्लेख हो चुका है, मैं अपने छोटे खान दादा के साथ जब खान के पास पहुंचा तो ख्वाजा अबुल मकारिम ने पूछा, ''यह सम्मानित सुल्तान कौन है ?'' जब तक मैंने बात न की वह मुझे पहचान न सका।

खान का तम्बल के विरुद्ध फ़रगाना को प्रस्थान

ताशकीन्त पहुंच कर शीघ्र ही खान ने सुल्तान अहमद पर आक्रमण हेतु अन्दिकान[6] की ओर प्रस्थान किया। वह कीदीरलीक दर्रे से होता हुआ आहनगरान की घाटी में पहुंचा। वहां से उसने छोटे खान तथा मुझे आगे प्रस्थान करने का आदेश दिया। दर्रे को पार कर लेने के उपरान्त हम लोग पुनः क नान के अधीन ज़रक़ान[7] में मिले।[8]

एक दिन करनान के समीप उन लोगों ने अपने आदमियों की गणना की। गणना में ३०,००० की संख्या निकली। उसी समय समाचार प्राप्त हुये कि तम्बल भी सेना एकत्र कर के अक्शी जाने की तैयारी कर रहा है। दोनों खानों ने यह निश्चय किया कि वे अपने कुछ सैनिकों को मेरे साथ कर दें ताकि मैं खुजन्द नदी पार कर के ऊश तथा ऊजकीन्त होता हुआ तम्बल के पीछे पहुंच जाऊं। यह निश्चय कर के उन्होंने अयूब बेगचीक को उसके तूमान सहित, जान हसन बारीन[9] को उसके बारीनों के साथ, मुहम्मद हिसारी दूगलात, सुल्तान हुसेन दूग़लात तथा सुल्तान अहमद मीर्जा दूग़लात को और

---

[1] छ–पहला गदा।

[2] खुरदुरी गदा।

[3] इसका अर्थ ज्ञात न हो सका।

[4] घोड़े की काठी का कुठार।

[5] युद्ध में काम आने वाला कुठार।

[6] अन्दिजान।

[7] 'जबरकान' के नाम से भी प्रसिद्ध है।

[8] रोजतुस्सफ़ा के अनुसार खान लोग १५ मुहर्रम (२१ जुलाई १५०२ ई०) को तम्बल से युद्ध करने के लिये रवाना हुये।

[9] 'नारीन' भी लिखा गया है।

क़म्बर अली बेग को मेरे साथ कर दिया। सारीग़ बाश मीर्जा इटार्ची को सेना का दारोगा[1] बना कर मेरे साथ किया गया।

खानों को करनान में छोड़ कर हमने सकन के समीप नदी को लट्ठों की नौकाओं द्वारा पार किया। खूकान से होते हुये, हम कबा को विजय कर के अलाई लूक के मार्ग से अचानक ऊश पहुंच गये। प्रातःकाल जब वहां के लोग असावधान हुये तो हम वहां पहुंच चुके थे। वहां के लोगों के लिये ऊश समर्पित करने के अतिरिक्त कोई अन्य उपाय न था। वहां के सर्वसाधारण का हमारे प्रति स्नेह स्वाभाविक ही था किन्तु तम्बल के भय तथा हमारे दूर होने के कारण वे कुछ भी न कर सकते थे। हमारे ऊश पहुंच जाने पर अन्दिजान के पूर्व तथा दक्षिण की ओर के ईल व उलूस[2] पर्वत तथा मैदान से सब के सब आ गये।

ऊज़कीन्त इससे पूर्व फ़रग़ाना की राजधानी रह चुका होगा। वहां एक उत्तम क़िला था और (फ़रग़ाना की) सीमा पर स्थित था। वहां के निवासियों ने भी हमारी अधीनता स्वीकार कर ली और अपने आदमी भेज कर हमारी सेवा में आ गये।

दो–तीन दिन उपरान्त मगीनान निवासियों ने भी अपने दारोगा को भी मार भगाया और हमारे पास आ गये। अन्दिजान के अतिरिक्त खुजन्द नदी के दक्षिण का प्रत्येक किला हमारे अधिकार में आ गया। यद्यपि किले के बाद किले हमारे अधिकार में आते जा रहे थे और राज्य में इतनी अशान्ति तथा इतना उपद्रव फैल गया था, फिर भी तम्बल की बुद्धि ठिकाने न लगी थी। अक्शी तथा करनान के मध्य में अपने अश्वारोहियों तथा पदातियों सहित वह खानों से युद्ध करने के लिये उद्यत हो गया। वह अपने आपको वृक्ष के लट्ठों तथा खाईं द्वारा दृढ़ बना कर डटा हुआ था। कई बार इस ओर तथा उस ओर से थोड़ी बहुत झड़पें हुईं किन्तु किसी को भी निश्चित रूप से विजय तथा पराजय न हुई।

अन्दिजान की दिशा के बहुत से वंश क़बीले, किले तथा प्रदेश मेरे अधिकार में आ गये थे। अन्दिजान वाले भी स्वाभाविक रूप से मेरे ही पक्ष में थे किन्तु वे कोई व्यवस्था न कर सकते थे।

एक भूल के कारण बाबर के अन्दिजान के प्रवेश में बाधा

मैंने सोचा कि रात्रि में अन्दिजान के समीप पहुंच कर हम किसी को ख्वाजा[3] तथा अन्य प्रतिष्ठित व्यक्तियों के पास भेज कर यह निश्चय करा लें कि वे हमें किसी न किसी स्थान पर रहने दें। यह संकल्प करके हम ऊश से चल खड़े हुए। आधी रात्रि में हम चेहल दुख्तरान के समक्ष जो अन्दिजान से एक कुरोह[4] है पहुंच गये। वहां से हमने क़म्बर अली बेग तथा कुछ अन्य

---

[1] सेनापति।

[2] कबीले तथा जत्थे।

[3] सम्भवतः अन्दिजान के ख्वाजाओं के प्राचीन वंश का कोई आदमी।

[4] दो मील।

बेगों को इस आशय से आगे भेज दिया कि उनमें से कोई गुप्त रूप से वहां पहुंच कर ख्वाजा से वार्तालाप करे। उनकी प्रतीक्षा में हम उसी प्रकार घोड़े पर बैठे रहे। कुछ लोग पिनक रहे थे और कुछ नींद में थे। संभवतः तीन पहर रात्रि व्यतीत हुई होगी कि तबल बजाने वालों तथा अश्वारोहियों की आवाज़ आने लगी। निद्रा से चौंक कर और यह न समझ कर कि शत्रु की संख्या अधिक है अथवा कम, मेरे आदमी बिना एक दूसरे को देखे हुये भाग खड़े हुये। मुझे उनको एकत्र करने का भी अवकाश न मिल सका। मैं सीधा शत्रु की ओर बढ़ा। केवल मीर शाह कूचीन, बाबा शेरज़ाद तथा निसार दोस्त मेरे साथ थे। हम चारों के अतिरिक्त अन्य लोग भाग खड़े हुए थे। हम लोगों ने थोड़ी सी ही यात्रा की होगी कि शत्रु बाण चलाते तथा युद्ध का नारा लगाते हुये पहुंच गये। एक आदमी, जिसके घोड़े के मत्थे पर तिलक के समान चिह्न थे, मेरे समीप पहुंचा। मैंने उसकी ओर एक बाण चलाया। वह लढ़क कर गिर पड़ा और मृत्यु को प्राप्त हो गया। वे इस पार ठिठक गये मानो भागने वाले हों। उन तीन व्यक्तियों ने जो मेरे साथ थे, कहा, ''रात्रि बड़ी अंधेरी है। शत्रु की संख्या के विषय में कुछ कहा नहीं जा सकता कि वे कम हैं अथवा अधिक। हमारी सेना वाले भाग चुके हैं। हम चार व्यक्ति इन लोगों का क्या बिगाड़ सकते हैं। हम लोग चल कर जो लोग भाग चुके हैं उन्हें एकत्र करके युद्ध करें।'' हम लोग शीघ्रातिशीघ्र उन लोगों के पास पहुंचे। हमने उनमें से कुछ लोगों के घोड़ों के कोड़े लगाये किन्तु हमारे अत्यधिक प्रयत्न पर भी वे लोग न रुक सके। हम चारों ने पुनः वापिस होकर शत्रु पर बाण चलाने प्रारम्भ कर दिये। वे कुछ ठिठक गये। जब उन्होंने देखा कि हमारी संख्या तीन–चार से अधिक नहीं तो उन लोगों ने हमारा पीछा करना तथा हमारे आदमियों को घोड़ों से गिराने का प्रयत्न करना प्रारम्भ कर दिया। मैंने तीन–चार बार जाकर अपने आदमियों को एकत्र करने का प्रयत्न किया किन्तु उससे कोई लाभ न हुआ। मैंने अपने उन्हीं तीनों आदमियों सहित लौट कर, बाण फेंकते हुये शत्रुओं को रोकना प्रारम्भ कर दिया। उन्होंने दो–तीन कुरोह[1] तक खराबूक तथा पशामून पुश्ते तक हमारा पीछा किया। हमारी मुहम्मद अली मुबश्शिर से भेंट हुई। मैंने उससे कहा, ''इनकी संख्या बड़ी थोड़ी है। हम लोग रुक कर उन पर आक्रमण करें।'' हमने ऐसा ही किया। जब हम लोग उनके पास पहुंचे तो वे लोग चुपचाप खड़े हो गये।

तदुपरान्त हमारे वे सहायक जो छिन्न–भिन्न हो गये थे, इधर–उधर से एकत्र होने लगे किन्तु बहुत से उपयोगी लोग छिन्न–भिन्न होते समय ऊश चल दिये।

इसका कारण यह ज्ञात होता है कि अयूब बेगचीक के कुछ मुगूल ऊश से अन्दिजान के आस पास आक्रमण हेतु जा चुके थे। हमारे सैनिकों का शोर गुल सुन कर वे शनैः शनैः हमारे पास आये किन्तु संकेत शब्द समझने में

---

[1] ४–६ मील।

उनसे भूल हो गई। इस अभियान के समय हमने दो संकेत–शब्द चुने थे : ताशकीन्त तथा सैराम।

संकेत–शब्द दो प्रकार के होते हैं–प्रत्येक क़बीले में एक शब्द, कबीले के प्रयोग के लिये होता है उदाहरणार्थ दर्वाना या तुक्काई अथवा लूल और एक संकेत–शब्द समस्त सेना में प्रयोग हेतु होता है। युद्ध के समय दो संकेत–शब्द निश्चित होते हैं ताकि जब दो व्यक्ति मिलें तो उनमें से एक व्यक्ति एक शब्द कहे और दूसरा उसका उत्तर दे। इस प्रकार मित्र तथा शत्रु, अपने आदमी तथा अपरिचित की पहचान हो जाती है।

यदि ताशकीन्त शब्द कहा जायेगा तो सैराम शब्द उत्तर में मिलेगा और यदि सैराम शब्द कहा जायेगा तो ताशकीन्त शब्द उत्तर में मिलेगा। ख्वाजा मुहम्मद अली सम्भवतः हमारी सेना के दल से कुछ आगे बढ़ गया था। वह फ़ारसी भाषा भाषी ताजीक था। जब मुगूल लोग ताशकीन्त–ताशकीन्त चिल्लाते हुये आये तो उसने भी ताशकीन्त–ताशकीन्त कह कर उत्तर दिया। इससे वे लोग उसे अपना शत्रु समझे और युद्ध का नारा लगा कर तबल बजाते हुये बाण चलाने लगे। इस भूल तथा धोखे के कारण हम छिन्न–भिन्न हो गये। हमने जो सोचा था, वह पूरा न हो सका। हम लोग पुनः ऊश पहुंच गये।

बाबर का अन्दिजान पर पुनः आक्रमण

किलों के मेरे अधिकार में आजाने तथा पर्वत एवं मैदानों के कबीलों के मुझसे मिल जाने के कारण तम्बल तथा उसके सहायक निराश हो गये और उनके पांव उखड़ गये। ५–६ दिन में उसकी सेना वालों तथा उसके आदमियों ने उसका साथ छोड़ कर भागना प्रारम्भ कर दिया और वे पर्वतों तथा मैदानों की ओर जाने लगे। जो लोग उसके पास से आते थे वे यही कहते थे कि तम्बल के कार्य नष्ट–भ्रष्ट हो रहे हैं। वह निःसन्देह तीन–चार दिन में नष्ट–भ्रष्ट हो जायेगा। यह सुन कर हम लोग अन्दिजान की ओर चल खड़े हुये।

अन्दिजान के किले में तम्बल का छोटा भाई सुल्तान मुहम्मद गलपुक था। तुईलूक[1] मार्ग से होते हुये मध्याहन्त की नमाज के समय हम लोग अन्दिजान के दक्षिण में पहुंचे। हमने प्रारम्भिक पर्यवेक्षण करने वाले दल को आगे भेजा। मैं भी उनके पीछे–पीछे खाकान होता हुआ ऐश पुश्ते के आंचल तक पहुंचा। शत्रु के विषय में भेद लाने वाले व्यक्तियों ने यह समाचार पहुंचाये कि सुल्तान मुहम्मद गलपुक अपने थोड़े से आदमियों को लेकर उद्यानों के समीप से निकल कर पुश्तये ऐश में प्रविष्ट हो गया है। हमारे प्रारम्भिक पर्यवेक्षण करने वाले अभी एकत्र न हुये थे किन्तु हम उनकी प्रतीक्षा किये बिना बाग की ओर शीघ्रातिशीघ्र रवाना हो गये। उसके साथ ५०० आदमियों से अधिक रहे होंगे। हमारे आदमियों की संख्या यद्यपि अधिक थी,

---

[1] शहतूत के वृक्षों का मार्ग।

किन्तु हमारे आदमी प्रारम्भिक पर्यवेक्षण हेतु छिन्न–भिन्न हो चुके थे। जब हमारा शत्रु से आमना सामना हुआ तो दोनों ओर की सेनाओं की संख्या समान रही होगी। हम सेना की पंक्तियों की सुव्यवस्था पर ध्यान दिये बिना शत्रु के विरुद्ध घोड़ों को भगाते हुये रवाना हो गये। जैसे ही हम लोग निकट पहुंचे वे ठहर न सके। तलबार के एक–दो हाथ भी न चले और वे भाग खड़े हुये। मेरे आदमियों ने खाकान द्वार तक उनका पीछा किया।

शत्रु को पराजित करके जब हम ख्वाजा कित्ता नामक स्थान पर, जो समीप था, पहुंचे तो संध्या समय हो गया था। मेरा विचार था कि मैं शीघ्रातिशीघ्र द्वार तक पहुंच जाऊं किन्तु दोस्त बेग के पिता नासिर बेग तथा क़म्बर अली बेग सरीखे वृद्ध तथा अनुभवी अमीरों ने निवेदन किया, ''अब समय नहीं रहा है। अंधेरे में किले के भीतर प्रविष्ट होना उचित नहीं। इस समय कुछ थोड़ा सा पीछे हट कर हम लोग उतर पड़ें। क़िला समर्पित करने के अतिरिक्त उन लोगों के पास कोई अन्य उपाय नहीं।'' इन अनुभवी लोगों के परामर्श के अनुसार हम लोग वहीं समीप के स्थान पर उतर पड़े। यदि हम किले के द्वार पर पहुंच जाते तो निःसन्देह किला अधिकार में आ जाता।

तम्बल का बाबर पर अचानक आक्रमण

सोने की नमाज़ के समय हम लोग खाकान नहर को पार करके रबाते जौरक नामक ग्राम में उतरे। यद्यपि हमें ज्ञात था कि तम्बल के सहायक छिन्न–भिन्न हो चुके हैं और वह अन्दिजान पहुंच रहा है किन्तु अनुभव की कमी के कारण हमसे असावधानी हो गई। हम लोग खाकान नहर जैसे सुरक्षित स्थान पर न उतरे और नहर पार करके रबाते जौरक़ नामक ग्राम में मैदान में उतर पड़े। वहां हम किसी क़रावल तथा जीग़दावल की व्यवस्था किये बिना सो गये।[1]

प्रातःकाल जब लोग मीठी–मीठी निद्रा का आनन्द ले रहे थे, क़म्बर अली बेग शोर मचाता हुआ आया कि, ''उठो, उठो, शत्रु पहुंच गये हैं।'' यह कह कर वह क्षण भर भी रुके बिना चल दिया। मैं सर्वदा उस समय भी जब कि कोई भय न रहता था, बिना वस्त्र उतारे उसी प्रकार सो जाता था। उठते ही तलवार तथा निषंग लगा कर मैं तत्काल सवार हो गया। मेरी पताका ले जाने वाले को पताका ठीक करने का भी अवसर न मिल सका। वह पताका को उसी प्रकार हाथ में लेकर सवार हो गया। जिस ओर से शत्रु आ रहे थे, हम उस ओर चल खड़े हुये। इस समय हमारे साथ १०–१५ आदमी रहे होंगे। जैसे ही हम लोग एक बाण के फेंकने की दूरी तक पहुंचे कि शत्रु का समाचार ले जाने वाला अग्रदल पहुंच गया। वे १० की संख्या में रहे होंगे। हम शीघ्रातिशीघ्र आगे बढ़ कर उनके पास पहुंच गये। हमने बाण चला कर उनको आगे बढ़ने से रोक दिया। उनको भगा कर हमने उनका पीछा किया। हमने उनका एक बाण के पहुंचने की दूरी तक पीछा किया किन्तु इसी समय

---

[1] चौकी–पहरे तथा उस दल की व्यवस्था के बिना जो समाचार लाने के लिये नियुक्त किया जाता है।

हमारी मुठभेड़ शत्रु के मध्य भाग की सेना से हो गई। सुल्तान अहमद तम्बल स्वयं लगभग १०० आदमियों सहित पहुंच गया था। वह तथा एक अन्य व्यक्ति अपने सैनिकों के समक्ष इस प्रकार खड़े हो गये कि मानो किसी फाटक की रक्षा कर रहे हों और ''मारो–मारो'' का नारा लगाने लगे। किन्तु उसके आदमी बग़ल से बचते हुये, ''क्या हम भागें और क्या हम न भागें'' कहते हुये खड़े हो गये। उस समय हमारे साथ केवल तीन आदमी रह गये थे। एक नासिर दोस्त, दूसरा मीर्जा कुली कूकूल्दाश, तीसरा खुदाई वीरदी तुर्कमान का करीम दाद। मैंने तम्बल के शिरस्त्र को लक्ष्य करते हुए एक बाण धनुष में लगा कर चलाया। जब मैंने अपने निषंग में हाथ डाला तो मेरे हाथ में एक नया गोशा गीर आ गया, जिसे मेरे छोटे खान दादा ने मुझे प्रदान किया था। मुझे उसे फेंकते हुये दुःख हुआ। उसे पुनः निषंग में रखने पर दो–तीन बाण चलाने का समय निकल गया। मैं दूसरे बाण को चिल्ले में रख कर आगे बढ़ा। मेरे वे तीन आदमी भी पीछे रह गये। मेरे आगे जो दो व्यक्ति थे, उनमें से सम्भवतः तम्बल आगे बढ़ा। हमारे मध्य में एक चौड़ा मार्ग था। मैं अपनी ओर से तथा वह अपनी ओर से उस मार्ग पर अग्रसर हुये और हम लोग आमने सामने इस प्रकार पहुंच गये कि उसका दायां हाथ मेरी ओर था और मेरा उसकी ओर था। तम्बल[1] के घोड़े पर तो ज़रह वक्तर न था किन्तु वह स्वयं पूर्ण रूप से सशस्त्र एवं कवच धारण किये था। मेरे पास तलवार तथा निपंग के अतिरिक्त कुछ न था। जो बाण मेरे हाथ में था उसे मैंने उस स्थान को लक्ष्य करते हुये जो उसकी ढाल से मिला था, चलाया। इसी समय मेरी दाईं रान में एक बाण लगा। मैं अपने सिर पर वह नरम टोपी पहने हुये था जो शिरस्त्र के नीचे पहनी जाती है। तम्बल ने मेरे सिर पर तलवार से इतने ज़ोर का वार किया कि यद्यपि टोपी का कोई भी तागा न कटा किन्तु मेरा सिर बुरी तरह घायल हो गया। मैंने अपनी तलवार न निकाली थी। वह मियान में थी। मुझे उसे निकालने का अवसर न मिला। बहुत से शत्रुओं के मध्य में मैं अकेला घिर गया था। मैं ठहर न सकता था। मैंने घोड़े की लगाम मोड़ दी। मेरे एक तलवार और लगी किन्तु वह मेरे बाणों पर रुक गई। मेरे सात–आठ क़दम आगे जाने पर वे तीनों आदमी मेरे पास पुनः पहुंच गये। मुझ पर तलवार का वार करने के उपरान्त, तम्बल ने नासिरे दोस्त पर तलवार का वार किया। एक बाण के पहुंचने की दूरी तक शत्रुओं ने मेरा पीछा किया।

खाकान नहर बहुत बड़ी तथा गहरी नहर है। उसे प्रत्येक स्थान से पार नहीं किया जा सकता। ईश्वर की कृपा द्वारा कुशल हो गई। हम लोग एक ऐसे स्थान पर पहुंचे जहां से वह पार की जा सकती थी। हम सीधे नहर पार करते चले गये। जिस घोड़े पर नासिरे दोस्त था, वह कुछ कमजोर था और गिर पड़ा। हमने ठहर कर उसे सवार किया और खराबूक तथा फ़रागीना के पुश्तों के मध्य से होते हुये मैं ऊश की ओर चल दिया। इन पुश्तों को पार

---

[1] बाण की तांत को चढ़ाने में सहायता का यंत्र।

करने के उपरान्त मजीद तग़ाई आकर हमसे मिल गया। उसके दायें पांव में भी एक बाण लगा था। यद्यपि बाण पांव के पार न हो सका था किन्तु वह बड़ी कठिनाई से ऊश तक पहुंच सका। शत्रुओं ने मेरे अच्छे आदमियों को घोड़ों से गिरा दिया। नासिर बेग, मुहम्मद अली मुबश्शिर, ख्वाजा मुहम्मद अली, खुसरो कूकूल्दाश, नोमान चुहरा तथा सिपाहियों में से बहुत से छोटे बड़े वहां पहुंच गये।

खानों का कासान से अन्दिजान की ओर प्रस्थान

दोनों खानों ने तम्बल का पीछा करते हुये अन्दिजान के समीप पड़ाव किया। बड़ा खान कूरूक के किनारे मेरी बड़ी माता (नानी) ईसान दौलत बेगम के उद्यान में, जो कूश तीगीरमान के नाम से प्रसिद्ध है, उतरा। छोटा खान बाबा तवक्कुल के लंगर के समीप उतरा। दो दिन उपरान्त मैंने ऊश से पहुंच कर कूश तीगीरमान में बड़े खान से भेंट की। उसी भेंट के समय जो स्थान मैंने अपने अधिकार में किये थे, उसने छोटे खान को दे दिये और मुझसे यह बहाना किया कि शैबाक़ खां सरीखे शत्रु ने समरकन्द पर अधिकार जमा लिया है और अपनी शक्ति बढ़ाता. जा रहा है। इसी कारण मैं छोटे खान को कितनी दूर से लाया हूं। यहां उसके अधिकार में कोई स्थान नहीं है। उसका अधीनस्थ राज्य यहां से बहुत दूर है अतः अन्दिजान के नीचे का प्रदेश जो खुजन्द नदी के दक्षिण में स्थित है, उसे दे दिया जाये ताकि वह वहां ठहर सके। उसने मुझे आश्वासन दिलाया कि मुझे अक्शी के नीचे का प्रदेश खुजन्द नदी के उत्तर में प्रदान कर दिया जायेगा। उसने कहा कि फ़रग़ाना पर पूर्ण अधिकार स्थापित कर लेने के उपरान्त वे वहां से प्रस्थान करके समरक़न्द के राज्य पर अधिकार जमाने के लिये रवाना हो जायेंगे और उसे मुझको प्रदान कर देंगे। उस समय समस्त फ़रग़ाना छोटे खान को दे दिया जायेगा। ये शब्द सम्भवतः मुझे धोखा देने के लिये कहे गये कारण कि जब उनके उद्देश्य की पूर्ति हो जाती, उस समय वे क्या करते, इसका कोई पता न था। मैं विवश था अतः मुझे यह बात स्वीकार करनी ही पड़ी।

मैं बड़े खान की सेवा से बिदा होकर छोटे खान से भेंट करने के लिये घोड़े पर सवार होकर रवाना हुआ। मार्ग में कम्बर अली, जो खाल उतारने वाले के नाम से प्रसिद्ध था, मेरे पास आया और उसने कहा, ''आपने देखा! इन लोगों ने राज्य को, जो आपके अधिकार में आ गया था, ले लिया। आपको इन लोगों से कोई लाभ नहीं हो सकता। इस समय ऊश, मर्गीनान, ऊजकीन्त, कृषि–योग्य भूमि, तथा क़बीले एवं जत्थे आपके हाथ में हैं। आप ऊश चले जायें। उस किले को दृढ़ बना लें। किसी आदमी को तम्बल के पास भेज दें। उससे सन्धि करलें। तदुपरान्त मुगूलों पर आक्रमण करके उन्हें भगा दें और राज्य को बड़े भाई और छोटे भाई के हिस्से के समान विभाजित कर लें।'' मैंने कहा, ''क्या यह उचित होगा? खान लोग मेरे सगे सम्बन्धी हैं। इन लोगों की सेवा करना मेरे लिये तम्बल की ओर से राज्य करने से अच्छा

है।'' उसने देखा कि उसकी बात का कोई प्रभाव नहीं हुआ। वह अपनी बात पर खेद प्रकट करते हुये लौट गया।

मैं अपने छोटे खान दादा से भेंट करने के लिये रवाना हो गया। पहली भेंट के समय, मैं उसके पास बिना सूचना के पहुंचा था। उसे घोड़े से उतरने का अवसर भी न मिल सका था अतः वह भेंट शिष्टाचार रहित ही थी। इस बार मैं सम्भवतः और भी निकट पहंच गया। वह अपने खेमे की रस्सी तक भाग कर पहुंचा। मैं पांव में बाण के घाव के कारण, बड़ी कठिनाई से चल रहा था। हमने एक दूसरे से भेंट की। उसने कहा, ''हे मेरे अनुज! तुम्हें लोग शूर–वीर बताते हैं।'' मेरा बाजू पकड़ कर वह मुझे खेमे के भीतर ले गया। जो खेमे लगाये गये थे, वे बड़े छोटे थे। क्योंकि वह दूरस्थ स्थानों पर रह चुका था, अतः उसने उस खेमे को जिसमें वह बैठा था, बड़ी ही शोचनीय दशा में कर रक्खा था। वह किसी छापा मारने वाले के खेमे के समान था। खरबूज़ा, अंगूर, असबाब तथा अन्य वस्तुयें उसके बैठने वाले खेमे में थीं। मैं उसके पास से सीधे अपने शिविर में पहुंचा। वहां उसने अपने मुगूल जर्राह को मुझे देखने के लिये भेजा। मुगूल लोग जर्राह को भी बख्शी कहते हैं। वह आताका बख्शी कहलाता था।

वह बड़ा ही कुशल जर्राह था। यदि किसी का भेजा भी निकल आता तो वह उसे अच्छा कर सकता था। धमनी के हर प्रकार के घावों का वह सुगमतापूर्वक उपचार कर सकता था। कुछ घावों के लिये वह मलहम देता था और कुछ घावों के लिये खाने की औषधि देता था। उसने मेरे पांव के घाव पर पट्टी बंधवा दी और घाव खुला रखने के लिये कोई बत्ती न रखवाई। उसने मुझे एक तन्तुओं जैसी जड़ भी खिलवाई। उसने मुझे स्वयं बताया, ''एक बार एक आदमी का पांव टूट गया और हाथ भर हड्डी चूर्ण हो गई। मैंने मांस को काट कर हड्डी के टुकड़े जहां जहां थे, निकाल कर वहां एक चूर्ण–औषधि रख दी। वही चूर्ण–औषधि हड्डी के स्थान पर हड्डी बन गई।'' उसने इस प्रकार की बहुत सी विचित्र बातें मुझे बताईं जिनका उपचार इस विलायत के जर्राह इस प्रकार नहीं कर सकते।

तीन–चार दिन उपरान्त कम्बर अली उस बात के भय के कारण जो उसने मुझसे कही थी, अन्दिजान की ओर भाग गया। कुछ दिन उपरान्त खानों ने निश्चय कर के अयूब बेगचीक को उसके तूमान सहित, जान हसन बारीन को बारीन तूमान सहित तथा सारीग़ बाश मीर्जा को सेना का बेग बना कर १०००–२००० व्यक्ति हमारे साथ कर दिये और हमें अक्शी की ओर भेज दिया।

बाबर का अक्शी पर आक्रमण

अक्शी तम्बल के छोटे भाई शेख बायज़ीद के अधिकार में था। शहबाज़ कारलूक कासान में था। उस समय शहबाज़ नूकीन्त किले के समक्ष पहुंच कर पड़ाव किये था। हमने खुजन्द नदी को बीखराता के सामने से पार किया और उसपर आक्रमण हेतु अग्रसर हुये। प्रातःकाल के पूर्व जब हम

नूकीन्त पहुंचने वाले थे कि बेगों ने निवेदन किया कि उसे हमारी सूचना हो गई होगी अतः यह उचित नहीं कि हम सेना की पंक्तियां सुव्यवस्थित किये बिना अग्रसर हों। हम लोगों ने धीरे धीरे यात्रा करना प्रारम्भ कर दिया। जब तक हम बिल्कुल निकट नहीं पहुंच गये, उस समय तक शहबाज को स्वयं कोई सूचना न थी। हमारे विषय में सूचना पाकर वह बाहर से भाग कर किले में घुस गया। इस प्रकार की घटनायें अधिकांश घटती रहती हैं। कभी–कभी यह ज्ञात हुआ कि शत्रु सावधान है किन्तु इस विषय की ओर उचित ध्यान न दिया गया और युद्ध का समय जाता रहा। अनुभव में इसी प्रकार की बातें आती रहती हैं अतः समय पर किसी प्रकार के परिश्रम तथा प्रयत्न की ओर से उपेक्षा न करनी चाहिये कारण कि बाद में पश्चाताप् करने से कोई लाभ नहीं होता। प्रातःकाल किले के चारों–ओर थोड़ा सा युद्ध हुआ किन्तु हम कोई जोरदार आक्रमण न कर सके।

चारे की सुगमता की दृष्टि से हम लोग नूकीन्त से बीशखारान की दिशा में पर्वत की ओर चले गये। शहबाज़ कारलूक इस अवसर से लाभ उठा कर नूकीन्त को छोड़कर कासान चला गया। हम लोग नूकीन्त पहुंच गये और उसे अपने अधिकार में कर लिया। उन दिनों में हमारी सेना ने कई बार इधर उभर आक्रमण किये। एक बार उसने अक्शी के ग्रामों पर और एक बार कासान के ग्रामों पर आक्रमण किया। शहबाज़ तथा मीरीम, जिसे ऊजून हसन ने अपना पुत्र बना लिया था, युद्ध के लिये निकले। युद्ध में वे पराजित हुये। मीरीम की वहीं मृत्यु हो गई।

पाप में सैयिद क़ासिम का पौरुष

पाप, अक्शी का एक दृढ़ किला है। पाप वालों ने किले को दृढ़ बनाकर हमारे पास एक आदमी भेजा। हमने सैयिद कासिम को कुछ वीरों सहित उसे विजय करने के उद्देश्य से भेजा। उन लोगों ने अक्शी के ऊपर से नदी पार की और पाप पहुंच गये। कुछ दिन उपरान्त सैयद क़ासिम ने एक आश्चर्य जनक बात की। उन दिनों अक्शी में शेख बायज़ीद के साथ, इबराहीम चापूक तग़ाई, अहमदे क़ासिम कोहवर तथा कासिम खितिका अरगून थे। शेख बायजीद ने इन लोगों के साथ २०० उपयोगी वीर कर दिये और एक रात्रि में उन्हें अचानक पाप के किले पर आक्रमण करने के लिये भेजा दिया। सैयिद कासिम ने कोई सावधानी न बरती थी और असावधान निद्रा में पड़ा था। उन्होंने किले पर पहुंच कर सीढ़ियां लगा दी और द्वार पर अधिकार जमा कर उठने वाले पुल को नीचे डाल दिया। जब ७०–८० वीर प्रविष्ट हो गये तो सैयिद क़ासिम को सूचना मिली। नींद में डूबा हुआ कुर्ता पहने वह उठ खड़ा हुआ। अपने ५–६ आदमियों को लेकर उसने शत्रु पर आक्रमण किया और उनको मार–मार कर भगा दिया। उसने कुछ लोगों के सिर काट कर मेरे पास भेज दिये। यद्यपि उसके लिये यह उचित न था कि वह इस प्रकार असावधानी से सोता किन्तु थोड़े से आदमियों को लेकर इतने सशस्त्र आदमियों को मार पीट कर भगा देना बहुत बड़े पौरुष का काम था।

इस बीच में खान लोग अन्दिजान के अवरोध में व्यस्त थे किन्तु किले वाले उन्हें किले के समीप फटकने न देते थे और किले के बाहर निकल कर वीर लोग युद्ध किया करते थे।

बाबर का अक्शी बुलाया जाना

अक्शी से शेख बायजीद ने निष्ठा प्रदर्शित करते हुए आदमी भेज कर मुझे बड़े आग्रह से बुलवाया। उसका उद्देश्य यह था कि जिस प्रकार भी सम्भव हो मुझे खानों से पृथक् कर दे। मेरे खानों से पृथक् हो जाने के उपरान्त उन्हें उनसे संधि की आशा थी। उसने मुझे अपने बड़े भाई तम्बल की सहमति से आमंत्रित किया था। खानों से पृथक् होकर उन लोगों से मिल जाना मेरे लिये बड़ा कठिन था। मैंने खानों से इस निमंत्रण के विषय में संकेत किया। खानों ने कहा, ''चले जाओ और जिस प्रकार सम्भव हो शेख बायज़ीद को बन्दी बना लो।'' मैं इस प्रकार के विश्वासघात तथा धूर्तता का आदी न था। प्रतिज्ञा के उपरान्त मैं उसे किसी प्रकार भंग न कर सकता था किन्तु मैंने सोचा कि जिस प्रकार हो सके मैं अक्शी पहुंच जाऊँ और शेख बायजीद को किसी न किसी प्रकार तम्बल से पृथक् करके अपनी ओर मिला लूं या कोई अन्य ऐसी घटना घट जाये जो मेरे सौभाग्य का कारण बन जाये। हमने एक आदमी को उसके पास भेजा और उससे (शेख बायजीद से) प्रतिज्ञा करा ली गई एवं उससे आश्वासन ले लिया गया। हम उसके निमंत्रण पर अक्शी पहुंचे। वह हमारे स्वागतार्थ आया और अपने साथ मेरे अनुज नासिर मीर्जा को भी लाया। वह मुझे अक्शी के किले के भीतर ले गया। उसने बाहरी किले में मेरे पिता के घर में निवास करने के लिये मुझे स्थान प्रदान किया। मैं वहां जाकर उतरा। अन्य लोगों के लिये शिविर के लिये भी उसने स्थान दिये।

तम्बल का शैबाक खां से सहायता मांगना

तम्बल अपने बड़े भाई बेग तीलबा को शैबाक़ खां के पास भेज चुका था और उसकी अधीनता स्वीकार करने का वचन देकर उसने उसे फ़रग़ाना में आमंत्रित किया था। उसी बीच में शैबाक़ खां का उत्तर प्राप्त हो गया। उसने लिखा था, ''मैं आऊंगा।'' यह सुन कर खान लोग परेशान हो गये। वे अन्दिजान में न ठहर सके और उन्होंने वहां से प्रस्थान कर दिया।

छोटा खान अपने न्याय तथा अपनी धर्मनिष्ठता के लिये प्रसिद्ध था किन्तु ऊश, मर्गीनान तथा अन्य स्थानों पर जो मेरे अधिकार में आ गये थे उसके मुगूलों ने, जिन्हें उसने वहां नियुक्त कर दिया था, वहां की प्रजा के प्रति अत्याचार तथा निष्ठुरता का व्यवहार प्रारम्भ कर दिया। खानों के अन्दिजान से प्रस्थान करते ही, ऊश तथा मर्गीनान निवासियों ने विद्रोह कर दिया और जो मुगूल किले में थे, उन्हें बन्दी बना लिया। तदुपरान्त उन्हें लूटमार कर भगा दिया

खानों ने (कींदीरलीक दर्रे) के कारण खुजन्द नदी न पार की, किन्तु इस प्रदेश से मर्गीनान तथा कन्दे बादाम के मार्ग से होते हुए खुज़न्द के

बाहर चले गये। तम्बल ने मर्गीनान तक उनका पीछा किया। हम लोग उस समय बड़े असमंजस में थे। हमें इस बात पर अधिक विश्वास न था कि वे हमारा साथ देंगे, किन्तु हमारे लिये अकारण उन्हें छोड़कर चला जाना उचित ज्ञात न होता था।

बाबर द्वारा अक्शी की प्रतिरक्षा

एक दिन प्रातःकाल जहांगीर मीर्जा मर्गीनान से तम्बल के पास से भाग कर अक्शी पहुंचा। मैं उस समय गरम स्नानागृह[1] में था। मैंने मीर्जा से भेंट की। उसी समय शेख बायज़ीद बड़ी व्याकुल तथा भयभीत अवस्था में पहुंचा। मीर्जा तथा इबराहीम बेग ने कहा कि, ''शेख बायजीद को बन्दी बना लेना तथा दुर्ग को अपने अधिकार में कर लेना चाहिये।'' वास्तव में यह प्रस्ताव बड़ा उपयुक्त था। मैंने कहा, ''हम लोग वचनबद्ध हो चुके हैं। हम किस प्रकार विश्वासघात कर सकते हैं।'' शेख बायज़ीद दुर्ग के भीतर प्रविष्ट हो गया। पुल के ऊपर आदमियों को नियुक्त कर देना आवश्यक था। हमने वहां किसी को भी नियुक्त न किया था। यह महान् भूल अनुभवशून्यता का परिणाम थी। प्रातः काल होते ही तम्बल स्वयं २–३ हजार सशस्त्र सैनिकों सहित पुल पार करके दुर्ग में प्रविष्ट हो गया। मेरे साथ बहुत थोड़े से आदमी थे। जब मैं सर्व प्रथम अक्शी पहुंचा तो कुछ लोग अन्य दुर्गों को भेज दिये गये थे। कुछ लोग दारोगा[2] नियुक्त हो गये थे और कुछ लोग तहसील[3] हेतु भेज दिये गये थे। अक्शी में मेरे साथ १०० आदमियों से कुछ अधिक रह गये थे। जितने आदमी हमारे साथ थे उन्हीं को लेकर हम सवार हो गये। प्रत्येक गली में वीर लोग नियुक्त कर दिये गये। हम लोग युद्ध की व्यवस्था कर ही रहे थे कि शेख बायज़ीद, क़म्बर अली सिलाख तथा मुहम्मद दोस्त घोड़े भगाते हुए, तम्बल के पास से सन्धि के विषय में वार्तालाप करने पहुंचे।

जिन लोगो को मैने युद्ध के लिए नियुक्त कर दिया था उन्हें उन स्थानो पर जहा वे थे, खड़ा करके मैं परामर्श हेतु अपने पिता के मक़बरे में पहुंचा। मैंने वहां जहांगीर मीर्जा को भी बुलवा लिया। मुहम्मद दोस्त तम्बल के पास वापस चला गया किन्तु कम्बर अली तथा शेख बायज़ीद वहां उपस्थित रहे। हम लोग मकबरे के दक्षिणी दालान में बैठकर वार्तालाप करने लगे। जहांगीर मीर्जा, जिसने इबराहीम चापूक से उन लोगों को बन्दी बनाने के विषय में वार्ता कर ली थी, ने मेरे कान में कहा, ''इन लोगों को बन्दी बना लेना चाहिए।'' मैंने कहा, ''जल्दी मत करो। कार्य इस सीमा से आगे बढ़ चुका है। देखो सम्भवतः सन्धि द्वारा कुछ काम बन जाये कारण कि इन लोगों की संख्या बड़ी अधिक है और हम बहुत थोड़ी संख्या में हैं। वे लोग इस शक्ति के बावजूद दुर्ग के भीतर हैं और हम लोग शक्तिहीन होने के बावजूद क़िले के बाहरी भाग में हैं।'' शेख बायजीद तथा कम्बर अली दोनों इस परामर्श

---

[1] इम्माम।

[2] सेना के सरदार।

[3] राजस्व वसूल करने।

गोष्ठी में उपस्थित थे। जहांगीर मोर्जा ने इबराहीम बेग की ओर देखते हुये, उसे संकेत द्वारा मना किया। पता नहीं कि वह संकेत को समझा अथवा नहीं, उसने न समझने का बहाना करके बायजीद को बन्दी बनाने का दुष्कर्म किया। वीर लोग चारों ओर से टूट पड़े और उन्हें भूमि पर गिरा दिया। फलतः सन्धि की योजना समाप्त हो गई। इन दोनों आदमियों को अन्य लोगों को सौंप कर हम लोग युद्ध हेतु घोड़ों पर सवार हो गये।

नगर के एक ओर जहांगीर मीर्जा को नियुक्त कर दिया गया। मीर्जा के सैनिकों की संख्या बड़ी थोड़ी थी। मैंने अपने सैनिकों का एक दल मीर्जा की सहायतार्थ तैनात कर दिया। सर्व प्रथम मैंने उसके पास पहुंच कर प्रत्येक स्थान पर युद्ध हेतु सैनिकों की नियुक्तियां की। तदुपरान्त मैं नगर के अन्य भागों में पहुंचा। नगर के मध्य में एक खुली हुई भूमि थी। मैं वहां वीरों का एक दल नियुक्त करके वहां से जा चुका था कि इस दल को अत्यधिक अश्वारोहियों एवं पदातियों ने पहुंचकर वहां से भगा दिया। वे एक गली में पहुंच गये। उसी समय मैं वहां पहुंच गया। मैं वहां पहुंचते ही घोड़ा भगा कर उनकी ओर बढ़ा। वे लोग ठहर न सके। मैं उन्हें गली से भगा कर मैदान में लाया। जिस समय मैं तलवार चला रहा था, उन लोगों ने मेरे घोड़े के एक बाण मारा। घोड़ा लुढ़क गया और मैं शत्रु के मध्य में भूमि पर गिर पड़ा। मैंने शीघ्रातिशीघ्र उठ कर एक बाण चलाया। मेरे सेवक ''काहिल'' के पास एक बड़ा ही निकृष्ट खच्चर था। उसने उतर कर वह मुझे दे दिया। मैं उस पर सवार होकर दूसरी गली की ओर अग्रसर हुआ। सुल्तान मुहम्मद वैस मेरे पास खराब सा खच्चर देखकर अपने घोड़े से उतर पड़ा और उसने अपना घोड़ा मुझे दे दिया। मैं उस घोड़े पर सवार हो गया। उसी समय कासिम बेग का पुत्र, कम्बर अली वेग जहांगीर मीर्जा के पास से, आहत पहुंचा। उसने कहा, ''थोड़ी देर हुई शत्रुओं ने जहांगीर मीर्जा पर आक्रमण करके उसे भगा दिया।'' हम आश्चर्यचकित हो गये। उसी समय पाप के किले का सेनापति सैयिद कासिम पहुंच गया। उसका आगमन बड़े बुरे समय पर हुआ। ऐसी कठिनाई के समय पर उस जैसे दृढ़ किले का हमारे हाथ में होना परमावश्यक था। मैंने इबराहीम बेग से पूछा, ''अब क्या करना चाहिये?'' वह थोड़ा बहुत आहत हो चुका था। इस कारण अथवा असमंजस के कारण वह उचित उत्तर न दे सका। मैंने सोचा कि पुल पार करके और उसे नष्ट करके अन्दिजान की ओर चला जाऊं। बाबा शेरज़ाद ने इस अवसर पर बड़ी योग्यता प्रदर्शित की। उसने कहा, ''हम लोग इसी द्वार पर छापा मार कर निकल चलें।'' बाबा शेरजाद की बात पर हम द्वार की ओर बढ़े। ख्वाजा मीर मीरान ने भी इस समय अत्यधिक वीरता–युक्त वाक्य कहे। गली में प्रविष्ट होने के समय सैयिद कासिम तथा नासिरे दोस्त, बाक़ी खीज़ के पास से पृथक् हो गये। मैं, इबराहीम बेग तथा मीर्जा कुली कूकूल्दाश आगे आगे थे। जब हम द्वार के समक्ष पहुंचे तो हमने देखा कि शेख बायज़ीद कुर्ते पर फ़र्जी पहने, तीन चार अश्वारोहियों सहित द्वार से होता हुआ आ रहा है। प्रातःकाल जब वह मेरी इच्छा के विरुद्ध बन्दी बना लिया गया था तो वह जहांगीर के

आदमियों की देख रेख में रहा होगा। जब वे लोग भागे तो उसे भी अपने साथ लेते गये होंगे। उन्होंने सोचा था कि उसकी हत्या करा देना अच्छा होगा किन्तु उन्होंने उसे मुक्त कर दिया। जब वह मुझे फाटक पर मिला तो वह मुक्त किया जा चुका था। मैंने बाण को चिल्ले में चढ़ा कर चलाया। वह उसकी ग्रीवा पर लगा। निशाना अच्छा वैठा। वह घबराहट में फाटक तक आया और दायीं ओर मुड़कर एक गली में भाग गया। हमने तत्काल उसका पीछा किया। मीर्जा कूली कूकूल्दाश ने एक प्यादे पर अपनी गदा से प्रहार किया और वहां से चला गया। मीर्जा कुली के चले जाने के उपरान्त एक आदमी (शत्रु) ने इबराहीम बेग की ओर बाण चलाना चाहा किन्तु उसके ''हाय हाय'' चिल्लाने पर उसने उसे छोड़ दिया और इतने निकट से जितना फाटक से कोई रक्षक हो, एक बाण मुझ पर चलाया। बाण मेरी बग़ल में लगा। मेरे कमलाक़ कवच के दो टुकड़े कट गये। वह बाण चला कर भाग गया। मैंने उसका पीछा करके उस पर बाण चलाया। उसी समय किले की चहारदीवारी पर एक पदाती भागा जा रहा था। मैंने किले की मुंडेर को लक्ष्य करते हुये उसकी टोपी पर बाण चलाया। अपनी टोपी को मुंडेर पर लटका छोड़कर वह अपनी पगड़ी को हाथ में लपेटता हुआ भाग गया। एक अन्य अश्वारोही मेरे बराबर से उसी गली में से, जहां से शेख बायज़ीद भागा था, जा रहा था। मैंने तलवार की नोक से उस पर प्रहार किया। वह घोड़े की पीठ से झुक गया किन्तु गली की दीवार का सहारा लेकर गिरने से बच गया और बड़ी कठिनाई से भाग खड़ा हुआ। समस्त शत्रुओं को फाटक के पास से भगा कर हमने उस पर अधिकार जमा लिया। किन्तु इस समय कोई अन्य उपाय सम्भव न था। वे लोग दुर्ग में थे और उनकी संख्या २००० अथवा ३००० थी। हम लोग बाहरी किले में थे और हमारे साथ केवल १०० २००. आदमी थे। इससे पूर्व वे जहांगीर मीर्जा को भगा चुके थे और उन्होंने उसका इतनी देर तक पीछा किया जितना समय दूध उबलने में लगता है। उसके साथ हमारे आदमियों में से आधे लोग जा चुके थे। इसके बावजूद जब हम लोग फाटक पर थे तो हमने उसके पास एक आदमी द्वारा यह संदेश भेज दिया था, ''यदि तुम कहीं निकट हो तो लौट आओ। हम लोग पुनः आक्रमण करें'' किन्तु अब इससे भी कुछ न हो सकता था। इबराहीम बेग ने, या तो उसका घोड़ा वास्तव में कमजोर था अथवा घायल होने के कारण, कहा, ''मेरे घोड़े में कोई दम नहीं।'' इस पर मुहम्मद अली मुबरिशर के सेवक सुलेमान ने बड़ी उदारता प्रदर्शित की, कारण कि उस समय ऐसी स्थिति थी कि कोई उससे जबरदस्ती नहीं कर सकता या, किन्तु जब हम लोग फाटक पर थे तो वह अपने घोड़े से उतर पड़ा और उसने अपना घोड़ा इबराहीम वेग को दे दिया। कीचीक अली ने भी, जो इस समय कोल का शिक़दार है,[1] जब हम फाटक पर थे, बड़ा पौरुष प्रदर्शित किया। वह सुल्तान मुहम्मद वैस का

---

[1] अली कोल में ६३३ हि० में था किन्तु बाद में बन्दी बना लिया गया था। बाद में उसे मुक्त करके पुनः कोल प्रदान कर दिया गया होगा।

सेवक था। उसने दो बार बड़ी उत्तम सेवायें सम्पन्न की, यहां तथा ऊश[1] में। हम फाटक पर उन लोगों के आगमन की, जिन्हें जहांगीर मीर्जा के पास भेजा गया था, प्रतीक्षा करते रहे। उस व्यक्ति ने आकर कहा कि ''जहांगीर मीर्जा बहुत समय पूर्व ही जा चुका है। वहां ठहरने से कोई लाभ न था। हम लोग भी चल खड़े हुये। हम लोग जितनी देर तक नहीं खड़े रहे उतनी देर तक भी खड़ा रहना उचित न था। मेरे साथ २० अथवा ३० आदमी रह गये थे। जैसे ही हम फाटक के बाहर निकले बहुत से सशस्त्र लोगों ने हम पर आक्रमण कर दिया। हम लोग उठने वाले पुल को पार कर चुके थे। वे लोग नगर की उस दिशा से जिस दिशा में पुल था, पहुंच गये। बन्दे अली ने जो क़ासिम बेग के पुत्र हमजा का नाना था, इबराहीम बेग से कहा, ''तुम सर्वदा अपने उत्साह की डींग मारा करते थे। अब आओ थोड़ी देर तलवार चलायें।'' इबराहीम बेग मेरे पास था। उसने कहा, ''क्या बात है! आओ।'' इतनी बड़ी पराजय के उपरान्त वे मूर्ख उत्साह दिखा रहे थे। असामयिक उत्साह ! रुकने अथवा विलम्ब करने का अब समय शेष न रह गया था। हम शीघ्रातिशीघ्र चल खड़े हुये। शत्रुओं ने हमारे आदमियों को घोड़ों से गिराते हुये हमारा पीछा किया।

तम्बल के आदमियों के सामने से बाबर का पलायन

अक्शी से गुम्बजे चमन एक शरई (कोस) पर[2] है। हम गुम्बजे चमन को पार कर चुके थे, कि इबराहीम बेग ने चिल्ला कर मुझे पुकारा। मैंने पीछे मुड़ कर देखा। मैंने देखा कि शेख बायजीद का एक सेवक उस पर वार कर रहा है। मैंने अपने घोड़े की लगाम मोड़ी। बयान कुली का खान कुली मेरे समीप था। उसने कहा कि, वापस लौटने का यह उचित अवसर नहीं है।'' उसने मेरे घोड़े की लगाम पकड़ कर मोड़ दी। हम लोग तेजी से चल खड़े हुये। हमारे संग पहुंचने तक हमारे अधिकांश आदमियों के घोडे नष्ट हो चुके थे। संग अक्शी से दो शरई[3] पर है। संग पर यह देख कर कि कोई हमारा पीछा नहीं कर रहा है हम लोग उस स्थान से होते हुये सीधे उसकी नदी की ओर बढ़े। इस समय हमारे साथ कुल ८ आदमी थे. नासिरे दोस्त, कासिम बेग का क़म्बर अली, बयान कुली का खान कुली, मीर्जा कुली, नासिरे शाहम, सैयिदी करा का अब्दुल कुद्दूस, ख्वाजा हुसेनी और ८वां मैं। नदी के चढ़ाव की ओर हमें चौड़ी घाटी में एक छोटी सी उत्तम सड़क बहुत दूर मिली। हम लोग सीधे घाटी के ऊपर बढ़ते चले गये और नदी को दाई ओर छोड़ दिया। हम घाटी के उस भाग में पहुंच गये जहां जल का अभाव था और लगभग मध्याह्नोत्तर की नमाज के समय वहां से निकल कर एक समतल मैदान में पहुंच गये। मैदान में हमें दूर पर अंधकार सा दिखाई पड़ा। मैं अपने

---

[1] इस सेवा का उल्लेख बाबरनामा में किसी अन्य स्थान पर नहीं है; सम्भवतः यह ९०८ अथवा ९०९ ई० की घटना है।

[2] दो मील ।

[3] चार मील।

आदमियों को एक शरण के स्थान पर खड़ा करके स्वयं घोड़े से उतर कर एक पुश्ते पर पहुंचा और वहां से शत्रुओं के विषय में पता लगाने लगा। इसी बीच में बहुत से आदमी घोड़ों को सरपट भगाते हुये पुश्ते पर हमारे पीछे पहुंच गये। उनकी संख्या का पता लगाये बिना कि वे कम हैं अथवा अधिक, हम घोड़ों पर सवार होकर चल दिये। वे २० या २५ थे। हम लोग जैसा कि कहा जा चुका है ८ थे। यदि हमें उनकी संख्या के विषय में पता चल जाता तो हम उनका ठीक से मुकाबला कर लेते किन्तु हमने सोचा कि यदि वे अधिक संख्या में न होते तो हमारा पीछा न करते। भागे हुये शत्रु की संख्या चाहे अधिक ही हो वह पीछा करने वालों का मुकाबला नहीं कर सकता कारण कि मसल है :–

मिसरा

''पराजित व्यक्तियों के लिये एक हू ही बहुत होती है।''

खान कुली ने कहा, "इस प्रकार कुछ नहीं हो सकता। वे हम सबको बन्दी बना लेंगे। जितने घोड़े इस समय हैं वे और दो उत्तम घोड़े ले लें और मीर्जा कुली कूकूल्दाश के साथ शीघ्रातिशीघ्र आगे चले जायें। हर एक के पास एक–एक कोतल घोड़ा रहेगा। सम्भव है आप बच कर निकल जायें।'' उसने बुरी बात न कही थी। इस समय युद्ध करना किसी प्रकार सम्भव न था। बचत उसी बात में थी जो उसने कही थी किन्तु किसी आदमी को शत्रुओं के मध्य में बिना घोड़े के अकेला छोड़ना अच्छा न लगता था। अन्त में एक–एक करके वे स्वयं ही छूटते ही गये। मैं जिस घोड़े पर सवार था वह थक गया था। खान कुली अपने घोड़े से उतर पड़ा और उसने अपना घोड़ा मुझे दे दिया। मैं अपने घोड़े से उतर कर उसके घोड़े पर सवार हो गया और वह मेरे। उसी समय शत्रुओं ने सैयिदी करा के अब्दुल कुद्दूस तथा नासिर के शाहम को, जो पीछे रह गये थे, घोड़े से गिरा दिया। खान कुली भी पीछे रह गया। इस समय किसी की सहायता करना अथवा रक्षा करना सम्भव न था। घोड़ों को भगाते हुये हम चले जा रहे थे। जिसका घोड़ा बेकार होकर रह जाता वह छूट जाता। दोस्त बेग का घोड़ा बेकार हो गया और वह रह गया। मैं जिस घोड़े पर था वह भी सुस्ती करने लगा। क़म्बर अली ने अपने घोड़े से उतर कर मुझे अपना घोड़ा दे दिया। मैं उसके घोड़े पर सवार हो गया और वह मेरे। वह भी छूट गया। ख्वाजा हुसेनी लंगड़ा था। वह पुश्तों की ओर चल दिया। मैं रह गया और मीर्जा कुली कूकूल्दाश। हमारे घोड़े सरपट न भाग सकते थे। वे दुल्की चल रहे थे। मीर्जा कुली कूकूल्दाश का घोड़ा सुस्ती करने लगा। मैंने कहा, ''यदि तुम भी छूट गये तो फिर मेरी क्या दशा हो जायगी? हम लोग साथ रहें, चाहे जीवित रहें और चाहे मरें।'' मैंने उसकी ओर कई बार देखा। अन्त में उसने कहा, ''मेरे घोड़े में अब कोई दम नहीं। यह आगे नहीं जा सकता। आप मेरी

चिन्ता न करें। आप चले जायें। सम्भवतः आप बच कर निकल जायें।'' मेरे लिये यह बड़े संकट का समय था। वह छूट गया। मैं अकेला रह गया।

शत्रुओं के दो आदमी दिखाई देने लगे। एक सैराम का बाबा तथा दूसरा बन्दे अली था। वे मेरे अत्यधिक निकट आ गये। मेरे घोड़े में कोई दम न रह गया था। पर्वत एक कुरोह की दूरी पर थे। चट्टानों का एक ढेर मेरे मार्ग में था। मैंने सोचा, ''मेरा घोड़ा बेकार हो चुका है और पहाड़ी अभी कुछ दूर है। मैं किधर जाऊं। मेरे निषंग में अब भी २० बाण हैं, मैं उतर पड़ूं और चट्टानों के इस ढेर पर से उनपर बाण चलाता रहूं।'' फिर मैंने सोचा कि सम्भवतः मैं पहाड़ी पर पहुंच ही जाऊं। मेरे पास कुछ बाण पड़े ही रहें तो काम आयेंगे। मुझे अपने निशाने पर बड़ा भरोसा था। यह सोच कर मैं चलता ही गया। मेरा घोड़ा भाग न सकता था। दोनों आदमी बाण के मार की दूरी तक पहुंच गये। मैंने अपने बाणों को नष्ट न करने की दृष्टि से उनपर बाण न चलाये। सावधानी की दृष्टि से वे भी निकट न आये। सूर्यास्त होने के समय तक मैं पहाड़ी के समीप पहुंच गया। अचानक उन लोगों ने चिल्लाकर कहा, ''तुम इस प्रकार कहां जा रहे हो? जहांगीर मीर्जा बन्दी बना लिया गया है। नासिर मीर्जा भी उन्हीं के अधिकार में है।'' मैंने कोई उत्तर न दिया और पहाड़ी की ओर बढ़ता चला गया। जब मैं और काफ़ी आगे निकल गया तो उन्होंने पुनः पुकारा और इस समय अधिक शिष्टता प्रदर्शित करते हुये मुझसे उतर कर बात करने को कहा। मैंने उनकी बात पर कोई ध्यान न दिया, और एक दर्रे की ओर बढ़ता गया यहां तक कि सोने की नमाज के समय मैं एक चट्टान पर पहुंच गया जो एक घर के बराबर थी। मैंने देखा कि वहां ऐसे स्थान हैं जहां कूद कर पहुंचा जा सकता है और घोड़े वहाँ नहीं पहुंच सकते। वे पुनः घोड़ों से उतर पड़े और सेवकों के समान नम्रतापूर्वक कहने लगे ''आप इस प्रकार अंधेरे में कहां जा रहे हैं? इधर कोई मार्ग नहीं। सुल्तान अहमद तम्बल आपको बादशाह बना देगा।'' उन्होंने यह बात शपथ लेकर कही। मैंने कहा, "मेरा दिल नहीं मानता। मैं उसके पास नहीं जा सकता। यदि तुम मेरी कोई सेवा करना चाहते हो तो फिर वर्षों में सेवा का ऐसा अवसर न मिलेगा। मुझे वह मार्ग बता दो जिससे मैं खानों के पास चला जाऊं। यदि तुम लोग यह कार्य करोगे तो मैं तुम लोगों की इच्छा से भी बढ़कर तुम्हारे प्रति कृपा प्रदर्शित करूंगा। यदि तुम यह नहीं कर सकते तो जिस मार्ग से आये हो लौट जाओ। यह भी मेरी सेवा है।'' उन लोगों ने कहा, ''काश हम लोग न आये होते किन्तु इस प्रकार जब हम लोग आप का पीछा करते हुये आ ही गये हैं तो अब हम आप के पास से कहां जायें। यदि आप हमारे साथ नहीं चल सकते तो हम लोग आपकी सेवा में उपस्थित हैं। आप जहां कहें, वहां चलें।'' मैंने कहा, ''शपथ लो कि सच कहते हो।'' उन लोगों ने निष्ठापूर्वक कुरान शरीफ़ की शपथ ली।

मैं कुछ संतुष्ट हो गया। मैंने कहा, ''मुझे इसी दर्रे के आस पास किसी चौड़ी घाटी का मार्ग बताया गया है। मुझे उस ओर ले चलो।'' यद्यपि वह

लोग वचनबद्ध हो चुके थे किन्तु मूझे पूरा भरोसा न था। उन लोगों को आगे करके मैं पीछे पीछे रवाना हुआ। एक–दो कुरोह की यात्रा के उपरान्त हम लोग एक जल–धारा पर पहुंचे। मैंने कहा कि ''चौड़ी घाटी का यह मार्ग न होगा।'' उन लोगों ने बात बनाते हुए कहा, ''वह मार्ग बहुत आगे है।'' किन्तु हम जिस मार्ग पर यात्रा कर रहे थे, वह वही रहा होगा और वे मुझे धोखा देने के लिये इस बात को छिपा रहे थे। आधी रात के लगभग हम एक अन्य जल–धारा पर पहुंचे। इस बार उन लोगों ने कहा, ''हमसे असावधानी हो गई। हमें ऐसा ज्ञात होता है कि चौड़ी घाटी का मार्ग पीछे से है।'' मैंने कहा, ''अब क्या करना चाहिये?'' उन लोगों ने कहा कि ''ग़वा–मार्ग निश्चय ही आगे है। इस मार्ग से लोग फ़रकत की ओर जाते हैं।'' वे मुझे उस ओर ले चले और हम रात्रि के तीसरे पहर तक चलते रहे और करनान के जलमार्ग पर पहुंचे जो ग़वा से आता है। यहां पर बाबा सैरामी ने कहा, ''आप यहां थोड़ी देर ठहर जायें। मैं ग़वा मार्ग का ठीक से पता लगा कर आता हूं।'' उसने थोड़ी देर बाद आकर कहा, ''इस मार्ग पर कुछ लोग एक व्यक्ति के अधीन जो मुगूल टोपी पहिने हुये था, आये हैं। इस मार्ग से कहीं नहीं पहुंच सकते।'' मैं इन शब्दों पर बड़ा चौकन्ना हुआ। सुबह होने वाली थी और हम लोग खुले हुये मैदान में थे। जिस मार्ग पर मैं जाना चाहता था वह बड़ी दूर था। मैंने कहा, ''मुझे ऐसे स्थान पर ले चलो जहां मैं दिन में छिपा रह सकू। रात्रि में जब तुम लोग घोड़ों के लिये कुछ ले आना, उस समय हम लोग खुजन्द नदी पार करके, नदी के उस पार से खुजन्द जायेंगे।'' उन लोगों ने कहा, ''यहां एक पुश्ता है। वहां छिपा जा सकता है।''

करनान का दारोगा बन्दे अली था। उसने कहा, ''हम लोगों तथा हमारे घोड़ों का बिना खाये पिये जीवित रहना सम्भव नहीं। मैं करनान जाकर जो कुछ मिले ले आऊं।'' हम लोग करनान के बाहर एक कुरोह पर ठहरे। वह चला गया। बड़ी देर तक उसका कोई पता न रहा। दिन चढ़ चुका था कि वह भागता हुआ तीन रोटियां लेकर आया किन्तु घोड़ों के लिये दाना न लाया। हममें से प्रत्येक ने एक एक रोटी अपनी क़बा में रख ली और हम छिपने के लिये पुश्ते पर पहुंच गये। हमने खुली हुई घाटी में अपने घोड़ों को लम्बी रस्सियों में बांध कर छोड़ दिया और प्रत्येक व्यक्ति एक दिशा में होकर पहरा देने लगा।

मध्याह्न के समीप, अहमद कूशजी चार अश्वारोहियों सहित ग़वा के मार्ग से अक्शी की ओर जाता हुआ दिखाई पड़ा। मैंने सोचा कि उसे बुलाकर उसे वचन देकर तथा लोभ दिला कर उनके घोड़े ले लूं कारण कि हमारे घोड़े एक रात्रि तथा एक दिन से मार–काट एवं अत्यधिक परिश्रम के कारण थक कर चूर हो गये थे और दाने बिना अब उनमें कोई दम न रहा था किन्तु हम उनपर पूरा विश्वास भी न कर सकते थे। हमने निश्चय किया कि क्योंकि जिन लोगों को बाबा सैरामी ने मार्ग पर देखा था वे रात्रि में करनान में रहेंगे

अतः दोनों आदमी जा कर उनके घोड़ों को छिपा कर उड़ा लायें और फिर हम लोग अपने अपने मार्ग पर चल दें।

मध्याह्न के समय बड़ी दूर पर एक घोड़े पर कोई चमकती हुई वस्तु दिखाई पड़ी। हमें कुछ न पता चल सका कि वह क्या है। वह मुहम्मद बाक़िर बेग रहा होगा। वह हमारे साथ अक्शी में था। जब हम वहां से निकल कर छिन्न–भिन्न हुये तो वह इस ओर आ लिया होगा और किसी ऐसे स्थान की खोज में होगा जहां वह छिप सके।

बन्दे अली तथा बाबा सैरामी ने कहा, ''घोड़ों को दो दिन तथा दो रात से कोई दाना नहीं मिला है। हम लोग नीचे जाकर उन्हें चरा लायें।'' तदनुसार हमने नीचे पहुंच कर उन्हें घास चरने के लिये छोड़ दिया। मध्याह्नोत्तर की नमाज़ के समय एक अश्वारोही उस पुश्ते पर से जाता हुआ दिखाई पड़ा जहां हम थे। हमने पहचान लिया कि वह उस ग़वा का सरदार क़ादिर बीरदी था। मैंने कहा ''उसे बुलाओ।'' उन लोगों ने उसे बुलाया। वह आ गया। उसके कुशल समाचार पूंछ कर हमने उसे कृपा, दया एवं नाना प्रकार के आश्वासन देकर उससे, हंसिया कुठार, नदी पार करने की सामग्री तैयार करने के यंत्र, घोड़ों के लिये दाना, भोजन तथा यदि सम्भव हो तो अन्य घोड़े लाने का आग्रह किया और उससे यह निश्चय हुआ कि वह सोने की नमाज के समय उसी स्थान पर पहुंचा जायेगा।

सायंकाल की नमाज़ के समय एक अश्वारोही करनान से गवा की ओर जाता दिखाई पड़ा। हमने पूछा, ''तुम कौन हो?'' उसने कोई उत्तर न दिया। वह मुहम्मद बाक़िर बेग रहा होगा जो उस स्थान से जहां हमने उसे पहले देखा था, रात्रि हो जाने पर किसी अन्य स्थान पर छिपने के लिये जा रहा था किन्तु उसने अपनी आवाज़ इतनी बदल ली थी कि यद्यपि वह मेरे साथ वर्षों तक रह चुका था किन्तु – मैं उसे न पहचान सका। यह अच्छा ही होता, यदि मैं उसे पहचान लेता और वह हमारे साथ हो जाता। उसके उस ओर से गुजरने के कारण हमारी चिन्ता बढ़ गई। ग़वा का कादिर बीरदी अपने वचन का पालन न कर सका। बन्दे अली ने कहा, ''करनान के समीप ही कुछ उद्यान हैं जहां बड़ा एकान्त है। किसी को इस बात की शंका न हो सकेगी कि हम वहां हैं। हम वहां चलें और किसी को भेज कर कादिर बीरदी को बुलवायें।'' इस विचार से हम लोग घोड़ों पर सवार होकर करनान के समीप पहुंचे। बड़ा कड़ाके का जाड़ा पड़ रहा था। वे लोग मेरे लिये कहीं से एक फटा पुराना पोस्तीन ले आये। मैंने उसे पहन लिया। वे लोग एक प्याला भर बाजरे की लप्सी मेरे लिये लाये। मैंने उसे पी लिया। उसे पीकर मैंने बड़ी विचित्र स्फूर्ति का अनुभव किया। मैंने बन्दे अली से पूछा, ''तुमने क़ादिर बीरदी को बुलाने के लिये कोई आदमी भेज दिया है?'' उसने कहा, ''हां भेज दिया'', किन्तु उन अभागे दुष्टों ने अक्शी में तम्बल के पास आदमी भेजना निश्चय कर लिया था।

हम लोग एक घर में चले गये। थोड़ी देर के लिये निद्रा के कारण मेरी आंखें बन्द हो गईं। उन दुष्टों ने धूर्ततापूर्वक मुझसे कहा कि, ''जब तक कादिर बीरदी के विषय में पता न चल जाये आप करनान से कहीं न जायें। यहां के आस पास के स्थानों के उद्यान– खाली हैं। यदि हम वहां चले जायें तो किसी को इस बात की शंका न हो सकेगी कि हम वहां हैं।'' तदनुसार हम घोड़े पर सवार होकर आधी रात के समय एक दूर के उद्यान में चले गये। बाबा सैरामी एक घर की छत से पहरा दे रहा था। मध्याह्न के समय उसने आकर कहा, ''दारोगा यूसुफ़ आ रहा है।'' मैंने कहा, ''पता लगाओ कि वह इस कारण आ रहा है कि उसे मेरे इस स्थान पर होने की सूचना है ?'' उसने जाकर कुछ बात चीत की और वापस आकर कहा कि, ''वह कहता है कि, 'मुझे अक्शी के द्वार पर एक पदाती मिला जिसने मुझे बताया कि पाद शाह अमुक स्थान पर हैं। मैं वली खाजिन को जिसे मैंने बन्दी बनाया था, उसी आदमी के सिपुर्द करके आया हूं। किसी अन्य को इस बात की कोई सूचना नहीं।'' मैंने पूछा, ''तेरी समझ में क्या बात आती है?'' उसने कहा, ''वे सब आपके सेवक हैं। वे आपको अपना बादशाह बना लेंगे।'' मैंने कहा, ''ऐसे विद्रोह एवं युद्ध के बाद मैं किस भरोसे पर जा सकता हूं?' हम यह बात कर रहे थे कि यूसुफ़ आकर घुटनों के बल झुका और उसने कहा, ''आप से क्या बात छिपाई जाये। सुल्तान अहमद तम्बल को आपके विषय में कोई सूचना नहीं किन्तु शेख बायजीद को पता है और उसने मुझे भेजा है।'' यह सुनकर मेरी दशा बड़ी ही शोचनीय हो गई कारण कि यह प्रसिद्ध है कि संसार में प्राण के भय से बढ़कर कोई बड़ा भय नहीं। मैंने कहा, ''सच–सच बताओ। यदि दूसरी ही बात होने वाली है तो मैं वजू कर लूं।'' यूसुफ़ ने शपथ ली किन्तु उन लोगों का विश्वास कौन कर सकता था। मैं अपनी शोचनीय दशा से परिचित था। मैं उठकर उद्यान के एक कोने में यह सोचता हुआ चला गया कि, ''चाहे कोई मनुष्य सैकड़ों तथा हजारों वर्ष रहे, अन्त में कुछ भी नहीं . . . . . .''[1]

[1] यहां से लगभग १६ मास का हाल किसी भी हस्तलिखित पोथी में नहीं मिलता।

९११ हि०

(४ जून १५०५ ई०–२४ मई १५०६ ई०)

सुल्तान हुसेन मीर्जा तथा उसका दरबार

जन्म तथा वंश

उसका जन्म (मुहर्रम) ८४२ हि० (जून–जुलाई १४३८ ई०) में हेरी में शाहरुख मीर्जा[1] के समय में हुआ। वह मनसूर मीर्जा का पुत्र था। मनसूर मीर्जा, बाईक़रा मीर्जा का, बाईकरा मीर्जा उमर शेख मीर्जा का और उमर शेख मीर्जा अमीर तीमूर मीर्जा का पुत्र था। मनसूर मीर्जा एवं बाईकरा मीर्जा ने भी कभी राज्य नहीं किया।

उसकी माता फ़ीरोज़ा बेगम[2] थी जो तीमूर बेग की (पर) नतनी थी। उसके द्वारा वह मोरान शाह का भी पौत्र हो गया। माता तथा पिता दोनों की ओर से उसका वंश बड़ा सम्मानित था और उसके पूर्वज बादशाह रह चुके थे। (मनसूर तथा फ़ीरोज़ा से) दो पुत्र एवं दो पुत्रियां हुईं अर्थात् बाईक़रा मीर्जा, और सुल्तान हुसेन मीर्जा एवं आका बेगम तथा बदका बेगम[3] जिसका विवाह अहमद खां से हुआ।

बाईकरा मीर्जा, सुल्तान हुसेन मीर्जा से बड़ा था। वह अपने छोटे भाई के सेवकों में से था। वह दरबार में जहां अन्य उच्च अधिकारी आसीन होते वहां न बैठता था। दरबार के अतिरिक्त वे दोनों एक तोशक[4] पर बैठते थे। उसके छोटे भाई ने उसे बल्ख का राज्य दे दिया था और उसने कई वर्ष तक बल्ख में राज्य किया। उसके तीन पुत्र थेः–सुल्तान मुहम्मद मीर्जा, सुल्तान वैस मीर्जा तथा सुल्तान इस्कन्दर मीर्जा[5]।

आका बेगम मीर्जा से बड़ी थी। उसका विवाह मीरान शाह के एक पौत्र सुल्तान अहमद मीर्जा से हुआ था। उससे उसके एक पुत्र का जन्म हुआ जो कीचीक मीर्जा[6] कहलाता था। वह सर्व प्रथम अपने मामा की सेवा में रहा। अन्त में सैनिक जीवन त्याग कर विद्याध्ययन में व्यस्त हो गया। कहा जाता

---

[1] तीमूर का सबसे छोटा पुत्र जिसकी मृत्यु ८५० हि० (१४४६ ई०) में हुई।

[2] फीरोजा बेगम का पिता की ओर से वंश इस प्रकार थाः फीरोजा, पुत्री सुल्तान हुसेन कानजूत, पुत्र आका बेगम, पुत्री तीमूर। माता की ओर से उसका वंश इस प्रकार थाः फीरोजा पुत्री कृतलूक सुल्तान बेगम, पुत्री मीरान शाह पुत्र तीमूर। उसकी मृत्यु २४ मुहर्रम ८७४ हि० (२५ जुलाई १४८९ ई.) को हुई ।

[3] बदी–उल–जमाल बेगम।

[4] कालीन अथवा फर्श।

[5] इस वैस तथा सुल्तान हुसेन मीर्जा की पुत्री सुल्तानम से बाईकरा मीर्जा ने अकबर के समय में बड़ी . अशान्ति मचाई।

[6] छोटा मीर्जा, मुहम्मद सुल्तान मीर्जा।

है कि वह बहुत बड़ा विद्वान् हो गया। उसे कविता करने से भी रुचि थी। निम्नांकित रुबाई उसी की रचना है :

रुबाई

''अवस्था के बहुत बड़े भाग में भक्ति पर मैं गर्व करता रहा,
अपने आपको ज़ाहिदों[1] के रूप में मैं दिखाता रहा।
जब इश्क आगया तो कैसा जुहुद[2] और कैसी भक्ति।
ईश्वर की कृपा से मैंने अपने आपको सिखा लिया।''

इस रुबाईं एवं मुल्ला[3] की रुबाई में समानता हो गई। अपने जीवन काल के (अन्तिम वर्षों में) उसने हज भी किया।

बदका बेगम[4] भी मीर्जा से बड़ी थी। छापा मार[5] युद्ध के समय उसका विवाह हाजी तरखान[6] के अहमद खां से हो गया था।[7] उससे उसके दो पुत्र हुये[8] जो हेरी चले गये और मीर्जा की सेवा में सम्मिलित हो गये।

मीर्जा का रूप रंग एवं स्वभाव

उसकी आंखें तिरछी, शरीर सिंह सरीखा, कमर से नीचे का भाग पतला था। वृद्धावस्था को प्राप्त हो जाने एवं दाढ़ी सफ़ेद हो जाने के उपरान्त भी वह लाल एवं हरे रंग के बारीक मलमल के वस्त्र धारण करता था। वह या तो काले रंग की भेड़ की खाल की टोपी और या कालपाक[9] पहनता था। ईदों के अवसर पर वह कभी कभी तीन–मोड़ की छोटी पगड़ी बांधता था जिसकी पट्टियां चौड़ी–चौड़ी रहती थीं और बुरी लगती थीं। उसमें सारस के पंख लगा कर वह नमाज़ पढ़ने जाया करता था।

---

1 जाहिद त्यागी।

2 त्याग।

3 मौलाना अब्दुर्रहमान जामी।

4 बदी–उल–जमाल बेगम।

5 वे युद्ध जिनके बाद सुल्तान हुसेन मीर्जा ने हेरी के सिंहासन पर अधिकार जमा लिया।

6 आधुनिक अस्तरखाना।

7 इस बेगम का विवाह सर्व प्रथम पीर बुदाग सुल्तान से हुआ। उसकी मृत्यु के उपरान्त उसका विवाह अहमद से हो गया । इस विवाह से उसके एक पुत्री हुई जिसका नाम खानजादा बेगम था।

8 सुल्तान मुहम्मद खां तथा बहादुर सुल्तान।

9 एक प्रकार की टोपी जो यात्री लोग ग्रीष्म ऋतु में पहनते हैं।

शीआ धर्म से रुचि

जब उसने सर्व प्रथम हेरी पर अधिकार जमाया तो बारह इमामों के नाम का खुत्बा पढ़वाने का संकल्प किया। किन्तु अली शेर बेग एवं अन्य लोगों ने रोक दिया। तदुपरान्त वह समस्त कार्य सुन्नी मजहब के नियमों के अनुसार करने लगा। घुटनों में कष्ट होने के कारण वह नमाज न पढ़ सकता था। वह रोजा भी न रखता था।

शरीअत का सम्मान

वह कुछ बातों में शरा पर बड़ा ध्यान देता था। एक बार उसने अपने पुत्र को एक व्यक्ति की हत्या कर देने पर खून का बदला मांगने वालों को सौंप दिया और दारुल क़ज़ा[1] में भेज दिया। सिंहासनारूढ़ होने के ६–७ वर्ष तक उसने मदिरा–पान न किया। तदुपरान्त वह मदिरा–पान के अपमान में ग्रस्त हो गया। अपने खुरासान के लगभग ४० वर्ष के राज्यकाल[2] में कोई दिन भी ऐसा व्यतीत न हुआ होगा जब उसने मध्याह्नोत्तर की प्रथम नमाज के उपरान्त मदिरा–पान न किया हो। इसके पूर्व वह कभी मदिरा–पान न करता। उसके पुत्रों, समस्त सैनिकों एवं नगरवासियों की यही दशा थी। वे भोग–विलास में अत्यधिक तल्लीन रहते थे। वह बड़ा ही वीर एवं साहसी था। उसने अनेक बार तलवार चलाने की योग्यता का प्रदर्शन किया। तीमूर बेग की संतान में किसी में सुल्तान हुसेन मीर्जा के बराबर तलवार चलाने की योग्यता न थी। उसे कविता करने से भी रुचि थी और उसने एक दीवान का भी संकलन किया था। तुर्की में वह हुसेनी तखल्लुस करता था। उसके कुछ शेर बुरे नहीं हैं किन्तु उसका पूरा दीवान एक ही वजन में है। उसके राज्य की अवधि तथा विस्तार सभी को देखते हुये वह यद्यपि एक महान् बादशाह था किन्तु साधारण लोगों के समान मेंढे लड़ाता, कबूतर उड़ाता तथा मुर्ग भी लड़वाता था।

सुल्तान हुसेन मीर्जा के युद्ध

अपने छापा मार युद्ध के दिनों में उसने गुरगान[3] नदी को तैर कर पार किया और ऊज़बेकों के एक दल को बुरी तरह पराजित किया।

एक बार वह ६० जवानों को लेकर मुहम्मद अली बख्शी पर, जिसे सुल्तान अबू सईद मीर्जा ने ३००० सवार दे कर भेजा था, टूट पड़ा और उन्हें बुरी तरह पराजित कर दिया।[4] यह उसका बहुत बड़ा पौरुष एवं पराक्रम था।

---

[1] न्यायालय।

[2] इसमें किसी निश्चित अवधि की ओर संकेत नहीं कारण कि यादगार की मृत्यु ८७५ हि० (१४७०–७१ ई०) में हो गई और मीर्जा को ९११ हि० (१५०५–६ ई०) में। यदि इस समय को मीर्जा के मर्व के शासन से गिना जाय तो यह अवधि ८६१ हि० (१४५६–५७ ई०) से गिनने में कम बैठती है।

[3] कैस्पियन सागर के दक्षिणी–पूर्वी किनारे पर, रूस तथा फारस की प्राचीन सीमा।

[4] ८६८ हि० (१४६३–६४ ई.)।

एक बार उसने सुल्तान महमूद मीर्जा से अस्तराबाद के समीप युद्ध करके उसे पराजित कर दिया।[1] फिर अस्तराबाद में ही उसने युद्ध किया और हुसेन तुर्कमान के पुत्र सईदलोक सईद को पराजित कर दिया।[2]

हेरी में सिंहासनारूढ़ होने के पश्चात्[3] उसने यादगार मुहम्मद मीर्जा को चनारान में युद्ध कर के पराजित कर दिया।[4]

फिर मुर्गाव पुल से शीघ्रातिशीघ्र पहुंच कर वह अचानक यादगार मुहम्मद मीर्जा पर, जो बाग़ राग़ान में मदिरा के नशे में मस्त पड़ा था, अचानक टूट पड़ा।[5] उसी विजय से पूरा खुरासान शान्त हो गया।

फिर उसने सुल्तान महमूद मीर्जा से अन्दिखुद एवं शिबंरगान के समीप चीकमान सराय में युद्ध करके उसे पराजित कर दिया।[6]

फिर वह अबा बक्र मीर्जा[7] पर अचानक टूट पड़ा। मीर्जा अबा बक्र कराकूनीलूक तुर्कमानों को साथ ले कर एराक से आया था। उसने ऊलूग बेग मीर्जा (काबुली) को तकाना तथा खिमार में पराजित कर दिया था, काबुल पर अधिकार जमा लिया था और एराक में अशांति के कारण उसे त्याग कर खैबर पार किया था और खुशाब तथा मुल्तान पहुंचा और फिर सीवी और यहां से करभान, किन्तु वहां भी न ठहर सकने के कारण खुरासान में प्रविष्ट हो गया था।[8]

फिर उसने अपने पुत्र बदी उज्जमान मीर्जा को पुले चिराग़ पर पराजित कर दिया।[9]

उसने अपने पुत्रों अबुल मुहसिन मीर्जा तथा कूपुक मीर्जा को हलवा झरने पर पराजित कर दिया।[10]

इसके अतिरिक्त वह कून्दूज पहुंचा और उसका अवरोध कर लिया। वह उस पर भी अधिकार न जमा सका और वापस हो गया। उसने हिसार का अवरोध किया किन्तु उसे भी विजय न कर सका और वहां से भी वापस चला

---

[1] ८६५ हि० (१४६०–६१ ई०)।

[2] सम्भवतः ८७३ हि० (१४६८–६६ ई०)।

[3] रमजान ८७३ हि० (मार्च १४६६ ई.)।

[4] ८७४ हि० (१४६६–७० ई०)।

[5] ८७५ हि० (१४७०–७१ ई०)।

[6] ८७६ हि० (१४७१–७२ ई०)।

[7] बदख्शी बेगम द्वारा अबू सईद का पुत्र। वह बदख्शों में अपने पिता की ओर से हाकिम हो गया था और हुसेन बाईकरा की पुत्री बेगम मुल्तान से ८७३ हि० (१४६८–६६ ई०) के उपरान्त युद्ध किया।

[8] अबा बक्र रजब ८८४ हि० (अक्तूबर १४७६ ई०) के अन्त में युद्ध में मारा गया। वह सुल्तान हुसेन मीर्जा से ८८४ हि० में पराजित होकर वापस जा रहा था।

[9] ६०२ हि० (१४६६–६७ ई०)।

[10] ६०४ हि० (१४६८–६६ ई०)।

आया।[1] वह जुन्नून के राज्य में पहुंचा। वहां के दारोगा[2] ने उसे बस्त दे दिया। इससे अधिक कुछ न कर के वह वापस चला गया।[3]

एक इतना महान् एवं वीर बादशाह इन दो तीन युद्धों में बादशाहाना संकल्प करके पहुंचा और बिना कुछ किये ही वापस लौट आया।

इसके अतिरिक्त उसने अपने पुत्र बदी उज्जमान मीर्जा से नीशीन की चरागाह में युद्ध कर के उसे पराजित कर दिया। वह वहां जुनून के पुत्र शाह बेग के साथ पहुंचा था।[4]

इस युद्ध में निम्नांकित विचित्र घटनायें घटी। सुल्तान हुसेन मीर्जा की सेना की संख्या बड़ी कम रही होगी। उसके अधिकांश सैनिक अस्तराबाद जा चुके थे। जिस दिन युद्ध हुआ, उसी दिन उसकी एक सेना अस्तराबाद से वापस आ गई और सुल्तान मसऊद मीर्जा, सुल्तान हुसेन मीर्जा के पास, बाईसुंगर मीर्जा को हिसार पर अधिकार जमा लेने के लिये छोड़ कर पहुंच गया और हैदर मीर्जा, बदी उज्ज़मान मीर्जा का सब्जवार में पर्यवेक्षण कर लौट आया।

सुल्तान हुसेन मीर्जा का राज्य

वह खुरासान के राज्य का स्वामी था। उसके राज्य के पूर्व में बल्ख, पश्चिम में बिस्ताम तथा दमग़ान, उत्तर में ख्वारिजम तथा दक्षिण में सीस्तान एवं कंधार थे। जब हेरी सरीखा नगर उसके अधिकार में आ गया तो रात–दिन भोग–विलास के अतिरिक्त उसके पास कोई अन्य कार्य न रहा। उसके सेवकों एवं परिजनों में भी कोई ऐसा न था जो भोग–विलास में ग्रस्त न रहता हो। वह विजय एवं युद्ध के जीवन के कष्ट भोगने को तैयार न था। अतः उसके चलने[5] तक उसके राज्य एवं परिजनों में कमी ही होती गई, वृद्धि न हुई।

सुल्तान हुसेन मीर्जा की संतान पत्नियाँ एवं कनीजें[6]

उसके १४ पुत्र एवं ११ पुत्रियां हुईं। बदीउज्ज़मान मीर्जा सब से बड़ा था। मर्व के सुल्तान संजर की एक पुत्री[7] उसकी माता थी।

मीर्जा की पुत्रियों में सुल्तानम बेगम सब से बड़ी थी। उसके कोई सगा भाई अथवा बहिन न थी। उसकी माता जो चूली बेगम[1] कहलाती थी, अज़ाक़

---

[1] ६०१ हि० (१४६५–६६ ई०)।

[2] सम्भवतः सेनापतिः।

[3] ६०६ हि० (१४६७–६८ ई०)।

[4] ६०३ हि० (१४६७–६८ ई०)।

[5] मृत्यु तक।

[6] केवल उन्हीं अंशों का अनुवाद किया गया है जिनका महत्व बाबर के इतिहास के लिये था।

[7] बेगा बेगम।

वेगों में से किसी की पुत्री थी। वह बात कहने से कभी न चूकती थी। किन्तु उसकी बातों में न तो किसी को कोई आनन्द आता था और न उसमें कोई तत्व होता था। उसके पिता ने उसका विवाह सुल्तान वैस मीर्जा से जो उसके (पिता के) बड़े भाई बाईकरा मीर्जा का मंझला पुत्र था कर दिया था। उसके एक पुत्र एवं एक पुत्री हुई। पुत्री का विवाह शबान सुल्तानों के यीली बार्स के छोटे भाई ईसान कुली सुल्तान से हो गया था। उसका पुत्र मुहम्मद सुल्तान मीर्जा है जिसे मैंने कन्नौज प्रदान कर दिया है।[2] इन्हीं तारीखों में सुल्तानम बेगम अपने पौत्र के साथ काबुल से हिन्दुस्तान आ रही थी कि नीलाब पर मृत्यु को प्राप्त हो गई। उसकी हड्डियां लेकर उसके आदमी वापस चले गये। उसका पौत्र आ गया।[3]....

मीर्जा की पुत्रियों में से एक आयेशा सुल्तान बेगम थी। उसकी माता जुबैदा आगाचा नामक एक कनीज़ थी। वह हुसेन शेख तीमूर की पोती थी। उसका विवाह शबान सुल्तानों के क़ासिम सुल्तान से कर दिया गया था। उससे उसके एक पुत्र हुआ। जिसका नाम कासिम हुसेन सुल्तान था। वह हिन्दुस्तान में मेरी सेवा में पहुंचा और राणा सांगा से जिहाद के समय वह मेरी सेवा में था। उसे बदायूं प्रदान कर दिया गया था।[4] जब क़ासिम सुल्तान की मृत्यु हो गई तो (उसकी विधवा) आयेशा सुल्तान बेगम से उसके एक सम्बन्धी बूरान सुल्तान ने विवाह कर लिया। उससे उसके एक पुत्र हुआ जिसका नाम अब्दुल्लाह सुल्तान है और जो अब मेरी सेवा में है। यद्यपि उसकी अवस्था अधिक नहीं किन्तु उसकी सेवायें बुरी नहीं।

उसकी कनीज़ों में एक अपाक़ बेगम थी। उसके कोई संतान न थी। पापा आगाचा जो मीर्जा को बड़ी प्रिय थी उसकी कूकूल्ताश थी। अपनी कोई संतान न होने के कारण अपाक बेगम ने पापा आगाचा की संतान का पालन–पोषण किया था। मीर्जा को रुग्णावस्था में उसने मीर्जा की बड़े प्रशंसनीय ढंग से सेवा की। उसकी पत्नियों में से कोई भी उसकी इतनी सेवा न कर सकी। जिस वर्ष मैं हिन्दुस्तान आया उस वर्ष वह हेरी से काबुल पहुंची और मैं उसके प्रति जितना आदर सम्मान प्रदर्शित[5] कर सकता था, मैंने प्रदर्शित किया। जब मैं चन्देरी को घेरे हुये था[6] तो समाचार प्राप्त हुये कि वह काबुल में मृत्यु को प्राप्त हो गई।. . . . .

---

[1] रेगिस्तानी बेगम।

[2] सम्भवतः यह नियुक्ति ९३३ हि० (१५२७ ई०) में हुई होगी और ९३४ हि० में भी वह उसी पद पर आरूढ़ रहा होगा।

[3] यह बालक सम्भवतः उलूग मीर्जा, मुहम्मद सुल्तान मीर्जा का ज्येष्ठपुत्र अपने पिता के घर बार के साथ आ रहा होगा।

[4] ९३३ हि० (१५२७ ई०)

[5] बाबर काबुल से १ सफर ९३२ हि० (१७ नवम्बर १५२५ ई०) को. रवाना हुआ अतः बेगम इससे ही काबुल पहुंच गई होगी।

[6] ९३४ हि।

यह बड़े आश्चर्य की बात है कि सुल्तान हुसेन मीर्जा सरीखे महान् बादशाह के, जिसके अधिकार में हेरी जैसा नगर था, १४ पुत्रों में केवल तीन विवाहित पत्नियों द्वारा हुये। उसमें, उसके पुत्रों, क़बीलों एवं समूहों में दुराचार एवं व्यभिचार अत्यधिक प्रचलित थे। इसी कारण इतने महान वंश के इतने पुत्रों में से ७–८ वर्ष के भीतर मुहम्मद जमान मीर्जा के अतिरिक्त किसी का चिह्न शेष न रह गया।

सुल्तान हुसेन मीर्जा के अमीर

मुहम्मद बरन्दूक बरलास

उसके अमीरों में से एक मुहम्मद बरन्दुक बरलास था जो चाकू बरलास के वंश से था–मुहम्मद बरन्दूक पुत्र अली पुत्र बरन्दूक, पुत्र जहान शाह पुत्र चाकू[1] बरलास। वह बाबर मीर्जा की सेवा में भी बेग रह चुका था। तदुपरान्त सुल्तान अबू सईद मीर्जा ने उसे आश्रय प्रदान कर के जहांगीर बरलास के साथ काबुल प्रदान कर दिया और उसे ऊलूग बेग मीर्जा का अत्गा बना दिया। सुल्तान अबू सईद मीर्जा की मृत्यु के उपरान्त, ऊलूग बेग मीर्जा दोनों बरलासों को हानि पहुंचाने का प्रयत्न करने लगा। उन्हें इस बात का पता चल गया। उन्होंने मीर्जा को अपने अधिकार में कर लिया। वे अपने ईल व उलूस[2] को रवाना कर के कून्दूज की ओर चल दिये। जब वे हिन्दूकुश के ऊपर गये तो उन्होंने बड़े सौजन्य से मीर्जा को काबुल भेज दिया और वे स्वयं सुल्तान हुसेन मीर्जा के पास खुरासान चले गये। उसने उन्हें अत्यधिक आश्रय प्रदान किया।

मुहम्मद बरन्दूक अत्यधिक बुद्धिमान् था और उसमें सरदारी के अत्यधिक गुण पाये जाते थे। उसे शिकरों से इतनी अधिक रुचि थी कि यदि उसका कोई शिकरा खो जाता अथवा मर जाता तो वह अपने पुत्रों का नाम ले कर कहता कि यदि अमुक शिकरे के मर जाने अथवा खो जाने के स्थान पर अमुक पुत्र मर जाता अथवा उसकी गरदन टूट जाती तो कोई आपत्ति न थी।

मुज़फ़्फ़र बरलास

एक अन्य अमीर मुज़फ़्फ़र बरलास था। वह छापा–मार युद्ध के समय मीर्जा की सेवा में था और किन्हीं अज्ञात कारणों से उसने मीर्जा द्वारा अत्यधिक आश्रय प्राप्त किया था। वह उसका इतना बड़ा विश्वास–पात्र था कि सुल्तान हुसेन मीर्जा ने छापा–मार युद्ध के दिनों में स्वयं उससे यह शर्त की थी कि जो विलायत भी विजय होगी उसमें से चार दांग मीर्जा के होंगे और दो दांग उसके। यह बड़ी ही विचित्र शर्त थी। बादशाही में निष्ठावान् सेवक तक को भी साझीदार बनाना किस प्रकार उचित हो सकता है जब कि

---

[1] वह तीमूर का बहुत बड़ा विश्वास–पात्र था।

[2] समूह तथा जत्थे ।

अनुज अथवा पुत्र से भी यह शर्त नहीं की जा सकती। बेग से फिर इस प्रकार शर्त कैसे हो सकती है? राज सिंहासन पर अधिकार जमा लेने के उपरान्त मीर्जा को इस शर्त पर पश्चात्ताप हुआ किन्तु इससे कोई लाभ न हो सकता था। वह अंधे मस्तिष्क का तुच्छ व्यक्ति इतना अधिक आश्रय प्राप्त करने के बावजूद अत्यधिक उदंडता प्रदर्शित करने लगा। मीर्जा ने बुद्धि से काम न लिया था। कहा जाता है कि अन्त में मुजफ्फ़र बरलास को विष दे दिया गया। ईश्वर को ही सच बात ज्ञात है।[1]

अली शेर नवाई

अली शेर नवाई, मीर्जा का मुसाहिब अधिक तथा अमीर कम था। बाल्यावस्था में वे सहपाठी भी रह चुके थे और एक दुसरे के बड़े घनिष्ठ मित्र थे। यह ज्ञात नहीं कि सुल्तान अबू सईद मीर्जा ने अली शेर बेग को किस अपराध के कारण हेरी से निकलवा दिया। वह वहां से समरकन्द चला गया। वहां वह जितने वर्ष रहा अहमद हाजी बेग उसे आश्रय एवं प्रोत्साहन प्रदान करता रहा। वह अपनी नाजुक मिज़ाजी के लिये बड़ा प्रसिद्ध था। लोग उसकी नाजुक मिजाजी को उसके अभिमान का कारण समझते थे। ऐसी बात न थी कारण कि उसकी यही नाजुक मिज़ाजी समरकन्द में भी थी।[2] तुर्की काव्य में वह अद्वितीय माना जाता है। तुर्की भाषा में किसी ने इतनी अधिक और इतनी उत्तम कविताओं की रचना नहीं की। उसने ६ मसनवियों की रचना की। पांच खमसे[3] के वजन में और एक मंतिकुतैर[4] के वजन में लिसानुत्तर[5]। उसने ग़ज़लों के चार दीवानों का संकलन किया। गरायेबुस्सिग्र[6], नवादिरे शबाब[7], बदीउल–वस्त[8], फ़वाएदुल किब्र।[9] उसने बहुत सी रुबाइयों की भी रचना की। उसकी कुछ अन्य रचनायें भी हैं जो इतनी उच्च श्रेणी की नहीं। इनमें उसकी इन्शा[10] का एक संकलन है जिसे उसने मौलाना अब्दुर्रहमान जामी की इंशा का अनुसरण करते हुये संकलित कराया। इसमें उसने प्रत्येक व्यक्ति के नाम जिस आवश्यकता से भी कोई पत्र लिखवाया उसे एकत्र कराया। उसने अरूज़ के विषय पर 'मीजानुल अवजान'

---

[1] ख्वंदमीर के अनुसार वह अपनी स्वाभाविक मौत मरा।

[2] उस समय वह एक अमीर का आश्रित था। वह सुल्तान हुसेन मीर्जा के आग्रह पर ८७३ हि० (१४६८ ६६ ई०) में हेरी वापस चला गया।

[3] निजामी की ५ मसनवियांः मखजनुल असरार, लैला व मजनू, खुसरो व शीरी, हफ्त पैकर, सिकन्दर नामा । निजामी की मृत्यु १२०६ ई० में हुई।

[4] फरीदुद्दीन अत्तार (मृत्यु १२३०) की रचना, "पक्षियों की वार्ता" ।

[5] पक्षियों की वाणी।

[6] अल्पावस्था की आश्चर्यजनक बातें।

[7] युवावस्था की अप्राप्य बातें।

[8] जीवन के मध्य की विचित्र बातें।

[9] वृद्धावस्था की लाभदायक बातें।

[10] पत्रों तथा अल्प कोटि की भाषा में छोटी–छोटी टिप्पणियां।

नामक पुस्तक लिखी जो किसी काम की नहीं। इसमें २४ रुबाइयों के वजन में से उसने ४ में भूल की है। कुछ बहरों के वज़न में उसने ऐसी भूलें की हैं जिसका पता यदि किसी को अरूज़ का थोड़ा बहुत ज्ञान भी हो तो वह चला लेगा। उसने फ़ारसी दीवान का भी संकलन किया। फ़ारसी में वह 'फानी' तखल्लुस करता था। उसके कुछ शेर बुरे नहीं हैं किन्तु अधिकांश साधारण हैं। संगीत में भी उसने बड़ी उत्तम रचनायें की जिनमें बड़ी उत्तम धुनें एवं प्रारम्भिक राग सम्मिलित हैं। अली शेर बेग के समान विद्वानों एवं कलाकारों के किसी अन्य आश्रयदाता का पता नहीं। यह भी नहीं कहा जा सकता कि कोई ऐसा व्यक्ति पैदा भी हुआ होगा। उसी के आश्रय के कारण उस्ताद कुल मुहम्मद एवं शेखी नाई[1], हुसेन ऊदी[2], सरीखे वादक इस उच्च श्रेणी को प्राप्त कर सके। उसी के प्रयत्न एवं देख रेख के कारण उस्ताद वेहज़ाद एवं शाह मुज़फ़्फ़र को चित्र–कला में इतनी प्रसिद्धि प्राप्त हो सकी। ऐसे बहुत कम लोग होंगे जिन्होंने गुणों की नीवं भविष्य के लिये इस प्रकार रक्खी हो जिस प्रकार उसने रक्खी। उसके पुत्र, पुत्री, परिवार कोई भी न था। वह संसार से अकेला ही अपना कोई भार छोड़े बिना विदा हो गया।

सर्व प्रथम वह मुहरदार था। अपने जीवन काल के मध्य में वह बेग[3] हो गया और कुछ समय तक अस्तरावाद में शासन करता रहा। तदुपरान्त उसने सैनिक जीवन त्याग दिया। उसने मीर्जा से कुछ नहीं लिया अपितु हर वर्ष मीर्जा को पर्याप्त उपहार प्रस्तुत किया करता था। जब मीर्जा अस्तराबाद के अभियान से वापस आ रहा था तो अली शेर बेग उससे भेंट करने पहुंचा। उन्होंने एक दूसरे से भेंट की किन्तु अली शेर पर उठ कर जाते समय कुछ ऐसी दशा व्यापक हो गई कि वह उठ न सका। उसको उठा कर ले जाया गया। चिकित्सक लोग उसके रोग के विषय में कुछ न बता सके। और दूसरे दिन वह मृत्यु को प्राप्त हो गया। उसका एक शेर उसकी दशा के अनुकूल है।.....

अहमद बिन तबक्कुल

तबक्कुल वरलास का पुत्र अहमद एक अन्य अमीर था। कुछ समय तक वह कंधार का हाकिम रहा।

वली बेग

वली बेग एक अन्य अमीर था। वह हाजी सैफुद्दीन बेग के वंश से था और मीर्जा के पिता[4] के प्रतिष्ठित अमीरों में से था। सुल्तान हुसेन मीर्जा के सिंहासनारूढ़ होने के उपरान्त वह अधिक जीवित न रहा और शीघ्र मृत्यु को

---

[1] वीणाकार।

[2] ऊद बजाने वाला। ऊद बरबत के समान एक बाजा होता है। कुछ लोग बरबत और ऊद दोनों को एक बताते है।

[3] अमीर।

[4] मनसूर ।

प्राप्त हो गया। वह शरीअत का कट्टरपन से पालन करता, नमाज़ पढ़ता रहता था और तुर्क[1] तथा निष्ठावान् था।

शेख तीमूर का हुसेन

शेख तीमूर का हुसेन एक अन्य व्यक्ति था। बाबर मीर्जा ने उसे आश्रय प्रदान कर के वेग नियुक्त कर दिया था।

नुयान वेग

एक अन्य अमीर नुयान बेग था। वह अपने पिता की ओर से तीरमीज़ का सैयिद था और अपनी माता की ओर से सुल्तान अबू सईद मीर्जा तथा सुल्तान हुसेन मीर्जा दोनों से सम्बन्धित था। सुल्तान अबू सईद मीर्जा का वह बहुत बड़ा विश्वास–पात्र था। सुल्तान अहमद मीर्जा के दरबारियों में भी उसे बड़ा सम्मान प्राप्त था और जब वह सुल्तान हुसेन मीर्जा की सेवा में पहुंचा तो उसे वहां भी बड़ा आश्रय प्राप्त हुआ। वह हँसी खुशी जीवन व्यतीत करता, खूब मदिरा–पान करता और भोग विलास में व्यस्त रहता। उसके पिता की सेवा में रह चुकने के कारण याकूब का हसन, नुयान के हसन के नाम से भी पुकारा जाता था।

जहाँगीर वरलास

एक अन्य अमीर जहांगीर वरलास था। कुछ समय तक वह मुहम्मद बरन्दुक बरलास के साथ काबुल का हाकिम रहा। तदुपरान्त वह सुल्तान हुसेन मीर्जा की सेवा में चला गया जहां उसे अत्यधिक आश्रय प्राप्त हुआ। उसका आचरण एवं व्यवहार सुन्दर एवं हृदयग्राही था। उसका स्वभाव बड़ा उत्तम था। शिकार एवं शिकरों की देख रेख के नियमों में दक्ष होने के कारण मीर्जा ने उसे मुख्य रूप से तत्संबंधी सेवायें सौंप दी थीं। वह बदी उज्ज़मान मीर्जा का बहुत बड़ा विश्वासपात्र था और उस मीर्जा की मित्रता को ध्यान में रखते हुये वह उसकी प्रशंसा किया करता था।

मीर्जा अहमद

अली फ़ारसी बरलास का मीर्जा अहमद एक अन्य अमीर था। यद्यपि वह कविता न करता था किन्तु वह कविता के विषय में खूब समझता था। वह बड़ा ही हँसमुख एवं उत्तम स्वभाव का व्यक्ति था।

अब्दुल खालिक बेग

एक अन्य अमीर अब्दुल खालिक बेग था। शाहरुख मीर्जा का अत्यधिक विश्वासपात्र बेग, फ़ीरोज शाह उसका दादा था अतः लोग उसे फ़ीरोज़ शाह का अब्दुल खालिक कहा करते थे। वह कुछ समय तक ख्वारिज्म का हाकिम रहा।

इबराहीम दूल्दाई

एक अन्य अमीर इबराहीम दूल्दाई था। उसे राजस्व एवं शासन सम्बन्धी बड़ा उत्तम ज्ञान था। कार्य में वह दूसरा मुहम्मद बरन्दूक था।

---

[1] सीधा–साधा, खुरें स्वभाव का व्यक्ति।

जुन्नून अरगून

जुन्नून अरगून एक अन्य अमीर था। वह बहुत बड़ा योद्धा था। सुल्तान अबू सईद मीर्जा की सेवा में उसने तलवार चलाने में बड़ी कुशलता दिखलाई और बाद में भी जिस युद्ध में वह पहुंचा उसने इस कुशलता का प्रदर्शन किया। उसकी वीरता में कोई सन्देह नहीं किन्तु वह कुछ मूर्ख था। हमारे मीर्जाओं[1] को छोड़ कर जब वह सुल्तान हुसेन मीर्जा की सेवा में पहुंचा तो मीर्जा ने उसे गूर तथा निकदीरी प्रदान कर दिया। ७०–८० आदमियों को ले कर उसने उस भूभाग में बड़ी उत्तम सेवायें सम्पन्न की और बहुत थोड़े आदमियों की सहायता से वह हजारा तथा निकदीरी कबीलों के समूह के समूह को पराजित किया करता था। इन कबीलों को सुव्यवस्थित रखने में कोई उसका मुकाबला न कर सकता था। कुछ समय उपरान्त उसे जमीनदावर प्रदान कर दिया गया। उसका पुत्र शाहशुजा अरगून उसके साथ इधर–उधर घूमा करता था और बाल्यावस्था में तलवार चलाने में कुशलता दिखाया करता था। मीर्जा, शाह शुजा को बहुत चाहता था और उसके पिता की इच्छा के विरुद्ध उसने उसे उसके पिता के साथ कंधार का हाकिम नियुक्त कर दिया। अन्त में इस पिता एवं पुत्र ने विद्रोह किये और बड़ा उत्पात मचाया। जब मैंने खुसरो शाह पर विजय प्राप्त कर ली और उसके सहायकों को उससे पृथक् करा दिया और जब मैंने जुन्नून अरगून के पुत्र मुकीम से काबुल छीन लिया तो जुन्नून बेग एवं खुसरो शाह दोनों विवश हो कर सुल्तान हुसेन मीर्जा की सेवा में पहुंचे। जुन्नून अरगून, मीर्जा की मृत्यु के उपरान्त और भी शक्तिशाली हो गया कारण कि कोह दामन के उबा एवं चच्चरान नामक भाग भी उसे प्रदान कर दिये गये। उसे बदी उज्जमान मीर्जा के फाटकों का मुख्य अधिकारी नियुक्त कर दिया गया।[2] मुहम्मद बरन्दुक बरलास को मुज़फ़्फ़र हुसेन मीर्जा के फाटकों का अधिकारी नियुक्त कर दिया गया। यह उस समय हुआ जब दोनों मीर्जा हेरी के संयुक्त शासक हो गये थे। यद्यपि वह बड़ा वीर था किन्तु वह कुछ पागल और छिछला व्यक्ति था। यदि वह छिछला न होता तो चापलूसी को इतना अधिक पसन्द न करता और अपने आपको इतना बदनाम न करा देता। इस घटना का सविस्तार उल्लेख इस प्रकार है। जिस समय हेरी में उसको अत्यधिक अधिकार एवं विश्वास प्राप्त था तो कुछ शेखों एवं मुल्लाओं ने उससे जाकर कहा, ''नक्षत्र तेरा साथ दे रहे हैं। तू हिजबुल्लाह[3] कहलायेगा और ऊज़बेगों पर विजय प्राप्त कर लेगा।'' इस चापलूसी पर विश्वास करके उसने अपनी लुंगी अपनी ग्रीवा में लपेट कर उनके प्रति आभार प्रदर्शित किया। जब शैबाक़ खां ने मीर्जाओं पर आक्रमण करके उनमें से एक–एक को बादगीस के समीप

---

[1] मीरान शाही।

[2] बदी उज्जमान मीर्जा ने जुन्नून की एक पुत्री से विवाह कर लिया था जिसकी मृत्यु ९११ हि० (१५०५–६ ई०) में हो गई।

[3] ईश्वर का सिंह।

पराजित कर दिया तो जुनून अरगन ने मुल्लाओं की बात पर विश्वास करके १००–१५० सैनिकों को लेकर करा रबात के समीप, ऊज़बेगों का मुकाबला किया। ऊजबेगों के एक बहुत बड़े समूह ने उस पर आक्रमण कर के उसे पराजित कर दिया। वह स्वयं बन्दी बना लिया गया और उसकी हत्या कर दी गई। वह बड़ा धर्मनिष्ठ था, और नमाज़ कभी न त्यागता या अपितु अतिरिक्त नमाजें पड़ा करता था। वह शतरंज के पीछे पागल रहता था। उसका जैसा जी चाहता वह शतरंज खेलता था और यदि अन्य लोग एक हाथ से शतरंज खेलते थे तो वह दोनों हाथ से खेलता था।[1] वह बहुत बड़ा कंजूस एवं कृपण था।

दरवेश अली

एक अन्य अमीर दरवेश अली बेग था। वह अली शेर बेग का सगा छोटा भाई था। कुछ समय तक वह बल्ख का हाकिम रहा जहां उसने बेगों के समान उत्तम कार्य किये किन्तु वह जड़–बुद्धि वाला और गुणों से शून्य था। जड़–बुद्धि के कारण वह बल्ख से पृथक् कर दिया गया था और उसने मीर्जा के कून्दूज़ एवं हिसार के प्रथम युद्ध में बाधायें डाली थीं। मैं ६१६ हि० (१५१० ई०) में कून्दूज़ पहुंचा तो वह मेरी सेवा में उपस्थित हुआ। वह बड़ा मूर्ख एवं बुद्धि से शून्य ज्ञात होता था और केवल शांति से घर में बैठने योग्य था। उसे जो कुछ आश्रय प्राप्त हुआ वह अली शेर बेग के कारण मिला होगा।

मुगूल बेग

एक अन्य अमीर मुगूल बेग था। वह हेरी का कुछ समय तक हाकिम रह चुका था और बाद में उसे अस्तराबाद प्रदान कर दिया गया था। वहां से वह याकूब बेग के पास एराक भाग गया। वह बड़ा कामी एवं जुआड़ी था।

सैयिद बद्र

सैयिद बद्र एक अन्य अमीर था। वह बड़ा ही शक्तिशाली, उत्तम चरित्र तथा सिद्धान्तों का व्यक्ति था। वह बड़े ही आश्चर्यजनक रूप से उत्तम नृत्य करता था। एक नृत्य तो वह बड़े ही विचित्र ढंग से करता था जो उसी का आविष्कार था। वह सर्वदा मीर्जा को सेवा में रहा और मदिरा–पान एवं आनन्द मंगल में उसका सहचर रहता था।

इस्लाम बरलास

इस्लाम वरलास एक अन्य अमीर था। वह सीधा सादा (तुर्क) व्यक्ति था। शिकरे से बड़े उत्तम ढंग से शिकार करता और कुछ बातें भली भांति करता था। ३०–४० बातमान की धनुष पर चिल्ला चढ़ा कर वह बड़ा अच्छा निशाना लगाता था। कबक[2] के मैदान में घोड़ा सरपट दौड़ाते हुए वह अपनी धनुष का चिल्ला उतार कर पुनः चिल्ला चढ़ाता तथा निशाना लगाता था। वह

---

[1] अन्य लोगों की अपेक्षा कहीं अधिक रुचि थी।

[2] एक समतल मैदान जहां एक खम्बे पर एक लक्ष्य बांध दिया जाता था और धनुर्धारी घोड़ा दौड़ाते हुये उस पर बाण चलाते थे।

अपनी जेहगीर[1] को डोरी के एक सिरे पर १–१.१.२ गज़ पर बांध लेता और दूसरे सिरे को एक वृक्ष में बांध देता और लक्ष्य को उछाल कर जब वह घूमता हुआ आता रहता तो निशाना लगा लेता था। वह ऐसे अनेक आश्चर्यजनक करतब कर सकता था। वह निरन्तर मीर्जा की सेवा करता रहा और प्रत्येक महफ़िल में उपस्थित रहता था।

सुल्तान जुनैद बरलास

सुल्तान जनैद बरलास एक अन्य अमीर था। वह अपने जीवन–काल के अन्तिम दिनों में सुल्तान अहमद मीर्जा की सेवा में चला गया। वह उस सुल्तान जुनैद बरलास का पिता था जो इस समय जौनपुर का संयुक्त हाकिम है।[2]

शेख अबू सईद खां

एक अन्य अमीर शेख अबू सईद खां दरमियान[3] था। यह नहीं कहा जा सकता कि वह दरमियानी इस कारण कहलाता है कि वह एक युद्ध के दरमियान में मीर्जा के पास एक घोड़ा ले गया और या उसने अपने आपको मीर्जा तथा एक अन्य व्यक्ति के, जो मीर्जा की हत्या करना चाहता था, दरमियान में डाल दिया।

बेहबूद बेग

एक अन्य अमीर बेहबूद बेग था। वह छापा मार युद्ध के समय चुहरो[4] के साथ कार्य कर चुका था। उसने अपनी सेवाओं से मीर्जा को इतना अधिक संतुष्ट कर दिया कि मीर्जा ने तमगे तथा सिक्के में उसके नाम को डलवा दिया।

शेखीम बेग

शेखीम बेग एक अन्य अमीर था। लोग उसे शेखीम सुहैली कहते थे कारण कि उसका तखल्लुस 'सुहैली' था। वह हर प्रकार के शेर लिखता रहता था और भारी भरकम शब्दों एवं भयानक विचारों का प्रयोग करता था। उसका एक शेर निम्नांकित है:

शेर

''मेरे दुखों की रात्रि की आहों का भंवर आकाश को घेर लेता है,
मेरे आंसुओं का सैलाब, अजगर के समान समस्त संसार को निगल
जाता है।''

---

[1] वह अंगूठी जो बाण चलाने वाले अंगुली की रक्षा हेतु पहनते हैं।

[2] उसे रबी–उल–अव्वल ९३३ हि० (जनवरी १५२७ ई०) में जौनपुर का हाकिम बनाया गया किन्तु रमजान ९३५ हि० (जून १५२९ ई०) में उसे चुनार प्रदान कर दिया गया।

[3] बीच, मध्य ।

[4] तरुण सेवक, छोकरा नौकर।

कहा जाता है कि जब उसने अपना यह शेर मौलाना अब्दुर्रहमान जामी की सेवा में पढ़ा तो सम्मानित मौलाना ने कहा, ''तुम शेर कहते हो अथवा लोगों को डराते हो?'' उसने एक दीवान का संकलन किया। उसकी मसनवियां भी मिलती हैं।

मुहम्मदे वली बेग

एक अन्य अमीर मुहम्मदे वली वेग था। वह वली बेग का, जिसका उल्लेख हो चुका, पुत्र था। बाद में वह मीर्जा का एक बहुत बड़ा बेग हो गया। यद्यपि वह बहुत बड़ा बेग हो गया था किन्तु वह अपनी सेवाओं की ओर से कभी उपेक्षा न करता था और रात–दिन फाटक पर टेक लगाये बैठा रहता था। इस अवस्था में फाटक के बाहर उसका भोजन बंटता रहता एवं दस्तरख्वान फैला रहता था। जो व्यक्ति सेवा में इस प्रकार निरन्तर लगा रहे, उसे जो आश्रय प्राप्त हुआ वह मिलना ही चाहिये था। आजकल रोग फैला है कि जिस किसी के पास पांच छ : गंजे–अंधे एकत्र हो गये वह वेग बनने का प्रयत्न करने लगता है। उस प्रकार की सेवा अब कहां? यह उनका दुर्भाग्य है। मुहम्मदे वली बेग के आम दस्तरख्वान तथा भोजन बड़े उत्तम होते थे। वह अपने सेवकों को साफ–सुथरे एवं उत्तम वस्त्र पहनाये रहता था। वह गरीबों एवं दरिद्रियों को अपने हाथ से अत्यधिक दान–पुण्य किया करता था। वह अप–शब्द बोला करता तथा बद ज़बान था। जब मैंने ९१७ हि० (अक्तूबर १५११ ई०) में समरकन्द पर अधिकार जमाया तो वह तथा दरवेश अली किताबदार[1] मेरी सेवा में थे। उस समय उसे पक्षाघात हो गया था। उसकी बातों में कोई आनन्द न रहा था और उसे जिन कारणों से आश्रय प्राप्त हुआ था, उनका अन्त हो चुका था। उसकी अत्यधिक सेवाओं ने ही उसे इतनी उन्नति दिलाई थी।

बाबा अली

बाबा अली ईशक आका[2] एक अन्य अमीर था। सर्व प्रथम अली शेर बेग ने उसे आश्रय प्रदान किया, फिर मीर्जा ने उसके पौरुष के कारण उसे अपनी सेवा में ले लिया और उसे ईशक आका नियुक्त कर दिया तथा बेग के पद पर उन्नति प्रदान कर दी। उसका एक पुत्र इस समय मेरी सेवा में है। वह अली का यूनुस है जो इस समय[3] मेरा वेग एवं विश्वास–पात्र है। उसका उल्लेख विभिन्न स्थानों पर होगा।

बद्रुद्दीन

एक अन्य अमीर बद्रुद्दीन था। वह सुल्तान अबू सईद मीर्जा के सद्र मीरक अब्दुर्रहीम की सेवा में था। कहा जाता है कि वह बड़ा फुरतीला एवं तेज था

---

[1] पुस्तकालयाध्यक्ष।

[2] फाटक की रक्षा करने वालों का अफसर।

[3] लगभग ९३४ हि० (१५२७–२८ ई०)।

और ७–७ घोड़ों पर फांदता चला जाता था। वह तथा बाबा अली घनिष्ठ मित्र थे।

हसन

अली जलाएर का हसन एक अन्य अमीर था। वास्तव में उसका नाम हुसेन जलाएर था किन्तु वह अली के हसन के नाम से प्रसिद्ध हो गया था। उसके पिता अली जलाएर को बाबर मीर्जा ने आश्रय प्रदान करके वेग नियुक्त कर दिया होगा। तदुपरान्त जब यादगार मुहम्मद मीर्जा ने हेरी पर अधिकार जमा लिया तो अली जलाएर से अधिक श्रेष्ठ कोई व्यक्ति न था। अली का हसन, सुल्तान हुसेन मीर्जा का कूश बेगी था। वह कवि था और 'तुफ़ैली तखल्लुस करता था। वह बड़े उत्तम कसीदे लिखता था और अपने समय में इस कला में अद्वितीय समझा जाता था। जब ९१७ हि० (१५११ ई०) में मैंने समरकन्द पर अधिकार जमा लिया तो वह मेरी सेवा में पहुंच कर ५–६ वर्ष तक रहा और मेरे विषय में उत्तम क़सीदों की रचना की। वह बड़ा ही निर्लज्ज एवं मुक्तहस्त था। वह चुहरे[1] रखता था और निरन्तर नर्द[2] एवं जुआ खेला करता था।

ख्वाजा अब्दुल्लाह मरवारीद

एक अन्य अमीर ख्वाजा अब्दुल्लाह मरवारीद था। वह सर्वप्रथम सद्र था किन्तु बाद में मीर्जा का बड़ा ही विश्वास–पात्र बेग हो गया। वह बहुत बड़ा गुणवान् था। उसके बराबर कानून[3] कोई न बजा सकता था और उसने कानून के स्वरों का आविष्कार किया। वह कई प्रकार की लिपियां लिख सकता था। तालीक[4] बड़े सुन्दर ढंग एवं उत्तम प्रकार से लिखता था। इन्शां भी वह अच्छी लिखता था। उसके शेर बड़े अच्छे होते थे और वह 'ब्यानी' तखल्लुस करता था। वह बड़ा ही उत्तम सहचर था। उसके अन्य गुणों की तुलना में उसके शेरों को उच्च स्थान न प्राप्त था किन्तु वह शेरों को भलीभांति परख लेता था। वह व्यभिचारी एवं निर्लज्ज था। व्यभिचार के कारण ''आबला''[5] नामक रोग में ग्रस्त हो गया और उसके हाथ–पांव काम के न रहे। कई वर्ष तक नाना प्रकार के कष्ट एवं दारुण पीड़ा भोग कर उसी रोग की वजह से वह संसार से बिदा हो गया।

सैयिद मुहम्मदे ऊरूस

एक अन्य अमीर सैयिद मुहम्मदे ऊरूस था। वह ऊरूस अरगून का पुत्र था। जब सुल्तान अबू सईद मीर्जा सिंहासनारुढ़ हुआ तो ऊरूस अरगून उसका बेग था और उसे मुख्य अधिकार प्राप्त थे। उस समय अनेक

---

[1] तरुण दास।

[2] चौसर।

[3] एक प्रकार का तारों का बाजा जिसमें ५०–६० तार होते हैं और दोनों हाथ से बजाये जाते हैं, किसी धनुष इत्यादि का प्रयोग नहीं होता।

[4] नस्तालीक।

[5] सम्भवतः उपदंश।

धनुष–धारी जवान थे, जिनमें प्रमुख सैयिद मुहम्मद ऊरूस था। उसकी धनुष बड़ी दृढ़ और उसके सिरे बड़े लम्बे थे। वह बड़ा ही वीर एवं उत्तम निशानेबाज़ रहा होगा। वह कुछ समय तक अन्दिखूद का हाकिम रह चुका था।

मीर क़म्बर अली

मीर (कम्बर) अली अमीर आखूर एक अन्य व्यक्ति था। उसी ने सुल्तान हुसेन मीर्जा के पास एक आदमी भेजकर प्रतिरक्षा–हीन यादगार मुहम्मद मीर्जा पर आक्रमण करा दिया।

सैयिद हसन अग़लाक़ची

सैयिद हसन ऊगलाकची एक अन्य अमीर था। वह सैयिद ऊगलाकची का पुत्र एवं सैयिद यूसुफ़ बेग का अनुज था। उसका पुत्र मीर्जा फ़र्रुख बड़ा योग्य एवं गुणवान् था। ९१७ हि० (१५११ ई०) में मेरे समरकन्द पर अधिकार जमाने के पूर्व वह मेरी सेवा में उपस्थित हुआ। यद्यपि उसने बहुत कम शेर कहे थे किन्तु जितने शेर भी उसने कहे वे अच्छे कहे। उसे उस्तरलाब एवं ज्योतिष का बड़ा उत्तम ज्ञान था। गोष्ठियों एवं वार्तालाप में भी वह बड़ा अच्छा था। किन्तु वह बुरी तरह मदिरापान करता था। वह ग़जदवान के युद्ध में मारा गया।[1]

तीगरी बीरदी

तीगरी बीरदी सामानची[2] एक अन्य अमीर था। वह तुर्क[3], वीर एवं तलवार चलाने में कुशल था। जैसा कि उल्लेख हो चुका है, उसने खुसरो शाह के प्रतिष्ठित सेवक नजर बहादुर पर बल्ख के फाटक के बाहर आक्रमण करके विजय प्राप्त कर ली।[4]

तुर्कमान अमीर

इनके अतिरिक्त कुछ तुर्कमान अमीर भी थे जिन्हें मीर्जा की सेवा में पहुंचने के उपरान्त आश्रय प्राप्त हुआ। जो लोग पहिले पहलउ आये उनमें एक अली खां बायंदार था। उसके अतिरिक्त असद बेग तथा तहमतन बेग थे। वे बड़े–छोटे भाई थे। बदी उज्जमान मीर्जा ने तहमतन बेग की पुत्री से विवाह कर लिया था और उससे मुहम्मद जमान मीर्जा का जन्म हुआ। मीर उमर बेग एक अन्य अमीर था। बाद में वह बदी उज्जमान मीर्जा की सेवा में चला गया। वह वीर, सीधा–सादा एवं बड़ा ही अच्छा आदमी था। उसका पुत्र, जिसका नाम अबुल फ़तह था, एराक से मेरी सेवा में उपस्थित हुआ। वह बड़ा ही कोमल, अस्थिर एवं कमज़ोर आदमी है। ऐसे पिता का ऐसा पुत्र हो!

---

1 ३ रमजान ९१८ हि० (१२ नवम्बर १५१२ ई०)।

2 शाही असबाब का प्रबंध करने वालों का अधिकारी।

3 सीधा–सादा, खुर्रा।

4 ९०३ हि० (१४९७–९८ ई०) ।

शाह इस्माईल के खुरासान पर आक्रमण कर लेने के बाद आने वाले

जो लोग शाह इस्माईल सफ़वी के एराक एवं अज़रबाईजान पर अधिकार जमा लेने के उपरान्त[1] उपस्थित हुये उनमें तीमूर बेग की नस्ल का अब्दुल बाक़ी मीर्जा था। वह मीरान शाही[2] था। उसके पूर्वज बहुत समय पूर्व उस भूभाग में चले गये होंगे और अपने मस्तिष्क से बादशाही के विचार निकाल कर, वहां के हाकिमों की सेवा में सम्मिलित हो गये होंगे और उन लोगों द्वारा आश्रय प्राप्त किया होगा। तीमुर उस्मान जो याकूब बेग का प्रतिष्ठित एवं विश्वस्त वेग था और जिसने एक बार बहुत बड़ी संख्या में जिन लोगों को एकत्र कर लिया था, उन्हें खुरासान पर आक्रमण हेतु भेजना निश्चय किया था, अब्दुल बाक़ी मीर्जा का चाचा रहा होगा सुल्तान हुसेन मीर्जा ने अब्दुल बाक़ी मीर्जा को तुरन्त अपना विश्वास–पात्र बना लिया और मुहम्मद सुल्तान मीर्जा की माता सुल्तानम बेगम[3] को उससे विवाह करके उसे अपना जामाता बना लिया। बाद के आने वालों में एक मुराद बेग बायंदरी था।

उसके सद्र

मीर सरे बरेहना

उनमें से एक मीर सरे बरेहना था। वह अन्दिजान के किसी गांव का था और सैयिद होने का दावा करता था।[4] वह बड़ा ही हँस–मुख, उत्तम सहचर एवं मीठी वाणी वाला था। खुरासान के कवि एवं विद्वान उसके निर्णय एवं बातों को प्रामाणिक मानते थे। अमीर हमजा के किस्से के समान उसने एक ग्रंथ की रचना में अपना समय नष्ट कर दिया। यह ग्रंथ झूठी, समझ में न आने वाली एवं अस्वाभाविक कहानियों का पुलिन्दा है।

कमालुद्दीन हुसेन गाजुर गाही

कमालुद्दीन हुसेन गाजुर गाही एक अन्य सद्र था। यद्यपि वह सूफ़ी न था किन्तु सूफ़ियों की नकल था।[5] अली शेर वेग की सेवा में ऐसे ही सूफ़ी एकत्र होकर वज्द[6] एवं समा[7] में तल्लीन रहते थे। कमालुद्दीन का वंश उनमें से बहुतों के वंश से अच्छा रहा होगा। उसको उसके उच्च वंश के कारण उन्नति प्राप्त हुई होगी कारण कि उसमें कोई अन्य उल्लेखनीय गुण न था। 'मजालिसुल उश्शाक' नामक उसकी एक रचना मिलती है जिसे उसने

---

[1] ९०६ हि० (१५०० ई०)।

[2] अब्दुल बाकी, पुत्र उस्मार, पुत्र सैयिदी अहमद, पुत्र मीरान शाह।

[3] सुल्तानीम का विवाह वैस से ८९५ अथवा ८९६ हि० (१४८७–८८ ई० या १४८८–८९ ई.) के बाद न हुआ होगा। उसका विवाह अब्दुल बाकी से ९०८ हि० (१५०२–३ ई०) में हुआ।

[4] मुतसैयिद था।

[5] मुतसव्विफ।

[6] वह मूर्छा जो ईश्वर के प्रेम में सूफियों पर आ जाती है।

[7] सूफियों का संगीत।

प्रस्तावना में सुल्तान हुसेन मीर्जा की बताया है। यह नितांत झूठ है और बिना किसी स्वाद का झूठ है। उसमें उसने कुछ ऐसी बिना सिर–पैर की बातें लिखी हैं जिनसे कुफ्र का आभास होता है। इस प्रकार उसने बहुत से नबियों एवं वलियों[1] को इश्क मजाजी[2] में ग्रस्त बताया है और प्रत्येक के लिये कोई न कोई माशूक अथवा प्रियतमा को पैदा कर दिया है। एक बड़ी ही विचित्र एवं वाहियात बात यह है कि यद्यपि वह प्रस्तावना में लिखता है कि ''यह सुल्तान हुसेन मीर्जा के अपने शब्द एवं उसकी रचना हैं किन्तु बीच पुस्तक में बहुत सी बातों को वह अपनी कृति बताता है। जिन शेरों का उसमें प्रयोग हुआ है, वे सब के सब उसी के हैं। उसी ने चापलूसी में जुनून अरगून को हिजबुल्लाह की उपाधि दे दी थी।

उसके वजीर

मजदुद्दीन मुहम्मद

उसका एक वजीर मजदुद्दीन मुहम्मद था जो ख्वाफ़ के ख्वाजा पीर अहमद का पुत्र था। वह मीर्जा का एक क़लम[3] दीवान[4] था। सर्व प्रथम सुल्तान हुसेन मीर्जा के दीवान[5] में कोई सुव्यवस्था एवं सुप्रबन्ध न था। अपव्यय एवं अनावश्यक व्यय बड़ा अधिक होता था। न तो प्रजा ही सुखी थी और न सैनिक ही संतुष्ट थे। उस समय जब मजदुद्दीन मुहम्मद परवानची[6] ही था और मीरक कहलाता था तो मीर्जा को कुछ धन की अत्यधिक आवश्यकता पड़ गई। जब उसने दीवान के अधिकारियों से धन मांगा तो उन्होंने उत्तर दिया कि कोई धन नहीं है और न वसूल हुआ है। मजदुद्दीन मुहम्मद इसे सुनकर मुस्कराया होगा कारण कि मीर्जा ने उससे मुस्कराने की वजह पूछी। उसके निवेदन पर सब लोग हटा दिये गये और उसने जो कुछ उसके दिल में था, मीर्जा से कहा और निवेदन किया कि, ''यदि मीर्जा यह वचन दें कि मुझे अधिकार देकर मेरी बात के विरुद्ध कुछ न करेंगे तो मैं अल्प समय में ऐसा करूंगा कि प्रजा समृद्ध एवं सैनिक संतुष्ट हो जायेंगे और खजाना भर जायेगा।'' मीर्जा ने उसकी इच्छानुसार वचन दे दिया और प्रतिज्ञा करके मजदुद्दीन मुहम्मद को पूरे खुरासान में पूर्ण रूप से अधिकार सम्पन्न कर दिया और उसे पूरा शासन प्रबंध सौंप दिया। उसने पूर्ण रूप से यथा सम्भव प्रयत्न करके अल्प समय में सैनिक एवं प्रजा को संतुष्ट कर दिया। खज़ाने में अत्यधिक धन एकत्र करके राज्य को समृद्ध एवं सुव्यवस्थित कर दिया। उसने समस्त वेगों एवं प्रतिष्ठित लोगों के विरोध के बावजूद

---

[1] सूफी, संतों।

[2] सांसारिक प्रेम।

[3] पूर्ण अधिकार सम्पन्न।

[4] वित्त विभाग का मंत्री।

[5] वित्त विभाग।

[6] सचिव जो शाही आदेशों को लिखता था।

इतनी सफलता प्राप्त की। अली शेर बेग उसके विरोधियों का नेता था और वे सब के सब मजदुद्दीन मुहम्मद से रुष्ट थे। उनके प्रयल एवं षड्यंत्र के कारण वह पदच्युत कर दिया गया तथा बन्दी बना लिया गया। उसके स्थान पर ख्वाफ़ के निज़ामुलमुल्क को दीवान बना दिया गया। किन्तु अल्प समय में उन लोगों ने उसे भी बन्दी बनवा दिया और उसकी हत्या करवा दी। तदुपरान्त उन्होंने ख्वाजा अफ़ज़ल को एराक़ से बुलवाया और उसे दीवान बनवा दिया। जब मैं काबुल पहुंचा[1] तो वह उसी समय बेग नियुक्त किया गया और दीवान में मुहर भी लगाया करता था।

ख्वाजा अता

ख्वाजा अता एक अन्य वजीर था। यद्यपि जिन लोगों का उल्लेख हो चुका है उनके समान उसे न तो कोई उच्च पद प्राप्त था और न वह दीवान था किन्तु पूरे खुरासानात में उसके परामर्श के बिना कोई बड़ा कार्य न हो सकता था। वह बड़ा ही पवित्र, नमाजी एवं ईमानदार था। वह अपने कार्यों में बड़ा परिश्रमी था।

मौलाना अब्दुर्रहमान जामी

जिन लोगों का उल्लेख हो चुका है, वे सुल्तान हुसेन मीर्जा के सेवक एवं परिजन थे। उसका युग बड़ा ही आश्चर्यजनक था। इसमें खुरासान, विशेष रूप से हेरी विद्वानों एवं अद्वितीय व्यक्तियों से परिपूर्ण थे। जो कोई भी जिस कार्य में हाथ डालता उसका उद्देश्य यही होता कि वह उसे उन्नति के शिखर पर पहुंचा दे। उनमें एक मौलाना अब्दुर्रहमान जामी थे जो अपने युग में जाहिरी[2] एवं बातिनी[3] ज्ञानों में अद्वितीय थे। उनकी कवितायें बड़ी प्रसिद्ध हैं। मौलाना को जो यश प्राप्त था, वह ऐसा नहीं जिसे किसी परिचय की आवश्यकता हो। मेरे हृदय में आया कि इन तुच्छ पृष्ठों में आशीर्वाद हेतु उनके नाम का उल्लेख हो जाये और उनके गुणों में से कुछ की चर्चा कर दी जाये।

शेखुल इस्लाम सैफुद्दीन

शेखुल इस्लाम सैफुद्दीन अहमद एक अन्य व्यक्ति थे। वे मुल्ला सादुद्दीन तफ़ताजानी[4] के वंश से थे जिनके उत्तराधिकारी उनके समय से लेकर अब तक खुरासान में शेखुल इस्लाम का पद प्राप्त करते रहे हैं। वे बहुत बड़े विद्वान थे। अरबी के ज्ञानों[5] एवं नकली[6] ज्ञानों में उन्हें बड़ी कुशलता प्राप्त थी। वे बड़े ही पवित्र एवं ईमानदार आदमी थे। यद्यपि वे स्वयं शाफ़ई थे

---

[1] ९१०हि० (१५०४–५ ई०)।

[2] वह ज्ञान जिनका सम्बंध सांसारिक जीवन से है।

[3] आध्यात्मिक अथवा ईश्वर को प्राप्त करने से सम्बंधित ज्ञान।

[4] मुल्ला सादुद्दीन मसऊद तफ़्रताजानी, पुत्र उमर, यज्द के तफ्त नामक स्थान के निवासी थे। उनकी मृत्यु ७९२ हि० (१३९० ई०) में हुई।

[5] व्याकरण, भाषा, साहित्य इत्यादि।

[6] हदीस, फ़िकह इत्यादि।

किन्तु अन्य धर्म वालों के प्रति भी उदार थे। वे ७० वर्ष तक जीवित रहे और इस बीच में कभी जमाअत[1] की नमाज़ न त्यागी। जब शाह इस्माईल ने हेरी पर अधिकार जमाया तो उनकी हत्या करा दी गई।[2] अब उनके सम्मानित वंश का कोई व्यक्ति जीवित नहीं।

मौलाना शेख हुसेन

एक अन्य मौलाना शेख हुसेन थे। यद्यपि उन्हें सुल्तान अबू सईद मीर्जा के समय में उन्नति प्राप्त हुई किन्तु वे सुल्तान हुसेन मीर्जा के समय में भी जीवित थे। अतः उनका उल्लेख यहां कर दिया गया। दर्शन शास्त्र, अक़ली ज्ञानों[3] तथा कलाम[4] के वे बहुत बड़े विद्वान् थे। थोड़े से शब्दों से वे अधिक अर्थ निकाल लेते थे, और वार्तालाप में उचित रूप से उसका प्रयोग करते थे। सुल्तान अबू सईद मीर्जा के बहुत बड़े विश्वास–पात्र थे और (उसके समय में) उन्हें अत्यधिक अधिकार प्राप्त थे अतः राज्य के समस्त शासन प्रबंध में उनका हाथ था। उनसे बढ़कर कोई अन्य मुहतसिब[5] नहीं हुआ है। इसी कारण उनको इतना अधिक विश्वास प्राप्त था। सुल्तान अबू सईद मीर्जा का विश्वास–पात्र होने के कारण, सुल्तान हुसेन मीर्जा के समय में ऐसे अद्वितीय व्यक्ति का अपमान किया जाता था।

मुल्लाजादा मुल्ला उस्मान

मुल्ला जादा मुल्ला उस्मान एक अन्य व्यक्ति थे। वे चीर्ख के निवासी थे जो काबुल के तूमानों में से लोहूगुर तूमान में है। वे जन्म–जात मुल्ला कहलाते थे कारण कि लूग बेग मीर्जा के समय में १४ वर्ष की अवस्था में वे शिक्षा दिया करते थे। वे हज के लिये समरकन्द से जाते हुये हेरी पहुंचे। वहां उन्हें रोक लिया गया और सुल्तान हुसेन मीर्जा ने उन्हें अपने पास रख लिया। वे अपने युग के बहुत बड़े विद्वान् थे। कहा जाता है कि उन्हें इजतेहाद[6] की श्रेणी प्राप्त थी किन्तु उन्होंने कोई इजतेहाद नहीं किया। प्रसिद्ध है कि उन्होंने एक बार पूछा कि, ''लोग एक बात सुन कर किस प्रकार भूल जाते हैं?'' उनकी स्मरण–शक्ति बड़ी ही दृढ़ थी।

मीर जमालुद्दीन मुहद्दिस

एक अन्य अमीर जमालुद्दीन मुहद्दिस थे। हदीस के ज्ञान में खुरासान में उनके बराबर कोई अन्य न था। उन्होंने बड़ी अधिक आयु पाई और अब भी जीवित हैं।[7]

---

[1] सामूहिक नमाज।

[2] ९१६ हि०(१५१०–११ ई०)।

[3] जिनका सम्बंध तर्क वितर्क से हो अर्थात् दर्शन–शास्त्र, तर्क–शास्त्र इत्यादि।

[4] शरीअत के सिद्धांतों पर आधारित दर्शन–शास्त्र।

[5] वह अधिकारी जो शरा के विरुद्ध कार्यों पर रोक–टोक रखता था।

[6] वह व्यक्ति जिसे शरा के सिद्धान्तों की सीमा के भीतर नई परस्थिति के अनुसार अपना मत व्यक्त करने का अधिकार हो।

[7] सम्भवतः ९३४ हि० से ९३७ हि० के मध्य में।

मीर मुरताज़

एक अन्य मीर मुरताज थे। उन्हें दर्शन–शास्त्र एवं आत्मविद्या में बड़ी दक्षता प्राप्त थी। शतरंज के पीछे तो वे पागल थे। यदि उन्हें दो शतरंज के खिलाड़ी मिल जाते तो वे एक से शतरंज खेलते समय दूसरे का दामन इस आशय से पकड़े बैठे रहते कि कहीं वह भाग न जाये।

मीर मसऊद

मीर मसऊद शेरवान निवासी एक अन्य व्यक्ति थे।

मीर अब्दुल ग़फ़ूर

लार के मीर अब्दुल गफूर भी एक व्यक्ति थे। वे मौलाना अब्दुर्रहमान जामी के शिष्य भी थे और मुरीद भी। उन्होंने मौलाना की अधिकांश रचनायें उनके समक्ष पढ़ी थीं और नफ़हात[1] की टीका लिखी। उन्हें जाहिरी एवं बातिनी विद्याओं का ज्ञान था। वे बड़े ही सीधे सादे एवं सरल स्वभाव के व्यक्ति थे। जो कोई भी मुल्ला कहलाता था उसे उनकी सेवा में व्याख्या हेतु कुरान शरीफ़ का कोई अंश प्रस्तुत करने की कोई रोक–टोक न थी। जहां कहीं वह किसी दरवेश के विषय में सुन पाते तो जब तक उसकी सेवा में न पहुंच जाते उन्हें चैन न आता। जब मैं खुरासान में था तो वे रुग्ण थे। जब मैं मुल्ला[2] के मजार का तवाफ़[3] कर चुका तो मैं मुल्ला के मदरसे में जहां वे थे उनके स्वास्थ के विषय में पूंछने पहुंचा। कुछ दिन उपरान्त उसी रोग के कारण उनकी मृत्यु हो गई।

मीर अताउल्लाह

मशहद के मीर अताउल्लाह एक अन्य व्यक्ति थे। उसे अरबी विद्याओं का बड़ा उत्तम ज्ञान था। फ़ारसी में काफ़िये[4] के विषय में उसने एक पुस्तक की रचना की। यह बड़ी ही उत्तम रचना है किन्तु इसमें दोष यह है कि उदाहरण स्वरूप उसने अपने शेर प्रस्तुत किये हैं और उन्हें ठीक समझते हुये प्रत्येक शेर के पूर्व ''दास ने इस प्रकार कहा है'' लिखना परमावश्यक समझा है। इस पुस्तक में उसके बहुत से प्रतिस्पधियों की बड़ी उत्तम आलोचना है। उसने एक अन्य पुस्तक सनाये[5] के विषय में लिखी और उसका नाम 'वदी उस्सनाये' रक्खा। यह पुस्तक भी बडी अच्छी है। उसके धर्म के विषय में बडा मतभेद है।

---

[1] तसव्वुफ़ के सम्बंध में मौलाना अब्दुर्रहमान जामी की एक रचना।

[2] मुल्ला अब्दुर्रहमान जामी।

[3] चारों ओर श्रद्धा पूर्वक चक्कर लगाना।

[4] कविता का एक विषय।

[5] कविता के गुण–दोष का ज्ञान।

क़ाज़ी इख़्तियार

काजी इख़्तियार भी एक अन्य व्यक्ति था। वह बड़ा ही उत्तम काज़ी था और उसने फ़िकह पर एक पुस्तक की रचना की। यह बड़ी ही उत्तम पुस्तक है। व्याख्या हेतु प्रत्येक विषय पर उसने कुरान की आयतें संकलित की। जब मैंने मीर्जाओं से मुर्गाब पर भेंट की तो वह मुहम्मद यूसुफ़ के साथ मुझसे भेंट करने आया।[1] बाबरी लिपि के विषय में वार्ता होने लगी। उसने मुझसे उसके प्रत्येक अक्षर के विषय में पूछा। मैंने प्रत्येक अक्षर को लिखा। उसने प्रत्येक अक्षर का अध्ययन किया और इस लिपि की योजना को समझकर इस लिपि में वहीं कुछ लिखा।

मीर मुहम्मद यूसुफ़

मीर मुहम्मद यूसुफ़ एक अन्य व्यक्ति था। वह शेखुल इस्लाम[2] का शिष्य था और बाद में उसे शेखुल इस्लाम नियुक्त कर दिया गया था। किसी सभा में वह, और किसी में काजी इख़्तियार उच्च आसन ग्रहण करता था। अपनी अन्तिम अवस्था में वह सैनिक जीवन एवं सेना के नेतृत्व के पीछे इतना पागल हो गया था कि उसके वार्तालाप से इन दो बातों के अतिरिक्त न तो उसकी विद्वत्ता का पता चलता था और न उसकी बुद्धि का। यद्यपि वह उन दोनों में असफल रहा, परन्तु उसकी उन दोनों महत्वाकांक्षाओं के कारण उसकी धन–सम्पत्ति एवं उसका घर–बार नष्ट हो गया। वह शीआ रहा होगा।

सुल्तान हुसेन मीर्जा के दरबार के कवि

कवियों में सर्व श्रेष्ठ एवं इस समूह के नेता मौलाना अब्दुर्रहमान जामी थे। इनके अतिरिक्त शेखीम सुहैली तथा अली जलाएर के हसन थे। सुल्तान हुसेन मीर्जा के बेगों एवं विश्वास–पात्रों के प्रसंग में उनका उल्लेख हो चुका है।

आसफ़ी

उनके अतिरिक्त आसफ़ी था। उसने वजीर का पुत्र होने के कारण 'आसफ़ी' तखल्लूस ग्रहण किया था।[3] उसके शेर, भाव एवं सौन्दर्य से शून्य नहीं किन्तु प्रेम के उन्माद का उनमें अभाव है। उसका यह दावा था कि ''मैं ने अपनी किसी ग़ज़ल में (शेरों की) संख्या बढ़ाने का प्रयत्न नहीं किया है।'' सम्भवतः यह बनावट है। उसके अनुज एवं अन्य सम्बन्धियों ने उसकी ग़ज़लों

---

1 ९१२ हि० (१५०६–७ ई०)।

2 सम्भवतः सैफुद्दीन अहमद।

3 वह ख्वाजा नेमतुल्लाह का, जो सुल्तान अबू सईद मीर्जा का वजीर था, पुत्र था।

का संकलन किया। ग़ज़लों के अतिरिक्त उसने अन्य प्रकार की कविता बहुत कम की। जब मैं खुरासान[1] पहुंचा तो वह मेरी सेवा में उपस्थित हुआ।

बनाई

बनाई एक अन्य कवि था। वह हेरी निवासी था, उसने अपने पिता उस्ताद मुहम्मद सब्ज बना के कारण बनाई तखल्लुस ग्रहण किया। उसकी ग़ज़लों में सौन्दर्य एवं भावोन्माद बहुत है। फलों के विषय में उसकी एक मसनवी मुतकारिब[2] बहर में हैं। इसमें बिना मतलब के शेर भरे हैं। उसकी एक छोटी–सी मसनवी खफ़ीफ़[3] बहर में है। इसी प्रकार एक बड़ी मसनवी इसी बहर में है जो उसने अपने जीवन के अन्त में पूरी की। उसे युवावस्था में सम्भवतः संगीत का कोई ज्ञान न था जिसके लिये अली शेर बेग ने उसे ताना दिया। अतः एक शीत ऋतु में जब मीर्जा, अली शेर बेग को अपने साथ लेकर मर्व में शीत ऋतु व्यतीत करने चला गया तो बनाई हेरी ही में ठहरा रह गया और संगीत का इतना अधिक अभ्यास कर लिया कि वह संगीत सम्बन्धी रचनायें करने लगा। ग्रीष्म ऋतु आते आते जब मीर्जा हेरी वापस आया तो उसने स्वर इत्यादि इस प्रकार प्रस्तुत किये कि सभी को बड़ा आश्चर्य हुआ और अली शेर बेग ने भी बड़ी प्रशंसा की। उसकी संगीत सम्बन्धी रचनायें बड़ी पूर्ण हैं। उनमें एक ''नुह रंग'' है जिसमें दोनों विषय भी पाये जाते हैं[4] और स्वरों में विभिन्नता भी। बनाई, अली शेर बेग का प्रतिस्पर्धी था। इसी कारण उसके प्रति बड़ा दुर्व्यवहार होता था। जब अन्त में वह इसे सहन न कर सका तो वह अज़रबाईजान एवं एराक में याकूब बेग के पास चला गया। याकूब बेग की मृत्यु के उपरान्त[5] वह उस भूभाग में भी न रहा और हेरी वापस चला गया। उसके व्यंग्य एवं परिहास की वही दशा रही । एक व्यंग्य इस प्रकार है–एक दिन शतरंज की गोष्ठी में अली शेर बेग ने जब अपने पांव फैलाये तो मुल्ला बनाई की गुदा तक पहुंच गये। अली शेर बेग ने व्यंग्य करते हुए कहा, ''हेरी में बड़ी मुसीबत है। यदि कोई अपने पांव फैलाये तो कवि के नितंब में पहुंच जाते हैं।'' बनाई ने कहा, ''यदि सिकोड़े तो भी कवि के नितंब में पहुंचते हैं।'' अन्ततोगत्वा अपने व्यंग्य के कारण उसे पुनः हेरी से समरकन्द की ओर प्रस्थान करना पड़ा।[6] करशी के किले के कत्ले आम में उसकी हत्या कर दी गई। अली शेर बेग ने बहुत–सी वस्तुओं का आविष्कार किया था। जो कोई किसी वस्तु में कोई भी आविष्कार करता तो उसकी प्रसिद्धि एवं उसे प्रचलित करने के लिये अली शेरी कहा जाता था। एक बार अली शेर के कानों में पीड़ा हुई तो उसने अपने सिर को एक

---

[1] ९१२ हि० (१५०६–७ ई०)।

[2] शेर की एक बहर।

[3] शेर की एक बहर।

[4] यह वाक्य स्पष्ट नहीं।

[5] ८९६ हि० (१४९१ ई०)।

[6] बाबर ने बनाई से ९०१ हि० (१४९६ ई०) में समरकन्द में भेंट की।

तिकोने रूमाल से लपेट लिया। स्त्रियां जब उस प्रकार शीत ऋतु में रूमाल बांधतीं तो उस विधि को अली शेरी कहने लने। जब बनाई ने हेरी से चला जाना निश्चय कर लिया तो उसने अपने गधे के लिये नये प्रकार की गद्दियां बनवाई और उनका नाम अली शेरी रख दिया।

मौलाना सैफ़ी बुखारी

बुखारा का मौलाना सैफ़ी एक अन्य कवि था। वह पूरा मुल्ला था और अपनी मुल्लाई के प्रमाण में उन ग्रंथों की सूची प्रस्तुत किया करता था जिनका उसने अध्ययन किया था। उसने दो दीवानों का संकलन किया। एक दीवान समस्त कारीगरों के लिये संकलित किया था। वह बहुत सी कहानियां लिखा करता था। निम्नांकित रुबाई से पता चलता है कि उसने किसी मसनवी की रचना नहीं कीः–––

रूबाई

''मसनवी यद्यपि सुन्नत[1] है,
किन्तु मैं ग़ज़ल को फ़र्ज़[2] समझता हूं।
पंज बैती[3] हृदय ग्राही होती है,
मैं उसे खमसों से[4] अच्छी समझता हूं।''

उसने फ़ारसी ऊरुज़ के विषय में भी एक रचना की जो यद्यपि संक्षिप्त है किन्तु एक प्रकार से बकवास है कारण कि उसमें कोई लाभदायक बात नहीं लिखी है। स्पष्ट एवं प्रचलित वाक्य को एराब[5] लगा कर लिखा है। कहा जाता है कि वह बड़ा बुरा शराबी था। घूंसा मारने की उसमें बड़ी अधिक शक्ति थी।

अब्दुल्लाह

अब्दुल्लाह मसनवी रचियता एक अन्य कवि था। वह जाम का निवासी तथा मुल्ला[6] का भागिनेय था। उसका तखल्लुस 'हातिफ़ी' था। उसने खमसे का अनुकरण करते हुए मसनवी की रचना की और हफ्त पैकर की नक़ल में उसका नाम हफ्त मंज़र रक्खा। 'सिकन्दर नामा' की नकल में उसने 'तीमूर नामा' की रचना की। उसकी सबसे अधिक प्रसिद्ध मसनवी लैला–मजनूं है, यद्यपि उसका सौन्दर्य उसकी प्रसिद्धि के अनुकूल नहीं।

---

[1] वह बातें जो शरा के अनुसार अनिवार्य नहीं।
[2] वह बातें जो शरा के अनुसार अनिवार्य हैं।
[3] एक प्रकार की कविता।
[4] एक प्रकार की कविता।
[5] जेर, जबर और पेश।
[6] अब्दुर्रहमान जामी।

मीर हुसेन मुअम्माई

मीर हुसेन मुअम्माई[1] एक अन्य कवि था। सम्भवतः मुअम्मे की उसके समान किसी ने भी रचना नहीं की। उसने अपना पूरा जीवन मुअम्मे की चिन्ता में व्यतीत किया। वह बड़ा ही फ़क़ीरी स्वभाव, असंतुष्ट एवं ऐसा व्यक्ति था जिससे किसी को कोई हानि नहीं हुई।

मीर मुहम्मद बदख्शी

इश्कीमीश का मीर मुहम्मद बदख्शी भी एक कवि था। क्योंकि इश्कीमीश, बदख्शां में नहीं है, अतः यह बड़े आश्चर्य की बात है कि उसने 'बदख्शी' तखल्लुस रक्खा। उसकी कवितायें उनकी श्रेणी की नहीं हैं जिनका पूर्व में उल्लेख हो चुका है। यद्यपि उसने मुअम्मे के विषय से सम्बन्धित एक पुस्तक की रचना की किन्तु उसके मुअम्मे अधिक अच्छे नहीं हैं। वह बड़ा ही उत्तम सहचर था। वह समरकन्द में मेरी सेवा में उपस्थित हुआ।[2]

यूसुफ़ बदी

यूसुफ़ बदी भी एक कवि था। वह फ़रगाना निवासी था। उसकी ग़ज़लें बुरी नहीं बताई जातीं।

आही

आही भी एक कवि था। वह बड़ी उत्तम ग़ज़लों की रचना करता था। वह बाद में इब्ने हुसेन मीर्ज़ा की सेवा में पहुंच गया और उसने दीवान का संकलन भी किया।

मुहम्मद सालेह

एक अन्य कवि मुहम्मद सालेह था। उसकी ग़ज़लों में बड़ा रस पाया जाता है यद्यपि रस के समान उनमें शुद्धता नहीं। वह तुर्की शेरों की भी रचना करता था जो बुरे न होते थे। वह बाद में शैबाक खां की सेवा में पहुँच गया और वहां उसे पूर्ण रूप से आश्रय प्राप्त हुआ। उसने शैबाक़ खां के नाम पर तुर्की भाषा में एक मसनवी की[3] रचना की जो लैला मजनूं के रमल मुसद्दस वजन में है जो सुबहा[4] का वज़न है। यह बड़ी साधारण कविता है। मुहम्मद सालेह के शेरों के अध्ययन के उपरान्त उसमें किसी को कोई श्रद्धा नहीं रहती। उसका एक उत्तम शेर इस प्रकार है :

शेर

''एक मोटे आदमी (तम्बल) ने फ़रग़ाना पर अधिकार जमा लिया,
फ़रग़ाना को मोटे आदमी का घर (तम्बल खाना) बना लिया।''

---

[1] मुअम्मा (पहेली) की रचना करने वाला।

[2] ९१७ हि० (१५११–१२ ई०)।

[3] 'शैबानी नामा' जो जर्मन अनुवाद सहित प्रकाशित भी हो चुका है, और रूसी टिप्पणियों सहित भी प्रकाशित हुआ है।

[4] जामी की मसनवी 'सुबहतुल अबरार'।

फ़रग़ाना तम्बल खाना के नाम से भी प्रसिद्ध है। मुझे ज्ञात नहीं कि जिस मसनवी का उल्लेख हो चुका है उसमें यह शेर है अथवा नहीं। वह बड़ा ही दुष्ट, अत्याचारी एवं निष्ठुर था।

मौलाना शाह हुसेन

मौलाना शाह हुसेन कामी एक अन्य कवि था। उसके शेर भी बुरे नहीं। वह ग़ज़लों की रचना करता था। सम्भवतः उसने एक दीवान का संकलन कर लिया था।

हिलाली

हिलाली[1] भी एक कवि था। वह अब भी जीवित है। यद्यपि उसके शेर शुद्ध एवं सुन्दर होते हैं किन्तु उनका कोई प्रभाव नहीं होता। उसका एक दीवान भी है। खफ़ीफ़ बहर में उसने एक मसनवी की भी रचना की जिसका शीर्षक 'शाह व दरवेश' है। यद्यपि उसके बहुत से शेर अच्छे हैं किन्तु उनके अर्थ एवं निष्कर्ष बड़े ही स्वादहीन एवं निकृष्ट हैं। प्राचीन कवि इश्क एवं आशिक़ी के सम्बन्ध में रचना करते समय आशिक को पुरुष एवं माशूक़ को स्त्री प्रस्तुत करते हैं किन्तु हिलाली ने आशिक़ को दरवेश एवं माशूक़ को बादशाह दिखाया है, फलतः बादशाह के कर्म एवं वचन में निर्लज्जता एवं घृणा टपकती है। हिलाली की यह बहुत बड़ी धृष्टता है कि मसनवी के लिये उसने एक युवक को चुना जो बादशाह था और जिसे उसने बड़ा ही निर्लज्ज एवं चरित्रहीन दिखलाया। कहा जाता है कि हिलाली की स्मरणशक्ति बड़ी दृढ़ थी और उसे ३०–४०,००० शेर और खमसों के अधिकांश शेर कंठस्थ थे। वह ऊरुज एवं काफ़िये के ज्ञान में बड़ा प्रसिद्ध था।

अहली

अहली एक अन्य कवि था। वह एक साधारण व्यक्ति था, और बुरे शेर न कहता था। उसने एक दीवान का भी संकलन किया।

कलाकार

खुश नवीस

यद्यपि उसके समय के खुश नवीसों[2] की संख्या बड़ी अधिक है किन्तु नस्ख[3] एवं तालीक[4] में सर्वश्रेष्ठ सुल्तान अली मशहदी था। उसने मीर्जा एवं

---

[1] मौलाना बद्रुद्दीन हिलाली, अस्तराबाद निवासी था।
[2] सुलेख लिखने वाले।
[3] एक लिपि जिसमें अधिकांश अरबी लिखी जाती है।
[4] एक लिपि जिसमें हिन्दुस्तान में अधिकांश उर्दू एवं फारसी पुस्तकें छपती हैं।

अली शेर बेग के लिए बहुत से ग्रंथ नक़ल किये। वह प्रथम के लिये रोज़ाना ३० शेर और द्वितीय के लिये २० शेर नक़ल किया करता था।

चित्रकार

चित्रकारों में बेहज़ाद था। वह बड़ी नाजुक चित्रकारी करता था। किन्तु बिना दाढ़ी के चेहरे अच्छे न बना पाता था। वह गब्गब[1] को बहुत बड़ा बना देता था। दाढ़ी वाले चेहरे वह बड़े ही उत्तम बनाता था।

एक अन्य शाह मुज़फ़्फ़र था। वह बड़े नाजुक चित्र बनाता था और बालों के बनाने में बड़ी नजाकत पैदा करता था। उसे बड़ी कम आयु मिली और जब उसकी प्रसिद्धि उन्नति कर रही थी तो वह मृत्यु को प्राप्त हो गया।

(वादक)

गायकों में ख्वाजा अब्दुल्लाह मरवारीद के समान जैसा कि कहा जा चुका है कोई भी कानून न बजा पाता था।

कुले मुहम्मद ऊदी[2], गीशक[3] बड़े अच्छे ढंग से बजाता था और उसमें तीन तार जोड़ दिये थे। गायकों एवं वादकों में प्रारम्भिक रागों के गाने वालों एवं वादकों में कोई उसका मुक़ाबला नहीं कर सकता था किन्तु यह आरम्भ के गानों के लिये ही ठीक है।

शेखी नाई एक अन्य गायक था। कहा जाता है कि वह ऊद एवं गीशक भी बड़ा अच्छा बजा लेता था और वीणा तो वह १२–१३ वर्ष की अवस्था से बजाने लगा था। उसने एक बार बदी उपजमान मीर्जा की महफ़िल में वीणा पर एक बड़ा अच्छा राग निकाला। कुले मुहम्मद उसे गीशक पर भी न निकाल सका और कह दिया कि, ''यह किसी काम का बाजा नहीं।'' शेख नाई ने तत्काल कुले मुहम्मद के हाथ से गीशक ले लिया और उस पर बड़े ही उत्तम ढंग एवं स्वर में वह राग बजा दिया। कहा जाता है कि उसे संगीत में इतनी अधिक कुशलता प्राप्त थी कि वह किसी भी धुन को एक बार सुनकर यह बता सकता था कि, ''यह अमुक व्यक्ति की धुन या राग अथवा अमुक व्यक्ति की वीणा की धुन या राग है।'' उसने बहुत थोड़ी सी ही रचनायें की। उसकी एक आध धुनें ही प्रसिद्ध हैं।

शाह कुली गीशक बजाने वाला भी एक व्यक्ति था। वह एराक़ का निवासी था और उसने खुरासान पहुंच कर वादन सीखा और उसमें सफलता प्राप्त की। उसने बहुत सी धुनें, प्रारम्भिक स्वर एवं राग ईजाद किये।

एक अन्य हुसेन ऊदी था। उसके संगीत एवं वादन में बड़ा आनन्द आता था। वह अपने ऊद के तारों को बट कर एक कर देता था और फिर बजाता था। वह बजाते समय बड़ा नखरा करता था। एक बार जब शैबाक खां ने उसे बजाने का आदेश दिया तो उसने बड़ा नखरा किया और बड़ी बुरी तरह

---

[1] वह मांस जो ठोड़ी के नीचे होता है।

[2] ऊद (बरबत) बजाने वाला।

[3] गिटार।

ही नहीं बजाया अपितु एक निकृष्ट बाजा जो वह अपने बाजे के स्थान पर लाया था बजाया। शैबाक़ खां समझ गया और उसने आदेश दिया कि उसकी गरदन वहीं पर खुब कुचली जाये। संसार में शैबाक खां ने यही एक उत्तम कार्य किया। ऐसे नखरे बाज़ दुष्टों को इससे भी अधिक दंड मिलना चाहिये।

गायक

गुलाम शादी, शादी गायक का पुत्र भी एक संगीतज्ञ था। यद्यपि वह बजाता भी था किन्तु जिन लोगों का उल्लेख हो चुका है उनसे अच्छा नहीं। उसके राग एवं धुनें बड़ी ही उत्तम हैं। उसके समय में कोई भी ऐसे रागों एवं धुनों की रचना न कर पाता था। अन्त में शैबाक खां ने उसे काज़ान खां मुहम्मद अमीन के पास भेज दिया और फिर उसका कोई पता न चला।

मीर अजू भी गायक था, वादक न था। उसने बड़ी कम रचनायें की किन्तु उसकी थोड़ी सी रचनायें बड़े मजे की हैं।

बनाई भी बड़ा ही उत्तम गायक था। उसने भी बड़ी उत्तम धुनें एवं राग निकाले।

पहलवान

पहलवान मुहम्मद बू सईद एक अद्वितीय व्यक्ति था। वह पहलवानों में सर्वश्रेष्ठ था और कविता भी करता था। धुन एवं राग भी निकालता था। उसकी एक उत्तम धुन चारगाह में है। वह बड़ा ही उत्तम सहचर था। यह बड़े आश्चर्य की बात है कि ऐसे गुणों के साथ साथ उसे पहलवानी का भी ज्ञान था।